Le langage secret des fleurs

Vanessa Diffenbaugh

Le langage secret des fleurs

Traduit de l'anglais (Etats-Unis)
par Isabelle Chapman

ÉDITIONS FRANCE LOISIRS

Titre original : *The Language of Flowers*

Édition du Club France Loisirs,
avec l'autorisation des Éditions Presses de la cité

Éditions France Loisirs,
123, boulevard de Grenelle, Paris
www.franceloisirs.com

ISBN 978-2-258-08881-8

A PK

« La mousse symbolise l'amour maternel. Tout comme cet amour, elle nous réjouit le cœur quand s'abat sur nous l'hiver de l'adversité et que nous délaissent nos amis de l'été. »

The Language of Flowers : The Floral Offering, Henrietta DUMONT

I
Les chardons

1

Pendant huit ans, les flammes ont hanté mes rêves. Des arbres s'embrasaient alors que je passais près d'eux. Des océans brûlaient. Une fumée à la saveur sucrée se déposait sur mes cheveux de dormeuse et, à mon lever, son parfum, pareil à un nuage, s'envolait de mon oreiller. Pourtant, dès l'instant où mon matelas prit feu, je m'éveillai en sursaut. La forte odeur chimique n'avait rien à voir avec celle, vaguement sirupeuse, de mes songes : elles étaient aussi distinctes que le jasmin indien, *attachement*, et le jasmin de Caroline, *séparation*. Il n'y avait pas à s'y tromper.

Debout au milieu de la pièce, je ne tardai pas à repérer l'origine de l'incendie. Des allumettes, dressées en un rang serré au pied de mon lit, s'allumaient les unes après les autres, flamboyante palissade miniature à la bordure du matelas. Saisie d'une terreur sans commune mesure avec la taille des flammes, l'espace d'un instant, j'eus à nouveau dix ans, et mon cœur se gonfla de ce même désespoir mêlé d'espérance que j'avais alors éprouvé pour la première et la dernière fois.

Sauf que le matelas nu, en matière synthétique, ne s'enflamma pas aussi bien que les chardons de cette fin d'octobre-là. Le feu ne tarda pas à s'éteindre de lui-même.

C'était le jour de mes dix-huit ans.

Dans la pièce commune, les filles, nerveuses, assises en rang d'oignon sur le canapé affaissé, commencèrent par m'inspecter de haut en bas, puis fixèrent mes pieds nus, que les flammes n'avaient pas touchés. L'une semblait soulagée, une autre déçue. Si j'étais restée une semaine de plus, je me serais souvenue de chacune de leurs expressions, et me serais vengée en glissant des clous rouillés dans leurs semelles ou de petits cailloux dans leurs bols de chili. Une nuit, pour un crime bien moins grave, j'avais approché l'extrémité chauffée à blanc d'un cintre en métal de l'épaule d'une pensionnaire endormie.

Mais cette fois, dans une heure, je serais partie. Les filles le savaient. Tout le monde le savait.

Celle assise au centre se leva. Jeune – quinze ou seize ans tout au plus. Je n'en avais pas souvent vu d'aussi jolie : elle avait le dos droit, la peau saine et des vêtements neufs. Alors que je la regardais traverser la pièce, sa façon de marcher, bras fléchis, coudes au corps, agressive, me parut soudain familière. Même si elle était nouvelle, ce n'était pas une inconnue. J'avais déjà cohabité avec cette fille dans les années post-Elizabeth, alors que ma colère et ma violence étaient à leur summum.

Arrivée à quelques centimètres de moi, elle se figea en levant le menton dans l'espace qui nous séparait.

— Le feu, dit-elle posément, c'était de notre part à toutes. Joyeux anniversaire !

Derrière elle, les autres se tortillèrent sur le canapé. Une capuche se rabattit sur une tête, une couverture sur des épaules. La lumière matinale tremblota sur une rangée de paupières baissées et tout à coup, elles eurent l'air très jeunes, comme prises au piège. La seule solution pour sortir d'un foyer d'accueil tel que celui-ci, c'était de s'en échapper, d'atteindre sa majorité ou d'être internée dans un asile psychiatrique. Les enfants de plus de quatorze ans n'étaient jamais adoptés et ils ne rentraient que rarement, voire jamais, chez eux. Ces filles savaient ce qui les attendait. Dans leurs yeux était tapie la peur : peur de moi, des autres pensionnaires, de cette vie qu'elles avaient méritée ou qui leur avait été imposée. Soudain, contre toute attente, une vague de pitié me submergea. Je partais ! J'étais libre ! Alors qu'elles restaient coincées là.

Je m'élançai vers la sortie, mais la nouvelle esquissa un pas de côté pour me barrer la route.

— Dégage ! aboyai-je.

L'employée de nuit passa la tête par la porte de la cuisine. Elle n'avait, à mon avis, même pas vingt ans et je lui inspirais plus de terreur qu'à aucune des filles présentes dans la pièce.

— S'il te plaît, bredouilla-t-elle d'une voix suppliante. C'est son dernier jour. Laisse-la tranquille.

J'attendis, prête à me défendre, tandis que la fille devant moi rentrait le ventre et serrait les poings. Lorsque, au bout d'un moment, elle se détourna avec dégoût, je me contentai de la contourner pour franchir le seuil.

Il me restait une heure avant que Meredith vienne me chercher. Je sortis par la porte principale. C'était un de ces matins brumeux de San Francisco. Sous mes pieds nus, le sol du porche en ciment était frais. Je marquai une halte. Moi qui avais prévu de riposter par des propos cinglants et haineux, j'étais tout étonnée par mon envie de leur pardonner. A dix-huit ans, d'un seul coup, c'était fini pour moi et je devenais capable de tendresse à leur égard. Avant de partir, j'aurais voulu trouver les mots pour combattre la peur dans leurs yeux.

Je descendis Fell Street avant de bifurquer sur Market. Je ralentis le pas en abordant le carrefour toujours encombré, hésitante sur la direction à prendre. Un jour comme les autres, j'aurais été cueillir des fleurs dans les parterres de Duboce Park, ou arracher les mauvaises herbes du terrain vague au coin de Page et Buchanan, ou bien voler des herbes aromatiques au marché du quartier. Cela faisait presque dix ans que je consacrais tout mon temps libre à mémoriser la signification et la description scientifique de chaque fleur, mais je n'avais jamais mis à profit mes connaissances. J'utilisais toujours les mêmes : un bouquet de soucis, *chagrin* ; un seau de chardons, *misanthropie* ; une pincée de basilic séché, *haine*. A de rares occasions, j'exprimais d'autres émotions : une poche pleine d'œillets rouges pour la juge lorsque j'avais compris que je ne retournerais jamais au vignoble, et des pivoines pour Meredith, aussi souvent que possible. A présent, je me mis en quête d'un fleuriste sur Market Street et compulsai le dictionnaire virtuel que je gardais dans un coin de ma cervelle.

Un peu plus loin, je m'arrêtai devant un magasin de spiritueux où, au-dessous des fenêtres grillagées, des fleurs enveloppées de papier étaient en train de se faner dans des seaux. Il n'y avait là que des bouquets mélangés, aux significations contradictoires, et très peu d'unis : des roses standard rouges et roses, quelques œillets panachés et, compressée dans un cône de papier, une botte de dahlias violets. *Dignité*. Voilà ce que je cherchais ! C'était ça le message que je voulais leur faire passer. Tournant le dos au miroir d'angle au-dessus de la porte, je fourrai les fleurs sous mon manteau et détalai.

J'étais à bout de souffle lorsque j'atteignis le foyer. La pièce commune était vide. J'y déballai les dahlias. Des soleils de feu d'artifice, des boules parfaites hérissées de pétales violets à pointes blanches qui se déroulaient à partir d'un centre semblable à une petite bille dure. Je coupai l'élastique avec mes dents afin de séparer les tiges. Les filles ne comprendraient sûrement pas la signification des dahlias (d'ailleurs assez ambiguë). Et pourtant je ressentis un sentiment inhabituel de légèreté alors que j'arpentais le long couloir, glissant une fleur sous la porte fermée de chaque chambre.

Je tendis ce qui restait à la jeune femme qui travaillait de nuit. Debout à la fenêtre de la cuisine, elle attendait la relève.

— Merci, me dit-elle, confuse.

Elle fit rouler les tiges entre les paumes de ses mains.

Meredith arriva, conformément à ce qu'elle m'avait dit, à dix heures tapantes. J'attendais sous le porche, une boîte en carton sur les genoux. En dix-huit ans, j'avais surtout accumulé des livres : *Le Dictionnaire des fleurs* et *Le Guide des fleurs sauvages* de Peterson, qu'Elizabeth m'avait fait parvenir un mois après mon départ ; des manuels de botanique provenant des bibliothèques de diverses villes de l'East Bay ; et de minces recueils de poésie victorienne en format poche dérobés par mes soins dans de discrètes petites librairies. Et par-dessus tout cela, un tas de vêtements pliés, des affaires trouvées ou volées, dont en fait seul un petit nombre s'avérait à ma taille. Meredith devait me conduire à la Gathering

House, un foyer de transit situé dans le quartier de San Francisco appelé « l'Outer Sunset », en bord de mer. Je figurais sur sa liste d'attente depuis mes dix ans.

— Joyeux anniversaire ! claironna Meredith alors que je plaçais mon carton sur le siège arrière de sa voiture de fonction.

Je m'abstins de lui répondre. Nous savions aussi bien l'une que l'autre combien la date était incertaine. Mon premier dossier, celui déposé au tribunal pour le jugement d'abandon, me donnait environ trois semaines. Le jour et le lieu de ma naissance demeuraient inconnus, au même titre que mes parents biologiques. Le 1er août avait été choisi dans le seul but de déterminer l'échéance de ma majorité, et non pour célébrer l'événement.

Je m'affalai dans le siège du passager et fermai la portière, m'attendant à ce qu'elle démarre. Elle tapota le volant de ses faux ongles. Je bouclai ma ceinture. La voiture ne bougeait toujours pas. Je me tournai vers Meredith. Comme je ne m'étais pas habillée, je remontai mes genoux contre ma poitrine et rentrai les pieds sous ma veste de pyjama. Les yeux au plafond, je guettai le moment où elle allait parler.

— Alors, tu es prête ? me demanda-t-elle.

Je répondis par un haussement d'épaules.

— Ça y est, tu sais, continua-t-elle. C'est maintenant que ta vie commence. A partir d'aujourd'hui, tu ne pourras plus t'en prendre qu'à toi-même.

Meredith Combs, l'assistante sociale responsable de mon placement dans la kyrielle de familles d'accueil qui m'avaient rejetée, cherchait à me culpabiliser.

2

Le front contre la vitre, je regardais défiler les collines poussiéreuses sous la lumière estivale. Le véhicule de Meredith sentait la fumée de cigarette et il y avait du moisi sur la sangle de ma ceinture de sécurité, preuve qu'un autre enfant avait eu, lui, le droit de manger dans la voiture. J'avais neuf ans. J'étais assise à l'arrière, en chemise de nuit, mes cheveux courts en bataille. Les choses n'allaient pas comme Meredith le voulait. Elle m'avait acheté une robe pour l'occasion, d'un tissu léger, bleu pâle avec des broderies et des dentelles. Seulement, j'avais refusé de la porter.

Meredith tenait les yeux rivés sur la route. Elle ne me vit pas détacher ma ceinture, ni ouvrir la fenêtre, ni sortir la tête et la basculer jusqu'à ce que ma clavicule touche le haut de la portière. Plaçant mon visage face au vent, j'attendis qu'elle m'ordonne de m'asseoir. Elle me jeta un bref regard par-dessus son épaule, mais ne broncha pas, les lèvres serrées formant un trait bien droit, le regard indéchiffrable derrière ses lunettes noires.

Je demeurai dans cette position, me penchant un peu plus à chaque kilomètre, jusqu'au moment où, Meredith appuyant sur un bouton, la vitre remonta sans prévenir. Le bord du verre menaçant de me broyer la gorge, je me jetai en arrière et, rebondissant sur la banquette, roulai sur le plancher. Meredith remonta toutes les vitres et bientôt le bruit du vent s'engouffrant dans la voiture laissa place au silence. Elle ne se retourna pas. Recroquevillée sur le tapis de sol crasseux, je pêchai sous le siège du passager un biberon fétide et le lançai. Le biberon rebondit sur l'épaule de Meredith et revint comme un boomerang, répandant sur mes genoux une petite mare aigre. Elle ne cilla même pas.

— Tu veux des pêches ? s'enquit-elle.

Quand il s'agissait de manger, impossible de me retenir, et Meredith le savait très bien.

— Oui.

— Alors rassieds-toi et attache ta ceinture. Je t'achèterai ce que tu veux chez le prochain marchand de fruits qu'on verra sur la route.

Je grimpai à ma place et remis ma ceinture.

Quinze minutes après, on sortait de l'autoroute. Elle m'acheta deux pêches et une demi-livre de cerises, que je comptai en mangeant.

— Je ne devrais pas te le dire... commença Meredith en appuyant sur chaque syllabe, lentement.

Elle marqua une pause, me lança un regard dans le rétroviseur. Je tournai le mien vers la fenêtre, la joue contre la vitre, sans réaction.

— ...mais je crois que tu mérites de le savoir. C'est ta dernière chance. Vraiment, la toute dernière, Victoria. Tu m'entends ?

Je ne réagis pas.

— Lorsque tu atteindras l'âge de dix ans, l'Etat te jugera inapte à l'adoption. Même moi, j'arrêterai d'essayer de convaincre une famille de t'accueillir. Tu iras de foyer en foyer jusqu'à ta majorité... Maintenant, promets-moi d'y penser.

Je descendis ma vitre et crachai des noyaux de cerise dans le vent. Meredith venait de me retirer de mon premier foyer de l'enfance. A se demander si elle ne m'y avait pas placée rien que pour me préparer à recevoir ce sermon. Ce n'était pas ma faute si ma dernière famille d'accueil m'avait « rendue ». Je n'étais restée qu'une semaine au foyer avant qu'elle vienne me chercher pour me conduire chez Elizabeth.

Cela ressemblerait bien à Meredith de me torturer rien que pour prouver qu'elle avait raison. Au foyer, le personnel était méchant. La cuisinière, par exemple. Tous les matins, je l'avais vue obliger une grosse fille à la peau foncée à manger avec sa chemise retroussée jusqu'au menton, son ventre rond à l'air, afin qu'elle se souvienne de-ne-pas-se-gaver. Ou la directrice, Mlle Gayle, qui ordonnait ensuite à l'une d'entre nous de se tenir à une extrémité de la longue table et d'expliquer pourquoi ses parents ne voulaient pas d'elle. Quand mon tour était venu, comme j'avais été abandonnée à la naissance, je m'en étais sortie en déclarant que ma mère ne voulait pas d'enfants. Les autres avaient décrit les choses horribles qu'elles avaient fait subir à leurs frères et sœurs, ou expliqué pourquoi elles étaient à l'origine des problèmes de drogue de leurs parents. Presque toutes pleuraient.

Mais si Meredith m'avait placée dans un foyer dans l'espoir que la frousse allait adoucir mon caractère, elle en avait été pour ses frais. Malgré la cruauté des adultes, je m'y étais plu. Manger à des heures régulières, dormir sous deux couvertures et personne en train de faire semblant de m'aimer.

Je mastiquai la dernière cerise et crachai le noyau à la tête de Meredith.

— Penses-y, me répéta-t-elle.

Comme pour me soudoyer, elle s'arrêta pour acheter à un drive-in une barquette de *fish and chips* toute chaude, plus un milk-shake au chocolat. Je m'empiffrai, le regard sur les collines poudrées de l'East Bay qui peu à peu cédèrent la place au paysage urbain chaotique de San Francisco, lequel ne tarda pas à déboucher sur le spectaculaire panorama de la baie. Le temps que nous franchissions le Golden Gate Bridge, ma chemise de nuit était maculée de pêches et de cerises, de ketchup et de chocolat.

Après avoir traversé des terres arides, des champs de fleurs et un parking désert, à l'abord d'un vignoble dont les rangs bien peignés montaient à l'assaut des coteaux, voilà que Meredith freina brutalement pour tourner à gauche sur un chemin de terre, puis accéléra malgré les cahots, comme si elle était soudain pressée de m'éjecter de la voiture. Je vis passer à toute allure des tables de pique-nique et de vigoureux pieds de vigne accrochés à des fils de fer. Meredith ralentit à un virage avant de reprendre de la vitesse et piqua vers un bouquet de grands arbres en soulevant un nuage de poussière.

Elle s'arrêta. Le nuage dissipé, j'aperçus une ferme blanche. Haute de deux étages, avec un toit pointu, une véranda vitrée et des rideaux en dentelle. A sa droite, une caravane en métal était tapie au milieu de plusieurs cabanes de guingois entre lesquelles s'éparpillaient des jouets, des outils et des bicyclettes. J'avais déjà habité dans une caravane. Je me demandai si Elizabeth me ferait dormir sur un canapé convertible, ou si je serais obligée de partager sa chambre. Je n'aimais pas écouter les gens respirer.

Meredith n'attendit pas de voir si j'allais descendre de mon plein gré. Elle déboucla ma ceinture de sécurité, m'attrapa sous les aisselles et, en dépit de mes coups de pied, me porta jusqu'à la maison. M'attendant à ce qu'Elizabeth sorte d'un instant à l'autre de la caravane, je tournais le dos à la porte d'entrée lorsque dix doigts maigres se posèrent sur mes épaules. Dans un hurlement, je filai comme un dard. Pieds nus, je courus m'accroupir derrière la voiture.

— Elle n'aime pas qu'on la touche, déclara Meredith à Elizabeth sans lui cacher son irritation. Je vous avais prévenue. Il faut attendre qu'elle vienne à vous.

Furieuse qu'elle en sache autant sur moi, je me frictionnai à l'endroit où Elizabeth m'avait touchée, comme pour effacer ses empreintes digitales, et demeurai hors de vue derrière la voiture.

— J'attendrai, répliqua Elizabeth. Je vous ai promis de me montrer patiente et je n'ai pas l'intention de revenir sur ma parole.

Meredith lui récita sa liste habituelle des raisons qui l'empêchaient de rester plus longtemps pour nous aider à faire connaissance : un grand-parent souffrant, un mari anxieux et sa peur de conduire la nuit. En l'écoutant, Elizabeth tapait impatiemment du pied à côté du pneu arrière. Dans quelques instants, Meredith allait démarrer et me laisser à découvert sur le gravier. Toujours accroupie, je rampai à reculons. Une fois derrière un noyer, je me relevai et pris mes jambes à mon cou.

Au bout de la haie d'arbres, je plongeai dans le premier rang de vignes et me cachai derrière un pied touffu dont je tirai le feuillage autour de mon corps maigre. De cette cachette, j'entendis Elizabeth approcher, et en glissant un œil entre les feuilles, je la vis s'engager dans une allée un peu plus loin. De soulagement, je laissai ma main retomber : elle m'avait loupée.

Levant le bras, je cueillis un grain de raisin sur la grappe la plus proche et mordis dans sa peau épaisse. Il avait un goût acide. Je le recrachai et piétinai le reste de la grappe, grain après grain, avec le jus qui giclait entre mes orteils.

Je n'entendis ni ne vis Elizabeth revenir. Mais alors que je m'employais à massacrer une deuxième grappe, elle se pencha pour me saisir sous les bras et me tirer de mon refuge. Elle me tint en l'air devant elle. Mes pieds ballottaient à quelques centimètres du sol tandis qu'elle m'examinait.

— J'ai grandi ici, me dit-elle. Je connais toutes les bonnes cachettes.

J'avais beau gigoter, Elizabeth me tenait fermement. Elle reposa mes pieds sur le sol sans pour autant me lâcher. Je lui envoyai de la terre sur les tibias et, voyant qu'elle tenait bon, lui flanquai des coups de pied dans les chevilles. Elle ne recula même pas.

Avec un grognement, je fis claquer mes dents près d'un de ses bras mais, plus rapide que moi, elle me prit les joues entre le pouce et l'index et, en serrant très fort, força ma mâchoire à se détendre et mes lèvres à avancer en cul-de-poule. Je retins un cri de douleur.

— On ne mord pas, prononça-t-elle en se penchant comme pour poser un baiser sur ma bouche pincée, mais son visage s'immobilisa à quelques centimètres du mien, tandis qu'elle me regardait au fond des yeux. Moi, j'aime bien qu'on me touche, ajouta-t-elle. Il faudra t'y faire.

Me gratifiant d'un sourire amusé, elle me relâcha.

— Non, je m'y ferai jamais !

N'empêche, je cessai de me débattre et la laissai me conduire sous la véranda, puis dans la pénombre fraîche de la grande maison.

3

Sur Sunset Boulevard, Meredith tourna dans Noriega Street où elle roula avec une lenteur exagérée en lisant tous les panneaux d'indication. Un klaxon impatient derrière nous la rappela à l'ordre.

Depuis Fell Street, alors que nous avions parcouru la moitié de San Francisco, elle m'abreuvait d'un flot de paroles qui n'était en fait que l'énumération des raisons pour lesquelles ma survie semblait compromise : aucun diplôme, pas de motivation ni de réseau et une absence complète de sociabilité. Elle m'interrogea sur mes plans, me recommandant de songer à ce que j'allais faire pour gagner ma vie.

Je fis comme si je n'entendais rien.

Cela n'avait pas toujours été ainsi. Petite, j'avais bu comme du petit-lait ses paroles alors débordantes d'optimisme, assise sur le rebord d'un lit alors qu'elle me brossait les cheveux et les nattait en y nouant un ruban comme si j'étais un cadeau, avant de me présenter à ma nouvelle maman ou à mon nouveau papa. Mais au fil des ans, en voyant que mes familles d'accueil me « rendaient » les unes après les autres, Meredith avait perdu sa foi en moi. La brosse autrefois si douce me tirait désormais les cheveux en cadence avec ses sermons, lesquels s'allongeaient à chaque nouveau placement, de plus en plus décalés par rapport à l'enfant que j'étais. Meredith tenait une liste de mes défauts dans son agenda qu'elle lisait tout haut aux juges à la façon de chefs d'accusation. Indifférente. Coléreuse. Ingrate. Têtue. Je me souvenais de tous les qualificatifs qu'elle avait employés.

J'avais beau l'excéder, Meredith gardait mon dossier. Elle avait toujours refusé de baisser les bras, même le jour où un juge fatigué lui avait soufflé, l'été de mes huit ans, qu'elle avait peut-être fait tout ce qu'elle pouvait. Elle l'avait rembarré sans hésiter. Et moi, saisie d'un léger vertige, j'avais cru un instant que sa réaction était motivée par un fond d'affection pour moi qu'elle venait de trahir, mais j'avais déchanté à la seconde en la voyant rougir d'embarras : comme elle avait été mon assistante sociale depuis ma naissance, mon échec, s'il devait être déclaré, aurait été aussi le sien.

Elle se gara devant le foyer de transit, la Gathering House, un immeuble en stuc couleur pêche et au toit plat, identique aux autres de la rue.

— Trois mois, prononça Meredith. Répète après moi. Je veux être sûre que tu as bien compris. Trois mois de loyer gratuit, et après ça, tu payes ou tu déménages.

Je restai muette. Meredith sortit en claquant la portière derrière elle.

Mon carton ayant basculé pendant le trajet, mes vêtements s'étaient éparpillés sur le siège arrière. Je les replaçai dans la boîte par-dessus les livres, puis rejoignis Meredith en haut des marches du perron. Elle appuya sur la sonnette.

Plus d'une minute s'écoula. La porte finit par s'ouvrir sur un groupe de filles agglutinées dans l'entrée. Je serrai mes affaires contre ma poitrine.

Une fille petite, aux jambes comme des poteaux et aux longs cheveux blonds, se détacha du lot pour nous ouvrir la porte-moustiquaire. Elle me tendit la main.

— Moi, c'est Eve.

Meredith eut beau m'écraser le pied à dessein, je ne fis même pas mine d'esquisser un geste de salut.

— Je vous présente Victoria Jones, dit-elle en me poussant en avant. Elle a dix-huit ans aujourd'hui.

— Joyeux anniversaire… murmurèrent-elles plus ou moins à l'unisson tandis que deux filles échangeaient un regard entendu.

— Alexis s'est fait expulser la semaine dernière, indiqua Eve. Tu n'as qu'à prendre sa piaule.

Elle me tourna le dos et je lui emboîtai le pas dans un sombre couloir tapissé de moquette. Dès qu'elle s'arrêta devant une porte ouverte, je me faufilai à l'intérieur et me dépêchai de m'enfermer à clé.

La chambre était éclatante de blancheur. Il y flottait une odeur de peinture fraîche. Les murs, quand j'y posai les doigts, étaient encore collants. Le peintre avait bâclé son travail : la moquette, jadis blanche, était salie par des traînées de peinture en bordure des plinthes. J'aurais préféré qu'il y aille carrément et peigne le tapis, le matelas et la table de nuit en bois sombre. Le blanc, c'était propre et neuf, et j'aimais l'idée qu'il n'ait appartenu à personne avant moi.

Meredith m'appela depuis le hall d'entrée. Puis elle frappa à la porte, comme une sourde. Je plaçai ma boîte au centre de la pièce. Y piochant mes vêtements, je les déposai en vrac par terre dans mon placard puis j'empilai mes livres sur la table de nuit. Une fois le carton vide, je le déchirai en bandes dont je couvris le matelas nu afin de m'y allonger. La lumière du jour qui ruisselait par une petite fenêtre se réverbérait si bien sur la surface blanche des murs qu'elle me réchauffait la peau du visage, du cou et des mains. La fenêtre était orientée sud, notai-je, ce qui était favorable aux orchidées et aux bulbes.

— Victoria ? s'obstina Meredith. J'ai besoin de savoir ce que tu comptes faire. Dis-moi juste quels sont tes projets et je te laisserai tranquille.

Je fermai les paupières et, surtout, je fermai les oreilles au bruit de ses phalanges tapant contre le bois. Finalement, elle arrêta de cogner.

En ouvrant les yeux, la première chose que je vis fut une enveloppe sur la moquette glissée sous la porte. A l'intérieur, un billet de vingt dollars et un bref message : *Achète-toi à manger et trouve un job.*

Les vingt dollars de Meredith financèrent cinq gros cartons de lait entier. Presque chaque matin, pendant une semaine, j'achetai à l'épicerie mes deux litres de liquide crémeux que je dégustais à petites gorgées tout au long de la journée, déambulant de jardin public en cour d'école, afin d'identifier les plantes locales. N'ayant jamais vécu aussi près de l'océan, je m'attendais à découvrir un autre type de paysage. L'épais brouillard matinal qui collait à la terre allait se lever, me disais-je, en dévoilant des plantes inconnues de moi. Hormis l'abondance d'aloès aux grandes hampes florales rouges dressées vers le ciel, je fus déçue par le manque de nouveautés. Je retrouvais les mêmes espèces d'origine étrangère que j'avais vues dans les jardins et chez les horticulteurs tout autour de la Bay Area – lantanas, bougainvillées, morelle faux jasmin, capucines. Seule leur taille se révélait différente. Proliférant grâce à l'humidité du bord de mer au point d'engloutir clôtures et cabanes à outils, la végétation était plus haute, plus flamboyante et plus sauvage que partout ailleurs.

Mon bidon de lait terminé, je m'en retournais au foyer, coupais le carton en deux à l'horizontale au moyen d'un couteau de cuisine et attendais la nuit. Les plates-bandes du voisin me fournissaient en terreau bien noir. J'en versais quelques cuillerées à soupe dans mes pots de fortune dont je perçais le fond de plusieurs trous avant de les placer par terre au centre de ma chambre, là où le soleil donnait quelques heures seulement en fin de matinée.

Je devais chercher du travail, là-dessus je n'avais aucun doute. Seulement pour la première fois de ma vie, j'avais une chambre à moi qui fermait à clé et personne ne me disait où aller ni quoi faire. Avant de chercher un job, c'était décidé, j'allais créer un jardin.

A la fin de cette première semaine, je comptabilisais quatorze pots de fleurs et une multitude d'expéditions dans un rayon de seize pâtés de maisons. Je privilégiais celles dont la floraison se ferait en automne et déracinais des plantes devant les maisons, dans les jardins publics et les aires de jeux. En général, les mains pleines de racines boueuses, je rentrais tout droit au foyer, quoique plus d'une fois je me sois perdue ou retrouvée loin de la Gathering House. Je resquillais alors en me faufilant par la porte arrière d'un bus bondé, dont je ne descendais que lorsque le quartier me semblait familier. De retour dans ma chambre, je dépliais avec mille précautions les petites racines traumatisées, les recouvrais de bon terreau, et les arrosais abondamment. Les cartons de lait fuyaient sur la moquette et un jour, je vis qu'entre les fibres usées s'étaient mises à pousser des mauvaises herbes. J'épiais les progrès de mes fleurs et veillais à arracher les espèces envahissantes presque avant qu'elles ne surgissent des ténèbres.

Meredith prenait de mes nouvelles chaque semaine. La juge l'avait nommée mon *autorité de tutelle*, parce que d'une part la loi exigeait que j'en aie une, et d'autre part il ne s'était trouvé personne d'autre dans mon dossier susceptible de tenir ce rôle. De mon côté, je faisais de mon mieux pour l'éviter. Quand je revenais de mes expéditions, j'espionnais le foyer depuis le coin de la rue. Si je voyais sa voiture blanche garée dans l'allée, je prenais soin de ne pas rentrer tout de suite. Elle finit par changer de tactique. C'est ainsi que début septembre, en ouvrant la porte d'entrée, je la trouvai assise à la table de la salle à manger.

— Où est ta voiture ? m'exclamai-je.

— Je l'ai garée un peu plus loin. Comme je ne te vois plus depuis plus d'un mois, je me suis dit que tu devais m'éviter. Il y a une raison ?

— Aucune.

Je me dirigeai vers la table et poussai la vaisselle sale d'une pensionnaire. M'asseyant, je plaçai de grosses poignées de lavande (que j'avais déracinées dans le jardin d'une maison de Pacific Heights) sur le bois éraflé qui nous séparait.

— De la lavande, ajoutai-je en lui tendant un brin.

(Lavande : *méfiance*.)

Meredith la chiffonna entre son pouce et son index avant de la poser, indifférente.

— Alors, ce travail ?

— Quel travail ?

— Est-ce que tu as trouvé un job ?

— Pourquoi est-ce que j'aurais un job ?

Meredith soupira. Elle ramassa le brin de lavande et me le lança à la figure, tige en avant. Il piqua du nez comme un avion en papier. Je m'en emparai et me mis en devoir de lisser ses épis floraux chiffonnés.

— Tu en aurais un, accusa Meredith, si seulement tu avais cherché. Seules celles qui postulent sont engagées. Sinon, dans six semaines, tu es à la rue, et personne ne t'ouvrira sa porte quand les nuits seront froides.

Je me tournai vers la sortie, impatiente qu'elle s'en aille.

— Il faut que tu en aies envie, continua-t-elle. Je peux t'aider jusqu'à un certain point, mais au bout du compte, c'est à toi de le vouloir.

Vouloir quoi ? Je m'étais toujours demandé ce qu'elle tentait de me signifier par là. Je voulais qu'elle parte, pour ça, oui. Je voulais boire le lait qui se trouvait sur l'étagère supérieure du frigo avec LORRAINE inscrit sur le carton, carton qui, une fois vide, s'ajouterait à ma collection. Je voulais aussi coucher la lavande près de mon oreiller pour m'endormir en respirant sa senteur fraîche, propre et sèche.

— Je reviendrai la semaine prochaine, menaça Meredith en se levant, au moment où tu m'attendras le moins. Et je veux voir une grosse pile de candidatures dans ton sac à dos. Ce sera dur pour moi de te mettre à la rue, mais sache que je le ferai, conclut-elle sur le seuil.

N'importe quoi, me dis-je, ce ne serait pas dur du tout !

J'ouvris le congélateur, et tripotai les rouleaux impériaux et les brochettes de viande duvetés de givre jusqu'à ce que j'entende la porte d'entrée se refermer d'un coup sec.

Je consacrai mes dernières semaines au foyer à transplanter mes plates-bandes de chambre dans la terre de McKinley Square, un jardin public sur les hauteurs de Potrero Hill. J'étais tombée dessus par hasard en arpentant les rues à la recherche d'un boulot et ce jardin m'avait semblé offrir une combinaison parfaite de soleil et d'ombre, de solitude et de sécurité. Potrero Hill était un des quartiers les moins froids de la ville et dans ce jardin, situé sur un point culminant, on avait une vue à trois cent soixante degrés sur la baie et ses environs. Le bac à sable d'une aire de jeux occupait le centre d'une vaste pelouse carrée parfaitement entretenue, mais derrière, le jardin se transformait en un parc arboré qui dégringolait en pente raide au-dessus du grand hôpital de San Francisco et d'une brasserie. Au lieu de poursuivre ma quête d'emploi, j'avais donc transporté mes cartons un à un dans ce lieu isolé. Je pris un soin particulier au choix des emplacements – les plantes qui avaient besoin d'ombre sous les grands arbres, celles qui étaient avides de soleil un peu plus bas, là où elles seraient bien exposées.

Le matin de mon expulsion, je me réveillai avant l'aube. Ma chambre était vide, et l'on pouvait voir sur le sol les traces humides et terreuses laissées par les cartons de lait. Me retrouver sans domicile n'était pas de ma part un choix conscient. Pourtant, alors que je me levais pour m'habiller, à la perspective de me trouver à la rue dans quelques heures, j'étais surprise de constater que je n'éprouvais aucune appréhension. Au lieu de trembler de peur ou de colère, je sentais mon cœur battre d'excitation, comme si je redevenais la petite fille à la veille d'un nouveau placement. Maintenant que j'étais adulte, mes attentes concernant mon avenir étaient très simples : je voulais être seule, entourée de fleurs. J'allais sans doute obtenir exactement ce que je désirais.

Ma chambre ne contenait plus que trois tenues, mon sac à dos, ma brosse à dents, du gel pour cheveux et les livres qu'Elizabeth m'avait donnés. La veille, allongée sur mon lit, j'avais écouté les autres filles fouiller dans le reste de mes affaires, comme une horde d'animaux affamés dévorant un des leurs qui n'aurait pas survécu. C'était la coutume dans les foyers d'accueil. On s'appropriait ce que laissaient les enfants enlevés à la hâte, en pleurs. Aussi se contentaient-elles, après tout, de perpétuer la tradition.

Cela faisait des années, presque dix ans, que je n'avais pas participé à une séance de cette nature, mais je gardais le souvenir de mon intense satisfaction à la découverte de la moindre chose comestible, ou susceptible d'être revendue à l'école pour quelques cents, ou bien encore d'un objet mystérieux ou personnel. A l'école primaire, j'avais commencé une collection de ces choses oubliées, que je conservais tels des trésors dans une pochette zippée dérobée à la buanderie – entre autres un pendentif gravé d'un M, un bracelet de montre turquoise en faux serpent et une toute petite boîte à pilules renfermant une molaire tachée de sang. A mesure que la pochette se remplissait et s'alourdissait, les menus objets pointaient à travers les minuscules trous du tissu.

Au départ, je me disais que je conservais ces trouvailles pour leurs propriétaires, non pour les leur rendre mais, au cas où je me retrouverais à nouveau dans le même foyer qu'elles, afin de les échanger contre des victuailles ou une faveur. Mais en prenant de l'ampleur, ma collection me devint précieuse. Je me racontais et me racontais encore, sans me lasser, des histoires sur chacune des pièces qui la composaient ; le temps où je vivais avec Molly, la fille qui aimait les chats ; la fille avec qui je partageais un lit superposé, qui s'était fait arracher sa montre et casser le bras ; l'appartement en sous-sol où Sarah avait appris que la Petite Souris n'existait pas. Mon attachement à ces objets n'était toutefois pas lié à des personnes. En fait, j'avais plutôt évité ces dernières, ignorant leurs noms, les circonstances de leur arrivée dans ma vie et les espoirs qu'elles nourrissaient pour l'avenir. Mais ces babioles, au fil du temps, s'étaient transformées en autant de clés concernant mon passé, tel un chemin de miettes de pain qui me donnait envie de revenir en arrière, à l'époque précédant mon premier souvenir. Puis, lors d'un changement chaotique de foyer d'accueil, j'avais été contrainte d'abandonner ce merveilleux sachet. Pendant des années ensuite, j'avais refusé d'emporter quoi que ce soit avec moi, arrivant dans chaque nouvelle maison les mains obstinément vides.

Rapidement, je m'habillai, superposant deux débardeurs, puis trois tee-shirts et un pull à capuche, avant d'enfiler mon pantalon en stretch marron, mes chaussettes et mes chaussures. Ma couverture de laine marron ne tenant pas dans mon sac à dos, je la pliai en deux pour l'attacher autour de ma taille, formant des fronces que je fixai à l'aide d'épingles à nourrice. Je retroussai le reste et le fis tenir comme un jupon, puis enfilai pardessus deux jupes de différentes longueurs, la première, longue, d'un orange fluo, et la seconde, évasée, de teinte bordeaux. Je m'observai dans le miroir en me nettoyant les dents puis le visage, heureuse de constater que je n'étais ni attirante ni repoussante. Mes formes étaient bien cachées sous mon tas de vêtements et la coupe de cheveux très courte que je m'étais créée la veille faisait ressortir mes yeux bleus (la seule qualité remarquable d'un visage autrement banal) qui paraissaient du coup énormes, presque effrayants. Je souris à mon reflet. Je n'avais pas l'air d'une clocharde. Du moins pas encore.

Je m'arrêtai sur le seuil de ma chambre vide. Le soleil se reflétait sur les murs blancs. Je me demandai qui allait me succéder, et ce qu'elle penserait des mauvaises herbes qui poussaient hors du tapis au pied du lit. Je regrettai soudain de ne pas lui avoir laissé un carton de lait plein de fenouil. La vue de ses fanes duveteuses et son odeur de réglisse l'auraient réconfortée. Mais il était trop tard. Je fis mes adieux à ce qui n'était plus mien, contente d'avoir su profiter du soleil, d'une porte qui fermait à clé, de cet havre de temps et d'espace.

Dans la pièce commune, par la fenêtre, je vis la voiture de Meredith garée dans l'allée, moteur éteint. Les mains agrippées au volant, elle observait son reflet dans le rétroviseur. Pivotant sur mes talons, je sortis par la porte de derrière et m'engouffrai dans le premier bus.

Je n'ai jamais revu Meredith.

4

De la brasserie au bas de la colline s'échappait jour et nuit un panache de vapeur d'eau. Je contemplais ce nuage de blancheur pendant que j'arrachais les mauvaises herbes, et cette image se mêlait à mon bonheur avec une pointe de désespoir.

Le climat était doux en novembre à San Francisco, et McKinley Square tout ce qu'il y a de plus calme. Mon jardin, à l'exception du fragile coquelicot, avait survécu au déménagement, et pendant les premières vingt-quatre heures, j'envisageai de couler éternellement cette vie anonyme, cachée par l'épaisseur rassurante des arbres. Je n'en dressais pas moins l'oreille aux bruits de pas, prête à détaler à la première alerte, mais personne ne s'aventurait au-delà de la pelouse ni n'avait la curiosité de scruter de plus près le bois qui m'abritait. Même l'aire de jeux était vide, sauf pendant une quinzaine de minutes avant l'heure de l'école, quand des enfants sous haute surveillance se balançaient (trois petits tours et puis s'en vont) avant de continuer leur route. Dès le troisième jour, je fus capable d'attacher un prénom aux voix enfantines. Je savais qui faisait ce que disait sa mère (Genna), qui était la chouchoute de son prof (Chloé) et qui aurait préféré être enterrée vivante dans le bac à sable plutôt que de passer une journée de plus en classe

(Greta, la petite Greta – si mes reines-marguerites avaient été en fleur, j'en aurais déposé une poignée sur le sable, tant j'étais émue par ses intonations quand elle suppliait sa mère de la laisser rester). J'étais invisible, et je ne pouvais pas les voir. Pourtant, jour après jour, je me surprenais à attendre leurs visites avec impatience. Le matin de bonne heure, je me demandais quel genre d'enfant j'aurais été si j'avais eu une mère pour m'emmener à l'école tous les jours. Je me voyais en fille obéissante plutôt que rebelle, souriante plutôt que boudeuse. Aurais-je aussi aimé les fleurs ? Aurais-je recherché la solitude ? Ces questions sans réponse tourbillonnaient comme l'eau autour des racines de mes géraniums sauvages, que je n'oubliais pas d'arroser abondamment et très souvent.

Lorsque la faim devenait insoutenable, je sautais dans un bus qui m'emportait vers la Marina, Fillmore Street ou Pacific Heights. Je flânais le long des comptoirs de marbre des épiceries de luxe, goûtant ici une olive, là une tranche de bacon, ou encore un morceau de fromage. Je posais des questions à la manière d'Elizabeth : quelles huiles d'olive étaient pressées à froid ? Quel degré de fraîcheur présentaient le thon, le saumon ou la sole ? Les premières oranges sanguines de la saison étaient-elles bien sucrées ? Feignant l'indécision, j'acceptais de goûter à d'autres produits. Et, dès que le vendeur se tournait vers quelqu'un d'autre, je lui faussais compagnie.

Ma faim à peine apaisée, je parcourais les collines de San Francisco à la recherche de plantes pour étoffer ma collection. Je fouillais les jardins autant privés que publics, me coulant sous le feuillage des belles-de-jour et des passiflores. Quand il m'arrivait de tomber sur une espèce que j'étais incapable d'identifier, j'en arrachais une tige et me dépêchais d'entrer dans un restaurant qui faisait salle comble, où j'attendais le départ d'un client pour me glisser à sa place. M'asseyant devant des restes de lasagnes ou de risotto, je plongeais la plante en détresse dans l'eau du verre, la tige flanchant sur le rebord. Tout en grignotant de petites bouchées nappées de sauce, je tournais les pages de mon guide, afin d'étudier chaque partie de la plante et de répondre méthodiquement aux questions : fleur longistylée ou brévistylée ? Feuille lancéolée, en rosette ou en forme de cœur ? Abondance d'un suc laiteux, l'ovaire se trouvant sur un seul côté de la fleur, ou sans suc laiteux, ovaire supère ? Après en avoir déduit sa famille et avoir mémorisé ses noms commun et scientifique, je pressais la fleur entre les pages de mon livre et regardais autour de moi, dans l'espoir de dénicher un autre plat à moitié vide. Il n'y en avait pas.

Le troisième soir, j'eus du mal à trouver le sommeil. Tandis que mon estomac vide protestait, pour la première fois, mes fleurs, au lieu de me réconforter, me rappelaient, sombres formes immobiles dans le noir, que j'avais gâché le temps qui m'avait été imparti pour chercher du travail et commencer une nouvelle vie. Je remontai ma couverture sur ma tête, dormant par brefs à-coups, repoussant toute pensée relative à mes activités du lendemain ou du surlendemain.

Au milieu de la nuit, une forte odeur de tequila me réveilla en sursaut. Mes yeux s'ouvrirent en grand. La bruyère que j'avais dénichée dans une allée de Divisadero Street protégeait ma tête sous l'éventail de ses branches fleuries de clochettes à peine écloses, brillantes, entre lesquelles je distinguai une silhouette masculine qui se baissait pour briser la tige d'une de mes hélénies. La bouteille de tequila que l'homme tenait dans une main suivit le mouvement et un jet d'alcool atterrit dans les broussailles qui me dissimulaient. Derrière lui, une fille s'en empara, s'assit par terre, me tournant le dos, et renversa la tête en arrière, levant son visage vers le ciel.

L'homme lui tendit la fleur. Au clair de lune, je vis qu'il s'agissait en fait d'un garçon, trop jeune pour boire, trop jeune même pour être dehors à une heure si tardive. Il fit glisser les pétales sur le haut de la tête et la joue de sa copine.

— Une marguerite pour ma chérie, dit-il en imitant l'accent traînant du sud des Etats-Unis.

Il était saoul.

— C'est un tournesol, imbécile, lui rétorqua-t-elle en riant.

Sa queue-de-cheval, retenue par un ruban assorti à sa chemise et à sa jupe plissée, se balançait de droite à gauche. Elle saisit la fleur entre ses doigts pour la sentir. Il manquait la moitié des pétales orange. Elle arracha ce qu'il en restait, dénudant le pistil qu'elle livra ainsi à l'air nocturne puis, d'une pichenette, l'envoya dans les bois.

Le garçon s'assit auprès d'elle. Il sentait la sueur masquée par un parfum bon marché. Elle lança la bouteille vide dans les buissons et se tourna vers lui.

Il se mit alors à l'embrasser à grands bruits de succion, en plaçant ses mains sous son chemisier. Quand il lui enfonça la langue dans la bouche, je crus qu'elle allait avoir un haut-le-cœur. Quelle ne fut pas ma surprise quand je l'entendis émettre un doux gémissement alors qu'elle étreignait ses cheveux gras. Prise de nausée, je sentis un bout de salami remonter dans mon œsophage. Plaquant une main sur ma bouche, l'autre sur mes yeux, je m'efforçai en vain de ne pas écouter. Les bruits de leurs baisers mouillés s'insinuaient jusqu'en moi avec la précision de doigts voraces qui m'auraient palpé les lèvres, la gorge, les seins.

Je me roulai en boule. Mon lit de feuilles craqua. Le couple continua de s'embrasser.

Le matin venu, de l'arrêt de bus, j'aperçus une femme, les bras chargés d'un seau plein de tulipes blanches, qui introduisait une clé dans la porte du fleuriste du quartier. Elle alluma l'électricité et le mot Bloom[1], aux lettres tracées à l'aide de branches, se découpa en contre-jour sur la vitrine. Je traversai la rue.

— Elles sont hors saison, lui lançai-je en désignant les tulipes.

Elle leva des sourcils étonnés.

— Les mariés… se contenta-t-elle de répondre.

Elle posa le seau par terre et attendit la suite.

Je repensai aux amoureux enlacés dans mon jardin. Comme ils avaient roulé bien plus près de moi que je ne l'avais cru, parce que je ne les voyais pas dans les fourrés, j'avais marché par inadvertance sur l'épaule du garçon. Ni l'un ni l'autre n'avait bougé. La fille avait les lèvres posées sur le cou du garçon, comme si le sommeil l'avait saisie au milieu d'un baiser ; sa tête à lui était renversée dans un enchevêtrement d'hélénies. Peut-être les avait-il trouvées confortables. Toujours est-il qu'à la seconde, mon sentiment de sécurité s'était envolé.

---

1. En fleur.

— Je peux vous aider ? s'enquit la femme en se passant la main dans sa tignasse de mèches grises.

Je me rappelai soudain que j'avais oublié de mettre du gel… J'espérais ne pas avoir de feuilles collées dans les cheveux.

— Je cherche du travail.

— Tu as de l'expérience ? répondit-elle en m'inspectant des pieds à la tête.

Suivant avec mon gros orteil le trait d'une fissure dans le trottoir, je réfléchis. Des cartons de lait remplis de chardons et des feuilles d'aloès réunies par un morceau de scotch, cela ne valait pas grand-chose au titre d'expérience dans le domaine de la composition florale. J'étais bien capable de lui débiter une longue liste de noms scientifiques et de lui réciter l'histoire des familles de plantes, mais je ne pensais pas que cela l'impressionnerait.

— Non, répondis-je en dodelinant de la tête.

— Alors, je n'ai rien pour toi.

Le regard qu'elle fixa sur moi était aussi droit que celui d'Elizabeth. La gorge nouée, je resserrai les poings sur mon jupon en couverture, de crainte qu'il ne se détache et tombe à mes pieds.

— Je te donne cinq dollars pour décharger le camion, ajouta-t-elle.

Je me mordis les lèvres et opinai.

Ce doit être les feuilles dans mes cheveux, me dis-je.

5

Mon bain était déjà prêt. Elle prévoyait donc que j'arriverais crasseuse. J'en ressentis de la gêne.

— Tu as besoin d'aide ?

— Non.

La baignoire était d'un blanc étincelant, et le savon posé au milieu de coquillages sur un plateau de métal brillant.

— Tu n'auras qu'à descendre quand tu seras habillée… et ne traîne pas !

Sur une coiffeuse blanche m'attendaient des vêtements propres.

Après son départ, je voulus fermer le loquet. Il avait été retiré. Je pris la chaise de la coiffeuse et la calai sous la poignée : comme ça, au moins, je pourrais l'entendre venir. Me déshabillant aussi vite que possible, je plongeai dans l'eau chaude.

Assise à la table de la cuisine, une serviette sur les genoux, Elizabeth n'avait pas touché à son assiette. J'avais mis ce qu'elle avait acheté : un chemisier blanc et un pantalon jaune. Elizabeth vit tout de suite qu'ils étaient beaucoup trop grands pour moi. J'avais eu beau enrouler le haut comme le bas, le pantalon tombait et, si les pans du chemisier ne l'avaient cachée, on aurait vu ma culotte. Je faisais une tête de moins que mes camarades de CE2, et j'avais perdu trois kilos pendant l'été.

Quand j'avais expliqué à Meredith la raison de ma perte de poids, elle m'avait traitée de menteuse, mais quand même retirée de la famille avant de mettre la mère en examen. Le juge avait écouté mon histoire, puis la version de Mme Tapley. *Je ne me laisserai pas taxer de criminelle pour avoir refusé de faire les quatre volontés d'une fillette difficile avec la nourriture*, avait-elle écrit dans sa déposition. Le juge, en me fixant d'un air sévère et accusateur, avait conclu que la vérité se trouvait sans doute quelque part entre les deux versions. Il avait tort. Mme Tapley mentait. J'avais plus de défauts que n'en comptait la liste de Meredith, seulement je n'étais pas difficile avec la nourriture.

Durant tout le mois de juin, Mme Tapley n'avait cessé de me provoquer. Et cela dès mon premier jour chez elle, juste après la fin de l'année scolaire. En m'aidant à déballer mes affaires dans ma chambre, elle m'avait demandé, d'une voix d'une douceur propre à éveiller ma méfiance, ce que je préférais manger et l'aliment que je détestais le plus. Comme j'étais affamée, j'avais répliqué sans réfléchir : la pizza et les petits pois surgelés. Pour le dîner, ce soir-là, elle me servit une assiette de petits pois… non décongelés. A l'entendre, si j'avais vraiment faim, je les mangerais. J'avais quitté la table. Mme Tapley avait cadenassé le réfrigérateur et tous les placards de la cuisine.

Pendant deux jours, je ne quittai ma chambre que pour me rendre à la salle de bains. Des odeurs de cuisine se glissaient sous ma porte à heures fixes, le téléphone sonnait, le volume de la télévision montait et descendait. Et Mme Tapley ne venait toujours pas me voir. Au bout de vingt-quatre heures, je laissai un message à Meredith, mais comme la faim était une de mes plaintes coutumières, elle ne me rappela pas. Le troisième jour, en sueur et toute tremblante, je m'étais présentée à la cuisine. Mme Tapley n'avait pas levé le petit doigt pour m'aider en voyant que je n'avais pas la force de tirer la chaise. D'ailleurs, j'y avais renoncé : j'avais réussi à insérer ma maigreur dans l'interstice entre la table et le siège. Au fond du bol, les petits pois étaient tout desséchés et durs. Mme Tapley tenait son torchon levé et me foudroyait du regard tandis que derrière elle, l'huile grésillait sur la cuisinière. Elle me sermonna sur les enfants adoptés qui se goinfraient sous prétexte qu'ils étaient traumatisés. « Il ne faut pas chercher le réconfort dans la nourriture », m'avait-elle dit. J'avais placé le premier pois dans ma bouche. Il avait roulé sur ma langue et s'était coincé dans mon œsophage tel un caillou. Me forçant à avaler, j'en avais mangé un autre, comptant chaque petit pois, tout le temps soutenue par l'odeur de friture et les grésillements. Trente-six. Trente-sept. Après avoir ingurgité le trente-huitième, j'avais vomi dans mon bol. « Recommence », m'avait-elle ordonné en désignant le récipient. Se perchant sur un tabouret de bar, elle avait retiré la viande de la poêle et, en me regardant, s'était régalée. Moi, j'avais obtempéré. Et cela jour après jour jusqu'à la visite mensuelle de Meredith. Mais le poids, eh bien, il était déjà perdu.

Elizabeth me sourit.

— Que tu es belle ! s'exclama-t-elle sans essayer de dissimuler son étonnement. C'était difficile à voir sous tout ce ketchup. Tu te sens mieux ?

— Non.

C'était un mensonge. Aussi loin que remontait ma mémoire, je ne me souvenais d'aucune maison où j'avais été autorisée à utiliser la baignoire. Jackie en avait peut-être une en haut, mais les enfants n'avaient pas accès à l'étage. Avant cela, dans les petits appartements où on m'avait placée, les douches étaient toujours pleines de produits de beauté et de moisissure. Le bain chaud m'avait fait du bien, mais quel allait en être le prix ?

Je grimpai sur ma chaise. Il y avait sur la table de quoi nourrir une famille de six personnes : un grand plat de pâtes, des tranches de jambon épaisses, des tomates cerises, des pommes, des portions de fromage bien rangées sous plastique et même, sur une serviette de table blanche, une cuillère remplie à ras bord de beurre de cacahouète. Je n'avais jamais vu pareille abondance, je ne comptais même plus. Mon cœur battait si fort qu'il cognait dans mes oreilles. Je me mordis l'intérieur des lèvres. Elizabeth allait me forcer à tout manger ! Pour la première fois depuis des mois, je n'avais pas faim. Je levai les yeux vers elle, dans l'expectative.

— Un repas pour enfant, prononça-t-elle en esquissant un geste timide en direction du festin. Qu'en penses-tu ?

Comme je gardais le silence, elle ajouta :

— J'imagine que tu n'as pas faim. Si ta chemise de nuit reflète tes activités de l'après-midi…

Je fis non de la tête.

— Mange ce que tu veux. Mais reste à table avec moi jusqu'à ce que j'aie terminé.

Je poussai un soupir de soulagement, provisoire. Un petit bouquet de fleurs blanches attaché par un ruban lavande était posé sur mon assiette de pâtes. Après m'être arrêtée un instant devant la délicatesse des pétales, j'envoyai le bouquet valser d'une pichenette. Des histoires racontées par d'autres enfants venaient de me traverser l'esprit... empoisonnement... hospitalisation. Je promenai les yeux autour de moi, pour voir si les fenêtres étaient ouvertes, au cas où j'aurais besoin de m'enfuir. Il y avait des placards blancs, des lampes anciennes et au-dessus de l'évier, une seule fenêtre. Petite, carrée... et bien fermée avec, sur le rebord, un assortiment de bouteilles miniatures en verre bleu.

Je désignai les fleurs du doigt.

— Tu peux pas m'empoisonner, tu peux pas me donner des médicaments que je veux pas, tu peux pas me frapper. Même si je le mérite. C'est le règlement.

Je lui coulai un regard noir, espérant qu'elle comprenne ma menace. J'en avais dénoncé plus d'une pour m'avoir flanqué une fessée.

— Si j'essayais de t'empoisonner, je t'aurais donné de la digitale pourpre, de l'hortensia, ou peut-être de l'anémone. Selon le degré de souffrance que je voudrais t'infliger et la teneur du message que je voudrais te faire passer.

Ma curiosité était piquée, j'en oubliai mon aversion pour toute conversation.

— De quoi tu parles ?

— Celles-ci, on les appelle « mouron des oiseaux », m'informa-t-elle. Cela veut dire : bienvenue. En t'offrant ces fleurs, je te souhaite la bienvenue dans ma maison, et dans ma vie.

Elle enroula sur sa fourchette des pâtes gorgées de beurre et me regarda droit dans les yeux, très sérieusement.

— Pour moi, c'est des marguerites, lui répliquai-je. Et je pense quand même qu'elles sont empoisonnées.

— Ce n'est pas du poison et ce ne sont pas des marguerites. Elles n'ont que cinq pétales, alors que tu croirais en voir dix. C'est parce qu'ils sont profondément échancrés... presque coupés en deux si tu préfères.

Je ramassai le petit bouquet de fleurs. Les pétales fusionnaient avant de se rattacher à la tige, ce qui donnait à chacun la forme d'un cœur.

— C'est une caractéristique du genre *Stellaria*, continua Elizabeth, voyant que je comprenais. La marguerite, c'est un nom commun qui englobe de nombreuses espèces, mais elle présente en général plus de pétales qui poussent tous séparément les uns des autres. C'est important de savoir la différence, pour ne pas se tromper dans leur interprétation. Les marguerites signifient l'*innocence*, ce qui est un sentiment très différent de *bienvenue*.

— Je vois toujours pas de quoi tu parles, dis-je.

— Tu as terminé ? me demanda-t-elle en reposant sa fourchette.

Je n'avais mangé qu'un peu de jambon, mais je fis signe que oui.

— Alors, viens avec moi, je vais t'expliquer.

Elizabeth se leva. Dès qu'elle eut le dos tourné, je fourrai une poignée de pâtes dans une poche, et dans l'autre versai le bol de tomates cerises. Elizabeth marqua une pause sur le seuil, mais ne se retourna pas. Je remontai mes chaussettes et glissai les morceaux de fromage contre mes mollets. En sautant de ma chaise, j'attrapai la cuillère de beurre de cacahouète et commençai à la lécher en suivant Elizabeth. Quatre marches de bois menaient à un vaste jardin fleuri.

— Je te parle du langage des fleurs, reprit Elizabeth. Il date de l'époque victorienne... comme ton nom. Il fut un temps où les gens se parlaient à travers les fleurs. Si un homme offrait un bouquet à une femme, celle-ci se précipitait chez elle pour décoder le message secret qui s'y cachait. Les roses rouges sont le symbole de l'*amour*, les roses jaunes, le symbole de l'*infidélité*. Un homme devait donc choisir ses fleurs avec soin.

— C'est quoi, l'infidélité ? questionnai-je alors que nous longions une allée bordée de roses jaunes.

Elizabeth s'arrêta. Une soudaine tristesse assombrit son visage. L'espace d'un instant, je crus que j'avais fait une gaffe. Mais ses yeux étaient tournés vers les roses, pas vers moi. Je me demandais qui les avait plantées.

— Cela veut dire avoir des amis... des amis secrets, finit-elle par répondre. Des amis qu'on ne devrait pas avoir.

Je n'avais rien compris. Elizabeth reprit sa marche. Pour m'obliger à la suivre, elle attrapa ma cuillère. Je la lui arrachai des mains, mais je restai à son côté.

— « Voilà du romarin, c'est pour le souvenir » : c'est Ophélie qui parle dans une pièce de Shakespeare, tu l'étudieras à l'école. Et voilà de l'ancolie : *abandon*. Du houx : *prévoyance*. De la lavande : *méfiance*.

A une fourche dans le sentier, Elizabeth se baissa pour passer sous une branche basse. Terminant mon beurre de cacahouète, je jetai ma cuillère dans les buissons avant de bondir sur la branche pour me balancer. L'arbre ne bougea pas.

— C'est un amandier. Ses fleurs, qui apparaissent au printemps, sont le symbole de l'*indiscrétion*. Tu n'as pas besoin de savoir de quoi il s'agit. C'est un bel arbre pourtant. Et à mon avis l'endroit idéal pour construire une cabane. J'en toucherai un mot à Carlos.

— C'est qui, Carlos ? interrogeai-je quittant la branche d'un bond.

Elizabeth s'était éloignée. Je la rattrapai en sautant d'un pied sur l'autre.

— Mon contremaître. Il habite dans la caravane entre les cabanes à outils. Mais tu ne le verras pas cette semaine. Il est parti camper avec sa fille. Perla a neuf ans, comme toi. Elle viendra te voir lorsque tu feras ta rentrée à l'école.

— Je n'irai pas à l'école, dis-je en trottant plus vite afin de rester à sa hauteur.

Arrivée au milieu du jardin, elle reprit le chemin de la maison. Elle continuait de me montrer des plantes en énumérant leur signification, mais elle allait trop vite pour moi. Je fus obligée de courir pour la rejoindre alors qu'elle atteignait les marches du porche. Elle s'accroupit pour me regarder droit dans les yeux.

— Tu commences l'école lundi en huit, m'annonça-t-elle. En CM1… et tu ne rentreras pas dans cette maison tant que tu ne m'auras pas rapporté ma cuillère !

Se redressant, elle tourna les talons, entra dans la maison et verrouilla la porte, m'enfermant dehors.

6

Je fourrai le billet de cinq dollars de la fleuriste dans le petit espace entre les deux bonnets de mon soutien-gorge et partis me promener dans le quartier. Il était encore tôt. Il y avait plus de bars que de cafés ouverts dans le quartier de Mission. Au coin de la 26e et d'Alabama, je me glissai dans le box d'une buvette où je passai deux heures à me gaver de beignets en attendant l'ouverture des boutiques de la rue Valencia. A dix heures, je comptai ce qui me restait de sous – un dollar et quatre-vingt-sept cents – et entrai chez un marchand de tissus. J'achetai cinquante centimètres de ruban de satin blanc et unc épingle surmontée d'une perle.

En rentrant à McKinley Square en fin de matinée, je regagnai mon jardin en rampant sur l'herbe silencieuse. J'avais peur de trouver le couple toujours affalé dans mes fleurs, mais il n'était plus là. Ne restaient que l'empreinte du dos du garçon dans mes hélénies et la bouteille de tequila plantée dans l'épaisseur des taillis.

Une chance pareille, cela ne se représenterait pas. Il était clair que la fleuriste avait besoin d'aide. Elle était aussi pâle et ridée qu'Elizabeth avant les vendanges. Si seulement je parvenais à la convaincre que j'étais compétente, elle m'engagerait. Grâce à l'argent, je me louerais une chambre avec une porte fermant à clé et je m'occuperais de mon jardin pendant la journée, aux heures où on peut voir les inconnus approcher.

Assise sous un arbre, j'étudiai les différentes possibilités qui se présentaient à moi. Les plantes d'automne étaient en fleurs : verveine, gerbes d'or, chrysanthèmes et une rose tardive. Autour du parc, les plantes à feuillage persistant des parterres municipaux offraient la vision d'un camaïeu de verts dépourvu d'autre couleur.

Je me mis au travail en prenant en compte la taille, la densité, la texture et le parfum. Je retirai les pétales abîmés en les pinçant délicatement. Quand j'eus terminé, d'élégants chrysanthèmes blancs s'élançaient d'un coussin de fleurs de verveine neigeuses, encerclées de roses lianes dont les grappes pâles bordaient le petit bouquet. J'ôtai une à une les épines. L'ensemble, aussi blanc qu'un mariage, parlait de prière, de vérité et d'un cœur qui ignore l'amour. Personne ne le saurait.

Je trouvai la fleuriste en train de fermer sa boutique. Il n'était pas encore midi.

— Si tu penses gagner cinq dollars de plus, tu arrives trop tard. J'aurais bien eu besoin de ton aide, pourtant ! m'apostropha-t-elle, m'indiquant d'un mouvement du menton le camion chargé d'arrangements floraux.

Je levai mon bouquet.

— C'est quoi ?

— De l'expérience, lui répondis-je en lui offrant les fleurs.

Elle se pencha pour sentir les chrysanthèmes et les roses, puis appuya sur les fleurs de verveine avant d'examiner son doigt : il était propre. Elle se mit à marcher vers sa camionnette en me faisant signe de la suivre.

De l'arrière du véhicule, elle sortit des roses blanches rassemblées en bottes et tenues par un ruban de satin rose. Elle mit les deux bouquets côte à côte. Ils étaient incomparables. Elle me lança les roses blanches, que j'attrapai d'une main.

— Porte ça chez Spitari en haut de la colline. Demande Andrew. Dis-lui que c'est moi qui t'envoie, il te les échangera contre un déjeuner.

J'acquiesçai. Elle grimpa dans sa camionnette.

— Je m'appelle Renata. Si tu veux travailler samedi prochain, sois ici à cinq heures du matin tapantes. Une minute de retard, et je pars sans toi.

J'eus soudain envie de dévaler la pente à toutes jambes, ivre de soulagement. Peu importait si ce n'était qu'une seule et unique journée de travail, ou si ma paye ne me permettrait de louer une chambre que pour quelques jours. C'était déjà ça. Et si je faisais mes preuves, elle ferait de nouveau appel à moi. Les orteils gigotant dans mes chaussures, je souris au trottoir.

Renata sortit de sa place de parking et baissa sa vitre.

— Ton nom ?

— Victoria, dis-je en ravalant mon sourire. Victoria Jones.

Elle me fit un signe de tête et démarra.

Le samedi suivant, j'arrivai à Bloom juste après minuit. Je m'étais endormie dans mon jardin, adossée à un séquoia. Au son d'un rire qui se rapprochait, réveillée en sursaut, j'avais déguerpi. C'était cette fois une bande de jeunes gens éméchés. L'un d'eux, un grand dadais aux cheveux longs, m'avait souri comme si nous avions un rendez-vous amoureux. J'avais filé vers le lampadaire le plus proche puis dégringolé la côte jusqu'au magasin de fleurs.

Je me mis du déodorant et du gel, puis je fis les cent pas, me forçant à rester éveillée. A l'heure où la camionnette de Renata déboula au coin de la rue, j'avais déjà vérifié mon reflet deux fois dans des rétroviseurs, et ajusté ma tenue à trois reprises. Malgré tout, j'avais conscience de ressembler de plus en plus à une sans-abri, et d'en dégager l'odeur.

Renata se gara, déverrouilla la porte du côté du passager, et me fit signe de monter. Je m'assis le plus loin possible d'elle. Je refermai la portière sur ma hanche maigre, mes os vibrant sous le choc.

— Bonjour, me dit Renata. Tu es à l'heure.

Elle fit demi-tour et redescendit la rue déserte.

— Il est trop tôt pour dire bonjour ? me demanda-t-elle.

J'agitai la tête en me frottant les yeux, comme si je venais de me réveiller. Elle fit le tour d'un rond-point en silence. Deux tours, en fait, car elle avait manqué sa voie de sortie.

— Apparemment, c'est un peu tôt pour moi aussi, commenta-t-elle.

Elle parcourut, montant et descendant la colline, le dédale des rues en sens unique au sud de Market Street jusqu'à un parking bondé.

— Reste bien sur mes talons, me recommanda-t-elle en sortant du camion et en me tendant une pile de seaux vides. Il y a foule, et je n'aurai pas le temps de te chercher si tu te perds. J'ai un mariage à quatorze heures aujourd'hui et les fleurs doivent être livrées à dix heures. Heureusement, ce ne sont que des tournesols… La préparation sera rapide.

— Des tournesols ? m'étonnai-je.

Fausses richesses. Je ne choisirais pas ça pour mon mariage, me dis-je. Puis je levai les yeux au ciel. Mon mariage : une association de mots absurde.

— Ce n'est pas la saison, je sais, s'excusa-t-elle presque. On trouve de tout à n'importe quelle période de l'année au marché aux fleurs, et si ça plaît à un couple de ficher son argent par les fenêtres, je serais trop bête de me plaindre.

Elle se fraya un chemin dans la cohue qui bloquait l'entrée. Je ne la lâchai pas d'une semelle et me crispai au contact des seaux, des coudes et des épaules qui me frôlaient.

L'intérieur du marché couvert était semblable à une caverne qui aurait eu un plafond métallique et un sol en béton. La vue de ces monceaux de fleurs si loin de la terre et de la lumière me mit aussitôt mal à l'aise. Partout, sur chaque stand, les présentoirs regorgeaient de tout ce qui poussait en ce moment dans mon jardin, seulement là, tout était coupé et disposé en bouquets. Quelques marchands vendaient des espèces tropicales – des orchidées, des hibiscus et des fleurs exotiques – dont je ne connaissais pas le nom, provenant de serres situées à des centaines de kilomètres de San Francisco. Je m'emparai au passage d'une passiflore que je glissai dans l'élastique qui retenait mon pantalon.

Renata manipulait les tournesols comme on tourne les pages d'un livre. Elle négociait les prix, s'éloignait puis revenait sur ses pas. Je me demandais si elle avait toujours vécu aux Etats-Unis, ou si elle venait d'un pays où le marchandage était de rigueur. Elle avait un petit accent que je ne parvenais pas à identifier. D'autres personnes se présentaient, tendaient des liasses de billets ou une carte de crédit avant de repartir avec des seaux pleins de fleurs. Renata, elle, continuait à discuter. Les marchands avaient l'air de bien la connaître et de n'entrer dans son jeu qu'à contrecœur, sachant d'avance qu'elle aurait le dernier mot. Après avoir fourré des bottes de tournesol aux longues tiges dans mes seaux, elle se rua vers le stand suivant.

Quand je la rattrapai, elle portait des dizaines d'arums ruisselants d'eau aux pétales rose et orange encore enroulés. Les tiges avaient trempé les manches de son chemisier. Dès qu'elle me vit, elle me lança les arums. Seulement la moitié atterrit dans mon seau vide ; je me penchai gauchement pour ramasser ceux qui étaient tombés.

— C'est son premier jour, commenta Renata à l'adresse du marchand. Elle ne comprend pas qu'il faut se dépêcher. Tes lys vont partir en moins d'un quart d'heure.

Je glissai le dernier arum dans le seau et me redressai. Ce stand contenait des dizaines de variétés de lys : lys tigré, lys oriental Stargazer, lys doré du Japon, et des lys Casablanca d'un blanc pur. Tout en caressant le pollen tombé sur un pétale de Stargazer à la corolle déjà ouverte, j'écoutai Renata négocier le prix de son lot. Proposant un tarif bien inférieur à ce que les autres clients venaient de payer, elle laissait à peine la parole au vendeur. Mais dès que celui-ci signala son accord, elle se tut tout d'un coup. Je levai les yeux.

Renata sortit de son portefeuille une mince liasse de billets qu'elle agita sous le nez de l'homme. Celui-ci ne réagit pas. Il s'était tourné vers moi. Passant de mes cheveux raides à mon visage, son regard s'attarda un moment à la hauteur de ma gorge puis sur mes bras pour finalement se river sur le pollen marron collé au bout de mes doigts. C'était plus qu'un regard, c'était une intrusion dans mon intimité. Je resserrai la pression de mes doigts sur le bord du seau.

La main de Renata s'éleva dans le silence, impatiente.

— Il y a quelqu'un ? dit-elle pour attirer son attention.

L'homme saisit les billets sans pour autant me quitter des yeux. Ceux-ci descendirent le long de ma jupe pour s'arrêter sur la seule partie visible de ma jambe, entre mes chaussettes et mon pantalon en stretch.

— C'est Victoria, l'informa Renata.

Elle avait l'air d'attendre qu'il se présente, mais il demeura silencieux.

Soudain, ses yeux remontèrent à mon visage. Nos regards se croisèrent. Quelque chose dans ses yeux me troubla, comme un éclair de déjà-vu. Il avait l'air d'avoir eu une vie aussi dure que la mienne, même si elle avait été différente. Plus vieux que moi, d'au moins cinq ans, estimai-je, il avait les traits marqués de ceux qui travaillent la terre. C'était sûrement lui qui avait planté, soigné puis récolté lui-même toutes ces fleurs. Mince et musclé, il resta imperturbable lorsque à mon tour je l'examinai. Sa peau mate devait être salée. A cette pensée, mon cœur se mit à cogner très fort, entraîné par un sentiment autre que la colère, une émotion que j'étais incapable d'identifier, mais qui me réchauffait jusqu'à la moelle des os. Je me mordis l'intérieur de la lèvre et laissai mes yeux s'élever de nouveau jusqu'aux siens.

Il tira d'un seau un lys tigré orange.

— Prends-le, me dit-il en me tendant la fleur.

— Non, répondis-je. Je n'aime pas les lys.

Et je ne suis pas une reine, ajoutai-je dans mon for intérieur.

— Tu as tort. Ils te vont bien.

— Comment tu peux savoir ce qui me va ?

Impulsivement, j'arrachai la tête du lys. Les six pétales s'étoilèrent autour de la corolle tombée face contre terre. J'entendis Renata qui retenait son souffle.

— Je l'ignore.

— C'est bien ce que je pensais.

Afin de lutter contre la chaleur qui m'envahissait, je me mis à balancer mon seau plein de fleurs. Ce qui attira l'attention sur le tremblement de mes bras.

Je me tournai vers Renata.

— Dehors, m'ordonna-t-elle en m'indiquant la sortie.

J'attendis la suite, terrifiée à la perspective d'être renvoyée seulement une heure après avoir commencé à travailler pour la première fois. Mais Renata avait le regard fixé sur la file de gens qui s'allongeait devant le stand voisin. Quand elle vit que je ne bougeais toujours pas, elle fronça les sourcils.

— Qu'est-ce que tu as ? s'exclama-t-elle. Va m'attendre près du camion !

Je me frayai un chemin vers la sortie. Peinant sous le poids des fleurs, je parvins néanmoins à traverser le parking sans m'arrêter. Je déposai le seau près de la camionnette de Renata et m'assis, épuisée, sur le bitume.

7

De l'autre côté des fenêtres sombres, Elizabeth m'observait. J'en étais sûre, même si je ne voyais pas sa silhouette derrière la vitre. La porte était toujours fermée à clé. Frissonnante, je regardai le soleil se coucher. Il me restait dix minutes, pas une de plus, avant de me retrouver à chercher la cuillère dans le noir.

Ce n'était pas la première fois que je me retrouvais enfermée dehors. Je me souvenais d'un épisode similaire. J'avais cinq ans, un ventre protubérant désespérément vide dans une maison trop pleine d'enfants et de bouteilles de bière. Assise sur le sol de la cuisine, j'étais en train d'observer le minuscule chihuahua blanc qui avait la truffe dans un bol en céramique. Peu à peu, poussée par la jalousie, je m'étais rapprochée. Je n'avais pas l'intention de manger la nourriture de la chienne, mais lorsque mon père adoptif m'avait surprise le visage à quelques centimètres du bol, il m'avait attrapée par mon col roulé et jetée dehors. Je me rappelais ses paroles : « Si tu te comportes comme un animal, alors attends-toi à être traitée comme un animal. » Plaquée contre la porte vitrée afin d'absorber la chaleur de la maison, j'avais regardé la famille se préparer pour la nuit, n'imaginant pas une seconde qu'ils me laisseraient là. C'est pourtant ce qu'ils avaient fait. Grelottante de froid et de peur, je m'étais comparée au chihuaha qui tremblait tant il était craintif, et dont les petites oreilles rectangulaires frémissaient. La mère avait descendu à pas de velours l'escalier au milieu de la nuit pour me jeter une couverture à travers la fenêtre haute de la cuisine, mais elle n'avait ouvert la porte que le matin venu.

Assise sur les marches du perron d'Elizabeth, je consommai mes réserves de pâtes et de tomates cerises en me demandant si je devais, oui ou non, me mettre à la recherche de cette fichue cuillère. Si je la trouvais et la lui rendais, elle me laisserait peut-être dormir dehors quand même. L'obéissance ne m'avait jamais garanti que les promesses seraient tenues. Mais j'avais aperçu ma chambre avant de me rendre à la cuisine, et elle paraissait bien plus confortable que ces marches de bois rugueuses. Je décidai de tenter le coup.

Lentement, j'avançai à tâtons dans le jardin jusqu'à l'endroit où j'avais lancé la cuillère. A genoux sous l'amandier, je palpai la terre de mes mains. Des épines me blessaient les doigts dès qu'ils s'enfonçaient dans le fouillis des buissons. J'écartai de longues tiges, arrachai des pétales. Je déchirai des feuilles, brisai des branches. En vain.

— Elizabeth ! vociférai-je de frustration.

La maison était silencieuse.

Les ténèbres devenaient plus épaisses, lourdes. Le vignoble semblait s'étendre dans toutes les directions, tel un océan vorace. J'étais terrorisée. Des deux mains, je saisis le tronc d'un arbuste touffu, les piquants perçant la peau fragile de mes paumes, et tirai de toutes mes forces. Une fois la plante déracinée, je continuai, arrachant tout ce que je pouvais, jusqu'à ce que la terre soit nue. Au milieu de ce carnage, je trouvai la cuillère où se mirait le clair de lune.

J'essuyai mes mains ensanglantées sur mon pantalon avant de la saisir et de courir vers la maison. Je trébuchai, tombai, me relevai sans lâcher prise. Je me précipitai en haut des marches, tambourinant sur la porte de bois à l'aide de la cuillère. Le verrou cliqueta et la porte s'ouvrit sur Elizabeth.

Nous sommes restées un long moment face à face – yeux au regard imperturbable, sans ciller – puis, de toutes mes forces, je lançai la cuillère en visant la fenêtre au-dessus de l'évier. Elle frôla l'oreille d'Elizabeth, manqua le plafond et rebondit sur la vitre avant de s'écraser avec fracas dans l'évier en porcelaine. Une des bouteilles miniatures bleues vacilla sur le rebord, puis se fracassa au fond de la vasque.

— Voilà ta cuillère, déclarai-je.

Elizabeth émit un bruit rauque et se jeta sur moi. Elle enfonça ses doigts dans ma cage thoracique et me porta jusqu'à l'évier où je crus qu'elle avait l'intention de me précipiter. Les hanches plaquées contre le plan de travail carrelé, j'avais le visage si proche du verre brisé que pendant un instant, le monde devint bleu.

— Ça, dit Elizabeth en rapprochant encore ma tête des tessons, ça appartenait à ma mère.

Je sentais la colère vibrer au bout de ses doigts. J'eus peur.

D'un mouvement sec, elle m'éloigna de l'évier et me lâcha avant que mes pieds touchent le sol. Je tombai à la renverse. Elle se tenait au-dessus de moi. J'attendais que sa main vienne frapper ma figure. Une simple gifle suffisait. Meredith reviendrait avant que la marque s'évanouisse, et cette expérience de la dernière chance prendrait fin. Je serais déclarée non adoptable, Meredith arrêterait d'essayer de me trouver une famille. J'étais prête, plus que prête.

Mais Elizabeth laissa retomber son bras et se redressa. Elle recula d'un pas.

— Ma mère, dit-elle, ne t'aurait pas beaucoup aimée. Maintenant, monte dans ta chambre, et au lit ! m'ordonna-t-elle en me poussant du bout des orteils pour que je me relève.

Ainsi, ce n'était pas fini, conclus-je, déçue. Mon corps, sous l'effet de l'angoisse, devint pesant et encombrant. Pourtant, forcément, il y aurait une fin. Je ne croyais pas une seconde que mon séjour chez Elizabeth puisse se prolonger au-delà de quelques jours, et je préférais autant que ça se termine maintenant, tout de suite, avant même d'avoir passé une seule nuit chez elle. La tête haute comme pour la défier, je m'avançai vers elle, espérant la forcer à commettre l'irrémédiable.

Mais l'orage était passé. La respiration d'Elizabeth était à nouveau calme.

D'un pas lourd, je me détournai et chipai une tranche de jambon sur la table avant de grimper l'escalier. La porte de ma chambre était grande ouverte. Je m'appuyai un moment contre le chambranle, observant tout ce qui serait à moi pendant un temps : les meubles en bois sombre, le tapis rose tout rond, la lampe de bureau en verre opaque nacré. Tout semblait neuf : l'édredon douillet et les rideaux assortis, les vêtements bien rangés dans l'armoire, ou parfaitement pliés dans les tiroirs de la commode. Je grimpai dans mon lit et me mis à grignoter la tranche de jambon. Là où mes mains ensanglantées y avaient laissé des traces, il avait un goût métallique et salé. Je m'arrêtais entre chaque bouchée, l'oreille tendue.

J'avais vécu dans trente-deux maisons différentes, et elles avaient toutes la même chose en commun : le bruit. Autobus, coups de frein des voitures, grondement d'un train de marchandises. Et à l'intérieur, glapissement de multiples télévisions, bips des micro-ondes et des chauffe-biberons, sonnettes, jurons, clac des verrous qui se ferment de l'intérieur. Puis, il y avait les bruits des autres enfants : pleurs des bébés, cris de frères et de sœurs qu'on sépare, hurlement de quelqu'un sous la douche quand il n'y a plus d'eau chaude, gémissements d'une camarade de chambre aux prises avec un cauchemar. La maison d'Elizabeth était différente. Comme le vignoble au crépuscule, tout n'était que silence. Seul un faible bourdonnement aigu s'engouffrait par la fenêtre. Il me rappelait celui de l'électricité circulant dans les câbles. Mais à la campagne, pensais-je, cela devait provenir de quelque chose de naturel, d'une chute d'eau peut-être, ou d'un essaim d'abeilles.

Finalement, Elizabeth monta l'escalier. Je rabattis l'édredon sur ma tête et l'appuyai contre mes oreilles pour ne pas entendre ses pas. L'instant d'après, quel ne fut pas mon étonnement quand je la sentis s'asseoir au bord de mon lit. J'écartai légèrement l'édredon de mes oreilles sans pour autant sortir la tête.

— Ma mère ne m'aimait pas non plus, chuchota-t-elle.

Elle s'exprimait d'une voix douce, comme si elle venait s'excuser. J'avais envie de la regarder parce que cette voix qui pénétrait mon refuge semblait autre que celle de tout à l'heure. Etait-ce vraiment Elizabeth ?

— On a au moins ça en commun.

Sa main se posa sur le bas de mon dos, je m'écartai vers le mur. Mon visage s'enfonça dans la tranche de jambon. Elizabeth continua à parler. Elle me raconta la naissance de sa grande sœur, Catherine, puis les sept années qui avaient suivi, au cours desquelles sa mère avait donné naissance à quatre enfants mort-nés, tous des garçons.

— Lorsque je suis venue au monde, ma mère a prié les docteurs de m'emmener loin d'elle. Je ne m'en souviens pas, mais mon père m'a dit que c'est ma sœur, alors âgée de sept ans, qui m'a nourrie, lavée et changée jusqu'à ce que je sois capable de le faire moi-même.

Elle me décrivit la dépression de sa mère et le dévouement de son père pour sa femme. Avant même de parler, me confia Elizabeth, elle savait exactement où placer ses pieds lorsqu'elle parcourait les couloirs afin de ne pas faire craquer le parquet. Sa mère ne supportait pas le moindre bruit.

Je l'écoutais. L'émotion dans sa voix m'intriguait. Personne ne s'était jamais adressé à moi comme si j'étais capable de comprendre l'expérience de quelqu'un d'autre. J'avalai un morceau de jambon.

— La maladie de ma mère, j'en étais la cause. Personne ne me l'a jamais caché. Mes parents ne voulaient pas d'une seconde fille, parce qu'ils ne croyaient pas les filles capables d'évaluer la maturité du raisin. Je leur ai prouvé qu'ils avaient tort.

Elizabeth tapota mon dos. Je compris qu'elle avait terminé. J'ingurgitai ce qui restait de jambon.

— Pas mal comme histoire pour s'endormir, non ? demanda-t-elle.

Sa voix forte sonnait faux dans la grande maison silencieuse. Elle n'était pas si joyeuse qu'elle le prétendait.

Sortant le nez de sous ma couette, je répondis dans un souffle :

— Pas terrible.

— Je pense que toi aussi, tu peux prouver que tout le monde a tort en ce qui te concerne, ajouta-t-elle avec un petit rire. Choisir une façon de se conduire n'est pas révéler qui on est vraiment.

Si Elizabeth croyait réellement ce qu'elle disait, pensais-je, alors elle se préparait à être sacrément déçue.

8

Renata et moi travaillâmes en silence pendant la majeure partie de la matinée. Bloom avait une petite devanture avec à l'arrière un espace plus vaste, la réserve, meublé d'une longue table de bois et d'une chambre climatique. Six chaises étaient disposées autour de la table. Je choisis celle qui se trouvait le plus près de la porte.

Renata plaça un livre intitulé *Mariages et tournesols* devant moi. J'imaginai un sous-titre approprié : *Comment fonder un mariage sur des valeurs telles que la malhonnêteté et le matérialisme*. Négligeant cet ouvrage, je créai seize arrangements floraux avec les tournesols et les lys, ajoutant quelques touffes plumeuses d'asparagus pour la touche de verdure. Pendant ce temps-là, Renata confectionnait le bouquet de la mariée et ceux des demoiselles d'honneur. Après quoi, elle entreprit de façonner une sculpture de fleurs dans un seau étroit qui lui arrivait à la taille. Chaque fois que la porte s'ouvrait, Renata fonçait à l'avant de la boutique. Elle connaissait ses clients par leurs noms et leur choisissait les fleurs un peu n'importe comment.

Quand j'eus terminé, j'attendis que Renata relève la tête. Elle jeta un regard vers la table où les vases étaient parfaitement alignés.

— Bien, dit-elle. Mieux que bien, en fait. C'est surprenant. Difficile à croire que tu n'aies jamais suivi de formation.

— C'est pourtant vrai, répondis-je.

— Je sais.

Elle me regarda de haut en bas d'une manière qui me déplut.

— Charge la camionnette. J'aurai fini dans une minute.

Je portai les vases deux par deux. Lorsque Renata eut achevé son œuvre, nous ne fûmes pas trop de deux pour la transporter et l'allonger délicatement à l'arrière du véhicule déjà plein. De retour au magasin, elle sortit tout l'argent de la caisse et ferma le tiroir à clé. Je m'attendais à ce qu'elle me tende ma paye, mais elle me donna un morceau de papier et un crayon.

— On fera nos comptes tout à l'heure, me lança-t-elle. Le mariage n'est pas loin. Garde la boutique, et dis aux clients qu'ils paieront la prochaine fois.

Renata attendit pour sortir que je hoche la tête.

Seule dans le magasin de fleurs, je fus prise de doute. Pendant un moment, je restai derrière la caisse enregistreuse à fixer la peinture verte qui s'écaillait. Dehors, la rue était calme. Une famille passa devant la vitrine sans regarder. Peut-être devrais-je ouvrir la porte et sortir quelques seaux d'orchidées. Puis je me souvins des années où je m'amusais à voler à l'étalage. Renata n'approuverait pas.

Je me repliai sur la réserve où je ramassai les tiges qui jonchaient la table afin de les jeter à la poubelle. Je nettoyai le plan de travail à l'aide d'un torchon humide, passai la serpillière par terre. N'ayant plus rien à faire, j'ouvris la lourde porte de métal de la chambre climatique.

Sombre et fraîche. Des fleurs alignées le long des murs. Un espace accueillant. Je n'avais qu'une envie : m'envelopper dans la couverture qui me tenait lieu de jupon et me coucher au milieu des seaux. J'étais morte de fatigue. Pendant une semaine entière, j'avais dormi seulement par tranches d'une demi-heure, réveillée par des voix, des cauchemars, ou les deux. Le ciel au-dessus de moi, toujours blanc à cause de la vapeur d'eau s'échappant de la brasserie. Chaque matin, il me fallait quelques minutes pour m'extraire de la panique et des fumées vaporeuses de mes rêves. Je restais allongée, immobile, et me rappelais que j'avais dix-huit ans, que j'étais seule et que je n'avais rien à perdre.

La porte du frigo se referma derrière moi, je m'étendis, la tempe appuyée à un seau.

A peine venais-je de trouver une position confortable, qu'une voix masculine me parvint, assourdie par l'épaisseur de la porte :

— Renata ?

Je me levai d'un bond. Passant mes doigts dans mes cheveux, je sortis en clignant des paupières parce que j'étais éblouie par la lumière.

Un homme aux cheveux blancs se tenait appuyé au comptoir, sur lequel il pianotait avec impatience.

— Renata ? répéta-t-il en me voyant.

— Elle est en livraison. Je peux vous aider ?

— J'ai besoin de fleurs. Qu'est-ce que je ferais là, sinon ? riposta-t-il avec un geste circulaire de la main me rappelant l'endroit où l'on se trouvait. Renata ne me demande jamais ce que je veux. Je suis incapable de voir la différence entre une rose et un radis.

— C'est pour quelle occasion ? m'enquis-je.

— Les seize ans de ma petite-fille. Je suis sûr qu'elle ne veut pas passer son anniversaire avec nous, mais sa mère y tient. Je n'ai pas vraiment hâte d'y assister. C'est une sacrée boudeuse, cette fille-là.

Il tira une rose blanche d'un seau bleu et respira son parfum.

Dans ma tête, je fis l'inventaire des fleurs à ma disposition, dans l'arrière-boutique et sur les étalages. Un cadeau d'anniversaire pour une adolescente qui fait la tête : le vieux monsieur me lançait un défi.

— Les roses blanches, c'est un bon choix pour une adolescente, suggérai-je. Et peut-être un peu de muguet ?

Je lui montrai les clochettes d'un blanc ivoire.

— Je vous fais confiance, me dit-il.

J'arrangeai les fleurs et les enveloppai de papier kraft, à la manière de Renata. J'étais euphorique, un peu comme lorsque j'avais glissé les dahlias sous les portes de mes camarades, le jour de mes dix-huit ans. Une sensation étrange. Le plaisir de posséder un secret, mêlé à celui de se rendre utile. Cela m'était si étranger, et pourtant si agréable, que j'eus soudain envie de lui révéler les significations cachées des fleurs qu'il venait d'acheter.

— Vous savez, commençai-je, d'une voix que je ne pouvais empêcher de trembler d'émotion, certains pensent que le muguet symbolise le *retour du bonheur*.

Le vieil homme afficha une expression d'impatience et de scepticisme.

— Ce serait un miracle, dit-il alors que je lui tendais ses fleurs. Je ne crois pas avoir entendu cette enfant rire depuis ses douze ans, et je dois vous avouer que cela me manque.

Il chercha son portefeuille. Je l'arrêtai.

— Renata a dit que vous pourrez payer plus tard.

— D'accord, opina-t-il. Dites-lui qu'Earl est passé. Elle sait où me trouver.

Il claqua la porte derrière lui. Les fleurs frissonnèrent dans leurs seaux.

Lorsque Renata revint une heure plus tard, j'avais servi une demi-douzaine de personnes. Sur la feuille de papier qu'elle m'avait confiée se trouvait une liste détaillée de toutes les transactions : le nom des clients, les fleurs, les quantités. Renata parcourut rapidement cet inventaire, hochant la tête comme si elle avait su exactement à l'avance qui allait venir et ce dont ces gens auraient besoin. Elle glissa la feuille dans la caisse et sortit une liasse de billets de vingt. Elle en compta trois.

— Soixante dollars, prononça-t-elle. Pour six heures. Cela te va ?

J'acquiesçai. Renata me regarda dans les yeux comme si elle attendait que j'ajoute quelque chose.

— Tu vas me demander si j'ai besoin de toi samedi prochain ?

— C'est le cas ?

— Oui, à cinq heures du matin. Et dimanche aussi. J'ignore qui a envie de se marier un dimanche de novembre, mais je ne pose pas de questions. C'est en principe une période creuse de l'année, pourtant j'ai eu beaucoup de travail récemment.

— A la semaine prochaine alors, lui lançai-je en refermant doucement la porte.

Avec l'argent dans mon sac à dos, la ville m'apparaissait sous un autre jour. Je descendis la colline en faisant du lèche-vitrine, je lus les menus des restaurants et me renseignai sur les prix des hôtels au sud de Market Street. Tout en poursuivant ma promenade, je repensai à la pièce calme emplie de fleurs, à la devanture presque vide, à la patronne directe et inexpressive. C'était le job idéal. Une seule chose m'avait mise mal à l'aise : ma brève conversation avec le marchand de lys. La pensée de le revoir le samedi suivant me rendait nerveuse. Je décidai de m'y préparer.

Dans le quartier de North Beach, je descendis du bus. C'était le début de la soirée et le brouillard commençait juste à tomber sur Russian Hill, transformant les feux de circulation et les phares des voitures en nébuleux cercles jaunes et rouges. Je marchai jusqu'à trouver une auberge de jeunesse, aussi sale que bon marché. Je montrai mon argent à la réceptionniste.

— Combien de nuits ? me demanda-t-elle.

— Combien je peux en avoir ? rétorquai-je en désignant mes billets.

— Quatre, dit-elle, mais c'est bien parce qu'on est hors saison.

Elle griffonna un reçu et m'indiqua un couloir.

— Le dortoir des filles, c'est à droite.

Les jours suivants, je pus dormir et me laver. Je me nourrissais des reliefs des repas dans les restaurants de touristes de Columbus Avenue. Mes quatre nuits épuisées, je retournai dans le parc. J'avais peur du garçon qui avait dormi dans mes fleurs, et de tous les autres comme lui, mais je savais que je n'avais pas le choix. Je m'occupai de mes plantes en attendant le week-end.

Le vendredi soir, je restai debout de crainte de ne pas me réveiller à l'heure et de manquer Renata. Je déambulai dans les rues toute la nuit. Lorsque j'étais fatiguée de marcher, je faisais les cent pas devant le club au bas de la colline. Mes paupières lourdes vibraient au son de la musique. Quand Renata arriva, j'étais appuyée contre la porte vitrée de sa boutique.

Elle ralentit à peine pour me laisser grimper à bord de la camionnette et amorça un demi-tour avant que j'aie claqué la portière.

— J'aurais dû te dire quatre heures. Je n'avais pas vérifié mon agenda. On a besoin de fleurs pour quarante tables et l'entourage des mariés compte plus de vingt-cinq personnes. Qui diable se marie avec douze demoiselles d'honneur ?

Ignorant s'il s'agissait d'une question ou d'une considération générale, je gardai le silence.

— Si je me mariais, je n'aurais même pas douze invités, ajouta-t-elle. Du moins pas dans ce pays.

Dans mon cas, je n'aurais même pas un seul invité, pensai-je, quel que soit le pays. Elle ralentit au rond-point. Cette fois, elle ne manqua pas la sortie.

— Earl est passé. Il m'a dit de t'informer que sa petite-fille était heureuse. Il a insisté sur le fait qu'il était important que j'emploie le mot « heureuse ». Il a ajouté que ça avait quelque chose à voir avec les fleurs.

Je dissimulai mon sourire en tournant la tête vers la fenêtre. Il s'était rappelé ! Bizarrement, je ne regrettais pas de lui avoir divulgué mon secret. Je préférais néanmoins que Renata l'ignore.

— Je ne vois pas de quoi il parle, marmonnai-je.

Elle me jeta un bref regard, tout à la fois curieuse et interloquée. Après quelques minutes de silence, elle reprit la parole.

— Enfin, Earl est un homme étrange, plutôt renfrogné, et parfois désarmant. Hier, tiens, il m'a déclaré qu'il était assez vieux pour avoir perdu la foi puis l'avoir regagnée.

— Qu'est-ce qu'il voulait dire par là ?

— A mon avis, il pense que tu as parlé avec le Seigneur avant de lui confectionner un bouquet.

— Ah.

— Je suis d'accord avec toi. Il revient aujourd'hui. Il veut quelque chose pour sa femme.

Un nouveau défi ! J'eus une bouffée d'euphorie.

— C'est quel genre de personne ? interrogeai-je.

— Calme, silencieuse, m'informa Renata. Je n'en sais pas plus. Earl m'a dit un jour qu'elle était poète, mais elle parle rarement et n'écrit plus du tout. Il lui offre des fleurs presque chaque semaine. Je crois qu'il est triste qu'elle ne soit plus comme avant.

Des pervenches : *tendres souvenirs*. Ce n'était pas commode à nouer en bouquet, mais pas impossible non plus. Je les encerclerais de tiges solides.

Au marché aux fleurs, la foule n'était pas aussi dense que la semaine précédente, mais Renata se dépêchait tout de même comme si le dernier bouquet de roses était en jeu. Nous avions besoin de quinze douzaines de roses orange et de plus de lys que les seaux que je transportais ne pouvaient en contenir. Je chargeai la camionnette du premier lot avant de revenir pour un second chargement. Lorsque tout fut en place dans le véhicule, je retournai à l'intérieur du bâtiment pour chercher Renata.

Elle se tenait au stand que je voulais justement éviter, en train de marchander le prix d'une botte de renoncules roses. Le tarif, presque illisible, gribouillé sur un petit tableau noir, était de quatre dollars. Elle secouait un billet d'un dollar au-dessus du bac. Le vendeur ne lui répondit pas. Il ne regardait même pas dans sa direction. Il m'observa tandis que je remontais l'allée jusqu'à ce que je me trouve devant lui.

Notre discussion de la semaine précédente m'avait tourmentée. J'avais fouillé McKinley Square pour trouver la fleur adaptée. Je sortis de mon sac à dos une tige feuillue.

— Rhododendron, énonçai-je.

Je déposai la plante sur le contreplaqué du comptoir, devant lui. La grappe de fleurs violettes n'était pas encore éclose et les bourgeons pointaient dans sa direction, bien fermés et toxiques. *Danger*.

Il étudia la plante et l'expression de défi dans mes yeux. Lorsqu'il détourna la tête, je sus qu'il avait compris que la fleur n'était pas un cadeau. Il la ramassa entre le pouce et l'index, et la jeta dans le seau qui servait de poubelle.

Renata était toujours en train de marchander. Il lui fit un signe agacé : qu'elle prenne donc ce qu'elle voulait, et qu'elle disparaisse de sa vue !

Renata se dirigea vers la sortie.

— C'était quoi, cette histoire, Victoria ? me demanda-t-elle, une fois hors de portée de voix du vendeur.

Je répondis par un haussement d'épaules. Renata lança un dernier regard vers le stand, perplexe.

— J'ai besoin de pervenches, décrétai-je. On ne les vend pas coupées. C'est une plante couvre-sol.

— Je sais ce que sont les pervenches, répliqua-t-elle en me montrant un mur le long duquel des plantes étaient alignées dans des seaux, leurs racines intactes.

Elle me tendit une poignée de dollars sans poser de questions.

La matinée fut fébrile. Le mariage avait lieu à Palo Alto, une banlieue cossue au sud de la ville, et Renata dut y effectuer deux aller-retour pour livrer les fleurs. Elle ramassa les premiers arrangements alors que je travaillais sur le reste. Après son départ, je fermai la porte à clé et éteignis la lumière dans la devanture. Les clients se mirent à faire la queue dehors. Je me sentais bien, seule dans la pénombre.

Lorsqu'elle regagna la boutique, j'étais en train d'examiner mon œuvre. J'ôtai le pollen et taillai les feuilles qui dépassaient à l'aide de ciseaux bien aiguisés. Renata vérifia mes bouquets et me montrant la queue dehors, puis m'ordonna :

— Je me charge du mariage. Toi, tu t'occupes du magasin.

Elle me tendit une liste de prix plastifiée et la petite clé dorée de la caisse.

— Et ne crois pas une seconde que je ne sais pas exactement combien il y a là-dedans.

Earl se trouvait déjà près du comptoir. Il me salua de la main.

— Pour ma femme. Renata ne vous a pas dit ? Je n'ai que quelques minutes, et je veux que vous choisissiez quelque chose qui la rendra heureuse.

— Heureuse ? répétai-je en regardant autour de moi pour voir ce qui était à ma disposition. Vous ne pouvez pas être plus précis ?

Il réfléchit un moment.

— Vous savez, maintenant que j'y pense, elle n'a jamais vraiment été une femme heureuse, avoua-t-il en riant sous cape. Mais elle était passionnée. Et intelligente. Elle avait toujours une opinion, même sur des sujets qu'elle ne connaissait pas. Et ça me manque.

C'était ce que j'avais prévu.

— Je comprends, opinai-je en me mettant au travail.

J'arrachai quelques vrilles de pervenche à la racine jusqu'à détacher une longue tige courbée et fragile, et attrapai une douzaine de chrysanthèmes de Tokyo blancs. J'attachai fermement les pervenches à la base des fleurs plus solides, à la façon d'un ruban. En me servant de fil de fleuriste, je créai une belle ondulation de feuilles grâce au couvre-sol, qui enserrait désormais une explosion de chrysanthèmes. Cela faisait l'effet d'un feu d'artifice, envoûtant et splendide.

— Eh bien, voilà qui mérite une réaction, quelle qu'elle soit, commenta Earl lorsque je lui tendis mon œuvre.

Il me donna un billet de vingt dollars.

— Gardez la monnaie, mon petit.

Je consultai la liste de Renata, plaçai l'argent dans la caisse et retirai cinq dollars pour moi.

— Merci.

— A la semaine prochaine, me lança Earl.

— Qui sait ?

Mais il avait déjà quitté la boutique.

Le magasin était en ébullition. Je me tournai vers la personne suivante. J'enveloppai des roses, des orchidées, des chrysanthèmes et tendis des bouquets à des couples, à des dames âgées et à des adolescents qu'on avait envoyés faire les courses. Tout en travaillant, je repensais à l'épouse d'Earl, essayant de m'imaginer cette femme autrefois si passionnée : son visage fatigué, renfermé, candide. Réagirait-elle au bouquet de chrysanthèmes et de pervenches, *vérité* et *tendres souvenirs* ? J'en étais certaine. Je voyais l'expression d'Earl, soulagé et reconnaissant, alors qu'il préparait du thé en discutant politique et poésie avec sa compagne. Cette idée donna de l'entrain à mes doigts et rendit mes pas plus légers.

Alors que la boutique se vidait, Renata termina les arrangements pour le mariage.

— Charge la camionnette ! m'ordonna-t-elle.

Je transportai les fleurs aussi rapidement que possible. Il était presque quatorze heures. Renata se glissa au volant et me confia le magasin jusqu'à son retour, une heure plus tard.

La livraison prit bien plus de temps. A dix-sept heures trente, elle entra en coup de vent, pestant contre les boutonnières et les nœuds papillons. Je restai coite et attendis qu'elle me paye. Je venais de travailler plus de douze heures d'affilée sans pause et j'étais impatiente de me retrouver dans une chambre fermée à clé et peut-être même de prendre un bain. Mais Renata ne sortit pas son porte-monnaie.

Après sa diatribe, elle ouvrit la caisse et compta les billets, les chèques et les reçus.

— Je n'ai pas assez de liquide, déclara-t-elle. Je m'arrêterai à la banque en chemin. On va dîner. Viens avec moi. On doit parler affaires.

J'aurais préféré m'enfuir dans la nuit avec mon argent en poche, je la suivis malgré tout, consciente de la précarité de ma situation.

— Mexicain ? demanda-t-elle.

— OK.

Elle prit le chemin du quartier de Mission.

— Tu n'es pas bavarde, hein ?

Je fis non de la tête.

— Au début, je croyais que tu n'étais pas très matinale. Mes nièces et mes neveux, avant midi, ce n'est même pas la peine d'essayer. Mais après, on n'a qu'une envie, c'est qu'ils se taisent.

Comme elle attendait manifestement une réponse, j'articulai un :

— Oh.

— J'ai douze nièces et neveux, me précisa-t-elle en riant. Je les vois rarement. Je sais que je devrais faire un effort, mais non.

— Non ?

— Non. Je les aime beaucoup, mais je ne peux les supporter qu'à petites doses. Ma mère me répète que je n'ai pas hérité de sa fibre maternelle.

— C'est quoi ?

— Tu sais, ce truc biologique qui fait que les femmes s'attendrissent lorsqu'elles voient un bébé dans la rue. Je ne l'ai pas.

Renata se gara devant un restaurant alors que, comme pour illustrer ses paroles, deux passantes se penchaient sur une poussette.

— Va commander ce que tu veux, me dit-elle. Je paierai après être passée à la banque.

Le dîner se termina tard. Elle eut le temps de grignoter un *taco* et de boire trois grands Coca Light, et moi je pus ingurgiter un *burrito* au poulet, deux *enchiladas* au fromage, du *guacamole* et trois corbeilles de chips. Renata me regarda manger, un sourire satisfait aux lèvres. Pour combler le silence, elle me raconta son enfance en Russie, sa traversée en bateau avec une ribambelle de frères et sœurs.

Mon repas terminé, j'étendis les jambes. Le poids de la nourriture me collait à mon siège. J'avais oublié ce que j'étais capable d'avaler, et la léthargie qui s'ensuivait.

— C'est quoi ton secret ? questionna Renata.

Je sentis mes épaules se contracter.

— Pour rester aussi mince ? ajouta-t-elle.

Mon secret ? Etre sans le sou, sans amis et sans domicile. Passer des semaines à recueillir les miettes des touristes, ou n'avoir rien à me mettre sous la dent.

— Le Coca Light, dit-elle comme si elle n'avait pas envie d'entendre ma réponse, ou la connaissait déjà. Ça, c'est mon secret. La caféine sans calorie. Une autre bonne raison pour ne pas avoir d'enfants. Quel genre d'embryon pourrait se développer à ce régime ?

— Un embryon affamé.

— Je t'ai vue aujourd'hui, dit Renata en souriant. Avec Earl. Il est parti satisfait. Et il reviendra, j'imagine, toutes les semaines, pour te voir.

Est-ce que je serai encore là ? pensai-je. Etait-ce la manière dc Renata de m'offrir un emploi longue durée ?

— C'est comme cela que j'ai réussi, reprit-elle. Je sais ce que les clients veulent avant qu'ils le demandent. J'anticipe. Je compose les bouquets avant leur arrivée, en devinant les jours où ils seront pressés, les jours où ils prendront leur temps et voudront discuter. Je crois que tu as ce type d'intuition, si tu veux t'en servir, bien sûr.

— Je le veux ! m'empressai-je de répondre.

J'entendais encore la voix de Meredith : « *Il faut le vouloir.* » Combien de fois m'avait-elle répété ces mots jusqu'à ce que je quitte mon dernier foyer ? Il faut vouloir être la fille de quelqu'un, une amie, une élève... Je n'avais jamais rien voulu. Aucune des promesses ni des menaces de Meredith ne m'avait jamais fait revenir sur ma position. Soudain, je sus que je voulais être fleuriste. Je voulais consacrer ma vie à choisir des fleurs pour de parfaits inconnus, passer mes journées entre la chambre climatique et la sonnerie de la caisse enregistreuse.

— Je te paierai au noir alors, déclara Renata. Tous les dimanches. Deux cents dollars pour vingt heures de travail, et tu viens quand je te le dis. D'accord ?

Je hochai la tête. Renata me serra la main.

Le lendemain matin, elle m'attendait devant le marché aux fleurs, appuyée contre les portes vitrées de l'entrée. Je vérifiai l'heure sur ma montre. Nous étions toutes les deux en avance. Ce jour-là, nous avions une commande pour un petit mariage. Pas de multiples demoiselles d'honneur et seulement cinquante invités autour de deux grandes tables. Il nous fallait trouver des nuances de jaune. C'était l'unique requête de la mariée, me précisa Renata. Elle souhaitait « du soleil dans les fleurs », au cas où il se mettrait à pleuvoir. Le ciel était gris, elle aurait dû se marier en juin.

— Son stand est fermé le dimanche, me fit remarquer Renata, me désignant le coin où se trouvait généralement le mystérieux vendeur.

Près de l'échoppe déserte se profilait une silhouette à la capuche rabattue sur la tête. Assis sur un tabouret, l'homme était adossé au mur. Il se leva quand il m'aperçut et se pencha au-dessus des seaux vides. Son visage se refléta dans l'eau inerte. De la poche de son sweat, il sortit un objet vert et filiforme. Il le leva en l'air.

Renata le salua en passant. Les yeux rivés au sol, je ne répondis à sa présence qu'en m'emparant de ce qu'il avait apporté pour moi. J'attendis de sortir de son champ de vision pour regarder dans ma main.

Les petites feuilles ovales s'échappaient d'une fine branche couleur citron vert. De petites billes transparentes dépassaient de la tige pareilles à des gouttes de pluie. La plante était exactement de la taille de ma paume et les feuilles souples me brûlaient là où elles entraient en contact avec ma peau.

Du gui.

Je surmonte tous les obstacles.

9

Les petites croûtes qui s'étaient formées sur les plaies de mes mains pendant la nuit accrochaient le coton fin des draps. En émergeant du sommeil, je mis un certain temps pour localiser la douleur, et encore davantage pour me souvenir de la cause de ces blessures. Je serrai très fort les paupières, et tout me revint d'un seul coup : les épines, la cuillère, le long voyage en voiture, et Elizabeth. Je sortis mes mains de sous l'édredon et examinai mes paumes. Les coupures s'étaient rouvertes. Du sang perlait.

Dans le noir, je me dirigeai à tâtons vers la salle de bains, mes mains laissant sur les murs des traces sanglantes. Elizabeth, déjà tout habillée, assise à sa coiffeuse, se regardait dans la glace, comme si elle s'apprêtait à se maquiller, sauf qu'il n'y avait rien d'autre devant elle qu'un pot de crème à moitié vide. Elle y plongea l'annulaire, dont l'ongle était court et plat, et se massa la peau sous les yeux, sur les pommettes et sur les ailes de son nez droit. Sans une ride, son visage luisait dans la pénombre chaude de l'été. Elle devait être bien plus jeune que ne le laissaient croire sa chemise au col montant, sa raie au milieu et son chignon sévère.

Lorsqu'elle se tourna vers moi, son profil se découpa dans la glace.

— Tu as bien dormi ?

Je lui présentai mes paumes en les plaçant si proches de sa figure qu'elle fut obligée de se pencher en arrière pour bien voir.

Elle étouffa un cri.

— Pourquoi tu ne m'as rien dit hier soir ?

Je haussai les épaules.

— Bon, donne-moi tes mains, soupira-t-elle. Je ne veux pas que ça s'infecte.

Elle tapota ses genoux, comme pour m'inviter à y grimper. Je reculai d'un pas. Sortant un petit bol de dessous le lavabo, elle le remplit d'eau oxygénée. Elle y trempa mes mains, l'une après l'autre, et me dévisagea, s'attendant à ce que je manifeste de la douleur. Je serrai les dents pour ne rien laisser paraître. Mes plaies devinrent toutes blanches et mousseuses. Elizabeth vida le récipient, le remplit à nouveau et recommença l'opération.

— Je ne vais pas te laisser faire ce que tu veux ici, déclara-t-elle. Mais si tu n'avais pas trouvé la cuillère après l'avoir vraiment cherchée, j'aurais accepté tes excuses.

Son ton était sec, direct. A peine réveillée à cette heure si matinale, je me demandais si la voix douce de la veille, je ne l'avais pas entendue en rêve.

Elle me plongea les mains pour la troisième fois dans le bol, observant la formation des minuscules bulles blanches. Elle les passa ensuite sous l'eau, les épongea délicatement à l'aide d'une serviette. Les coupures paraissaient creuses et vides, comme si l'eau oxygénée avait dévoré de parfaits cercles de chair. Elle m'enveloppa le poignet d'une bande de gaze blanche qu'elle déroula jusqu'à mes doigts.

— Tu sais, me dit-elle, quand j'avais six ans, j'ai conclu que la seule façon de faire sortir ma mère de son lit, c'était de piquer une crise. Juste pour l'obliger à se lever, quitte à ce qu'elle me punisse. Quand j'ai eu dix ans, elle en a eu assez et m'a mise en pension. Cela ne t'arrivera pas. Il n'y a rien que tu puisses faire qui me convaincra de me séparer de toi. Rien ! Tu peux toujours essayer. Lance les couverts de ma mère à travers la cuisine tant que tu veux. Sache que ma réponse sera toujours la même. Je vais t'aimer, je vais te garder. Tu m'entends ?

Toute crispée de méfiance, mon haleine se perdant dans la moiteur de la salle de bains, je regardai Elizabeth. Je ne la comprenais pas. Ses épaules droites, raides, ses phrases comme dans un livre de grammaire… Je n'avais jamais entendu quelqu'un parler avec autant de solennité. Pourtant derrière les mots, je discernais une douceur inexplicable. Et la façon dont elle me touchait… La minutie avec laquelle elle avait nettoyé mes plaies n'avait rien à voir avec l'accablement muet de mes anciennes mères d'accueil. Cela ne me disait rien qui vaille.

Le silence s'installa entre nous. Elizabeth replaça une mèche de cheveux derrière mon oreille et plongea son regard dans le mien pour y chercher une réponse.

— OK, concédai-je en fin de compte.

J'en avais assez, d'elle et de cette salle de bains étouffante.

Elizabeth esquissa un sourire.

— Alors, viens ! me dit-elle. C'est dimanche. Et le dimanche, c'est jour de marché.

Elle me fit pivoter sur moi-même et me ramena dans ma chambre où elle m'enleva ma chemise de nuit et m'habilla d'une robe à smocks blanche. Puis elle prépara des œufs brouillés, qu'elle me fit manger à la cuillère – identique à celle que j'avais lancée à travers la pièce la veille au soir. Je mâchai, avalai, me conformai à ce qu'elle voulait, m'efforçant de concilier ses manières avec l'imprévisibilité de ses actions. Sans un mot, elle suivit des yeux les cuillerées de nourriture qu'elle me proposait. Puis elle avala son propre petit déjeuner, fit la vaisselle, la sécha et la rangea.

— Prête ?

Je répondis par un haussement d'épaules.

Je la suivis sur le gravier. Elle m'aida à grimper dans son vieux pick-up gris. Le bord en plastique des sièges se détachait du métal, et il n'y avait pas de ceintures de sécurité. La camionnette cahota dans l'allée. La poussière, le vent et du gaz d'échappement s'engouffrèrent dans la cabine. Elizabeth roula moins d'une minute avant de s'arrêter là où la veille, de la voiture de Meredith, j'avais aperçu un parking vide. Il s'y trouvait maintenant de nombreux camions et des éventaires. Des familles parcouraient les allées.

Elizabeth allait d'étal en étal comme si je n'étais pas là, échangeant des billets contre de lourds sacs de victuailles : des haricots blanc crème rayés rose, des courges brunes aux cous allongés, des pommes de terre violettes, jaunes et rouges. Alors qu'elle était en train d'acheter des nectarines, d'un coup de dent, j'arrachai un raisin vert d'une grappe qui dépassait d'un étalage.

— S'il te plaît ! s'exclama un petit homme barbu que je n'avais pas remarqué. Goûte donc ! Ils sont délicieux, parfaitement mûrs.

Il détacha quelques grains et les déposa au creux de mes mains bandées.

— Dis merci ! me souffla Elizabeth alors que j'avais la bouche pleine.

Elizabeth acheta trois livres de raisin, six nectarines et un sac d'abricots secs. Sur un banc, face à un champ d'herbe grasse tout en longueur, elle approcha une prune jaune de mes lèvres. Je me penchai en avant et la mangeai dans sa main, avec le jus qui me coulait sur le menton et gouttait sur ma robe.

Lorsqu'il ne resta plus que le noyau, Elizabeth le jeta dans le champ puis se tourna pour contempler le marché.

— Tu vois le marchand de fleurs dans le fond, tout au bout ? Le dernier ?

J'acquiesçai de la tête. Un adolescent assis sur la plate-forme arrière d'un pick-up balançait au-dessus du macadam ses pieds chaussés de gros souliers. Sur l'étalage devant lui des bouquets de roses agglutinés.

— C'est le stand de ma sœur, continua Elizabeth. Tu vois ce garçon ? C'est presque un jeune homme maintenant. C'est mon neveu, Grant. On ne s'est jamais parlé.

— Quoi ? Pourquoi ? m'exclamai-je, étonnée malgré moi.

Vu ce qu'elle m'avait raconté avant de dormir, je supposais les deux sœurs proches.

— C'est une longue histoire. Ma sœur et moi, on ne s'est pas adressé la parole depuis quinze ans, sauf pour se partager la propriété à la mort de mes parents. Catherine a pris l'exploitation horticole, moi j'ai récupéré les vignes.

Pour rendre sa monnaie à un client, le garçon sauta à terre. Une mèche de longs cheveux bruns lui tomba devant le visage. Il la rejeta en arrière avant de serrer la main à un vieux monsieur. Son pantalon était trop court.

Ses longues jambes fines me semblaient, de loin, son seul point commun avec Elizabeth. Il avait l'air de s'occuper du stand tout seul. Je me demandai pourquoi Catherine n'était pas là.

— Le plus étrange, ajouta Elizabeth en suivant le garçon des yeux, c'est qu'aujourd'hui, pour la première fois depuis quinze ans, elle me manque.

Quand il lança la dernière botte de roses à un couple qui passait par là, Elizabeth se tourna vers moi, glissa son bras dans mon dos et me serra contre elle. Je fis de mon mieux pour me dérober, mais elle m'enfonça ses doigts dans les côtes pour mieux me retenir.

10

Sur mon sternum reposait le gui. Je le regardais monter et descendre irrégulièrement, ni mon cœur ni mon souffle n'ayant retrouvé leur rythme normal depuis que j'avais lu sur ma paume la réponse de l'inconnu.

Je ne me rappelais pas ce que j'avais fait des seaux de fleurs jaunes. Pourtant, à midi, tout était empilé dans la camionnette de Renata : des bouquets de soleil en route pour éclairer un mariage quasi hivernal. Une fois seule, je m'étais étendue sur la longue table de la réserve. Renata m'avait demandé de garder la boutique, personne n'était venu. Le magasin était d'habitude fermé le dimanche, et si je n'avais pas verrouillé la porte, je n'avais pas non plus mis les lumières de la devanture. Sans désobéir à Renata, je n'essayais pas pour autant d'attirer les clients.

Mon front était trempé de sueur, et pourtant il faisait froid. J'étais comme hypnotisée, dans un état de fascination confinant à la terreur. Pendant des années, mes messages floraux avaient été ignorés par méconnaissance, ce qui me confortait dans cet aspect de ma communication. Passion, connexion, désaccord ou rejet s'avéraient chose impossible dans un langage où l'on ne pouvait me répondre. Mais cette simple brindille de gui, si celui qui me l'avait offerte savait ce que cela signifiait, venait tout bouleverser.

Je tentai de me calmer en cherchant une éventuelle coïncidence. Le gui avait la réputation d'être une plante romantique. Ce type se figurait peut-être que j'allais l'accrocher avec un nœud rouge au-dessus de son éventaire avant de me mettre en dessous pour attendre un baiser ! Il ne me connaissait pas assez pour savoir que jamais je n'autoriserais une pareille intimité. Pourtant même si nous n'avions échangé que quelques mots, j'avais la sensation qu'il devait savoir qu'un baiser était hors de question.

Quoi qu'il en soit, il fallait que je lui réponde. S'il me présentait une deuxième fleur et que sa signification était juste, je ne pourrais plus prétendre qu'il ignorait le langage.

Je descendis de la table et, les jambes flageolantes, me dirigeai vers la chambre climatique. Installée au milieu des fleurs froides, je concoctai ma réponse.

Renata revint munie d'une nouvelle commande, petite celle-là, à livrer très vite au bas de la colline. Elle sortit un vase de céramique bleu pendant que je rassemblais les fleurs jaunes qui restaient.

— Pour quelle somme ? demandai-je, le prix déterminant l'arrangement.

— Peu importe. Mais dis-lui qu'elle ne peut pas garder le vase. Je passerai le récupérer la semaine prochaine.

Renata fit glisser un morceau de papier vers moi alors que je terminais le bouquet. Une adresse y était griffonnée.

— Tu t'en charges, dit-elle.

Alors que je sortais, les bras autour du vase imposant, je sentis Renata glisser quelque chose dans mon sac à dos. Je me retournai. Elle avait verrouillé derrière moi et regagnait sa camionnette.

— Je n'ai pas besoin de toi avant samedi prochain, à quatre heures du matin, me lança-t-elle. Prépare-toi pour une longue journée sans pause.

J'acquiesçai. Dès que la camionnette eut disparu, je posai le vase au sol et ouvris mon sac à dos. A l'intérieur, j'y trouvai une enveloppe contenant quatre billets de cent dollars. Avec un mot : *Pour tes deux premières semaines. Ne me déçois pas.* Je pliai les billets dans mon soutien-gorge.

L'adresse qu'elle m'avait indiquée ressemblait à un immeuble de bureaux, au bas de la côte, à quelques centaines de mètres seulement de Bloom. Les baies vitrées étaient sombres. Je ne pouvais voir ce qu'il y avait à l'intérieur, si c'était fermé le dimanche ou s'il n'y avait rien du tout. Sous mes coups, les portes cliquetèrent sur leurs gonds métalliques.

Une fenêtre s'ouvrit au premier étage et une voix désincarnée prononça :

— Je descends dans une minute. Ne bouge pas.

Je m'assis sur le trottoir, les fleurs à mes pieds.

Dix minutes plus tard, la porte s'ouvrit lentement, laissant le passage à une jeune femme hors d'haleine. Elle tendit les bras vers les fleurs en disant :

— Victoria ! Je m'appelle Natalia.

Elle ressemblait à Renata. La peau d'une blancheur laiteuse, des yeux bleu pâle. Mais ses cheveux, dégoulinants d'eau, étaient rose fuchsia.

Je lui tendis le bouquet et m'apprêtai à repartir.

— Tu as changé d'avis ? me demanda-t-elle.

— Pardon ?

Natalia recula comme pour m'inviter à entrer.

— A propos de la chambre. J'ai dit à Renata que c'était un vrai placard, mais elle avait l'air de penser que ça te conviendrait.

Une chambre ! L'argent glissé dans mon sac à dos ! Renata avait tout arrangé. Elle avait deviné ma situation. Mon instinct me soufflait de m'enfuir.

— Combien ? m'informai-je en m'éloignant d'un pas.

— Deux cents dollars par mois. Et tu vas voir pourquoi.

Je jetai un regard dans la rue, à droite, puis à gauche, ne sachant que lui répondre. Lorsque je me tournai à nouveau vers Natalia, elle avait déjà traversé l'espace vide du rez-de-chaussée et s'engageait dans un escalier raide.

— Entre ou n'entre pas. Mais ferme la porte.

Avec un soupir, je pénétrai à l'intérieur.

Le studio qui se trouvait au-dessus de la devanture vide était aménagé comme un bureau. Le sol de ciment était recouvert d'une mince moquette industrielle, et la cuisine composée d'un bar et d'un petit frigo. La fenêtre au-dessus de l'évier était ouverte et donnait sur un toit plat.

— Je ne peux pas louer cette pièce normalement, reprit Natalia en désignant sur le mur à côté du canapé une porte dont le battant mesurait la moitié en hauteur d'une porte normale.

Le genre qui ouvre sur un de ces réduits où les gens casent leur chauffe-eau. Natalia me tendit un trousseau de six clés, toutes numérotées.

— La numéro un, me dit-elle.

Je me mis à quatre pattes pour la visite. Il faisait noir comme dans un four là-dedans.

— Lève-toi, m'indiqua Natalia. Et tire sur le cordon.

Je tâtonnai dans la pénombre. A un moment donné, une ficelle caressa mon visage. Je tirai dessus.

L'ampoule nue illumina la pièce. Bleue comme la palette d'un peintre en plein océan, d'un bleu aussi scintillant qu'une étendue d'eau ensoleillée. La moquette à poils longs – on aurait dit de la fourrure blanche – paraissait vivante. Il n'y avait pas de fenêtre. La pièce était assez grande pour qu'on puisse s'y allonger, mais trop petite pour y installer un lit ou une commode, si tant est qu'on ait pu faire passer des meubles par la porte. Sur l'un des murs, j'aperçus une série de serrures de laiton et en m'approchant, je vis qu'elles délimitaient une porte de dimension normale. Un rai de lumière filtrait par-dessous. Natalia avait raison, c'était un vrai placard.

— Ma dernière colocataire était une paranoïaque schizophrène, énonça Natalia. Cette porte ouvre sur ma chambre. Voilà les clés pour toutes les serrures, précisa-t-elle en désignant le trousseau que je tenais.

— Je la prends.

Je fis un pas dans le salon et déposai deux billets de cent sur le bras du canapé. Puis, après avoir fermé la porte basse à clé, je m'étendis au centre de la pièce bleue.

11

Le ciel semblait plus grand chez Elizabeth. Il étirait sa courbe délicate sur l'horizon, distillant dans les collines poussiéreuses un bleu qui ternissait le jaune de l'été. Je le voyais se refléter sur le toit en tôle de la cabane à outils, sur celui, chromé et arrondi, de la caravane, et dans l'iris des yeux d'Elizabeth. Un bleu aussi implacable que ses silences brusques.

Sur une chaise, très sage, j'attendais. Un peu plus tôt, elle avait préparé des pancakes pêche-banane et je m'étais goinfrée jusqu'à m'écrouler sur la table. Pourtant elle ne m'avait posé aucune de ces questions auxquelles elle me soumettait d'habitude, et auxquelles d'ailleurs je répondais rarement. Son silence m'avait paru étrange. Elle avait seulement mangé les pêches et laissé le reste du pancake baigner dans une mare de sirop.

Les yeux fermés, j'écoutai le grincement de la chaise d'Elizabeth qui se levait, le frotti-frotta de ses chaussettes sur le parquet, puis le bruit de nos assiettes s'empilant dans l'évier. Au lieu de l'eau du robinet, j'entendis un drôle de cliquetis. Je soulevai les paupières. Elizabeth, adossée aux placards de la cuisine, tortillait le cordon en spirale du vieux téléphone dont elle regardait fixement le cadran comme si elle avait oublié le numéro qu'elle avait commencé à composer. Elle se ressaisit, mais au sixième chiffre, s'arrêta, fit la grimace et raccrocha d'un coup sec. Ce qui contraria mon estomac et me rappela que j'avais trop mangé. Je soupirai.

Elizabeth sursauta. Elle se tourna vers moi, tout étonnée de me voir, le téléphone lui ayant apparemment fait oublier jusqu'à mon existence. Elle me souleva de ma chaise et me poussa dans le jardin, où je l'attendis sagement.

Quand elle sortit enfin de la cuisine, elle tenait dans une main une pelle maculée de terre, et dans l'autre une tasse fumante.

— Bois ça, me dit-elle en me tendant la tasse. Ça t'aidera à digérer.

Je saisis la tasse entre mes mains emmaillotées de gaze – cela faisait une semaine qu'Elizabeth avait soigné mes blessures, et je m'étais accoutumée à la contrainte des pansements. Jour après jour, alors qu'Elizabeth cuisinait et s'occupait de la maison, je restais oisive. A un moment donné, elle m'avait demandé si mes mains allaient mieux. Je lui avais répondu que c'était pire.

Soufflant sur la tisane, j'en bus une gorgée, que je recrachai.

— J'aime pas ça, décrétai-je.

— Essaie encore une fois, me dit Elizabeth. Tu vas t'y faire. Les fleurs de menthe poivrée signifient *chaleur des sentiments*.

Je pris une deuxième gorgée que je gardai un peu plus longtemps dans ma bouche avant de la recracher par-dessus l'accoudoir.

— Tu veux dire un mauvais goût brûlant.

— Non, un sentiment chaleureux, me corrigea Elizabeth. Tu sais, ce petit chatouillis que tu ressens lorsque tu vois quelqu'un que tu aimes.

Ce sentiment ne m'était pas familier.

— La chaleur du vomi, m'obstinai-je.

— Le langage des fleurs n'est pas sujet à négociation, Victoria, me gronda gentiment Elizabeth en se retournant pour enfiler ses gants de jardinage.

Elle ramassa la pelle et entreprit de travailler la terre là où j'avais déraciné une dizaine de plantes dans mes efforts pour retrouver la cuillère.

— Qu'est-ce que ça veut dire « pas sujet à négociation » ? interrogeai-je.

Je pris une gorgée de tisane à la menthe poivrée, fis la grimace et attendis l'effet sur mon estomac.

— Cela veut dire qu'il y a une seule signification par fleur et une seulement. Comme le romarin, qui veut dire…

— *Souvenirs*. Comme la citation de Shakespeare… je-sais-pas-qui-c'est.

— Oui, approuva Elizabeth, interloquée. Et l'ancolie…

— *Abandon*.

— Le houx ?

— *Prévoyance*.

— La lavande ?

— *Méfiance*.

Elizabeth posa ses outils de jardinage, retira ses gants et s'agenouilla près de moi. Son regard était si intense que je reculai dans ma chaise longue jusqu'à la sentir basculer légèrement en arrière. La main d'Elizabeth se referma sur ma cheville.

— Pourquoi Meredith m'a-t-elle dit que tu ne pouvais rien apprendre ?

— Parce que c'est comme ça, répondis-je.

Elle m'attrapa par le menton et plongea ses yeux dans les miens.

— Eh bien, c'est faux. Quatre ans à l'école primaire, et tu n'as rien appris, d'après Meredith. Elle prétend que si tu étais acceptée dans une école publique, tu aurais besoin d'une classe adaptée.

En quatre ans, j'avais redoublé ma maternelle et mon CE1. Je ne faisais pas semblant de ne pas être douée ; c'est juste qu'on ne m'avait jamais rien demandé. Après la première année, à cause de mon silence obstiné et de mon caractère explosif, j'avais acquis une telle réputation que l'on m'avait mise à l'écart. Grâce à des piles de photocopies abandonnées, j'avais appris les lettres, les chiffres et à effectuer des calculs élémentaires. J'avais aussi appris à lire dans les livres illustrés qui dépassaient des cartables de mes camarades ou dans ceux que j'avais dérobés sur les étagères de la classe.

Il avait été un temps où je croyais qu'à l'école, tout serait différent. Dès le jour de la rentrée, assise à mon bureau miniature à côté des autres, j'en étais arrivée à la conclusion que l'abîme qui me séparait d'eux n'était pas visible. Ma première institutrice de maternelle, Mlle Ellis, prononçait mon nom avec douceur en accentuant le *tor* de Victoria et me traitait comme tout le monde. La partenaire qu'elle m'avait choisie était plus petite que moi, et son poignet fin frôlait le mien lorsque nous marchions en rang, de la classe à la cour de récréation et vice versa. Mlle Ellis avait une technique particulière destinée, disait-elle, à nourrir nos cerveaux. Chaque jour, après la récré, elle déposait une sardine à l'huile sur un gobelet en plastique. Après l'avoir mangée, on devait retourner le verre afin de découvrir la lettre écrite au fond. Si on était capable de nommer la lettre, de la prononcer et de trouver un mot qui commençait par elle, alors on avait droit à une deuxième sardine. Dès la première semaine, j'avais mémorisé toutes les lettres et sonorités : j'avais toujours droit à une seconde portion.

Mais cinq semaines plus tard, Meredith m'avait placée dans une nouvelle famille, dans une autre banlieue, et chaque fois que je repensais au petit poisson huileux, je me mettais en colère. De rage je renversais les tables, découpais les rideaux et volais les paniers-repas de mes camarades. J'avais été renvoyée, changée d'école, renvoyée de nouveau. A la fin de cette première année, ma violence était attendue, et mon éducation, oubliée.

Elizabeth me pinça les joues et m'implora du regard.

— Je sais lire, lui assurai-je.

Elizabeth continua à me dévisager, comme si elle était décidée à mettre au jour tous les mensonges que j'avais jamais proférés. Je fermai les yeux jusqu'à ce qu'elle me relâche.

— Eh bien ! c'est bon à savoir, conclut-elle.

Avec un hochement de tête, elle retourna à son jardinage, glissant les mains dans ses gants avant de déposer les plantes que j'avais déracinées dans les trous qu'elle venait de creuser. Je l'observais travailler. Elle tapota le terreau autour de chaque plantation. Lorsqu'elle eut terminé, elle se tourna à nouveau vers moi.

— J'ai demandé à Perla de venir jouer avec toi. J'ai besoin de me reposer et ça te fera du bien d'avoir une amie avant le début de l'école, demain.

— Perla, ce sera pas mon amie.

— Tu ne l'as même pas encore rencontrée ! s'écria Elizabeth, exaspérée. Comment tu peux savoir si cela sera le cas ?

Je le savais, parce qu'en neuf ans, je n'avais jamais eu une seule amie. Meredith l'avait sûrement expliqué à Elizabeth. Elle l'avait dit à toutes mes mères adoptives, conseillant en outre aux autres enfants de manger sans attendre et de cacher leurs bonbons tout au fond de leurs taies d'oreiller.

— Maintenant, viens avec moi ! Elle attend probablement déjà.

Elizabeth me conduisit à la petite barrièrc au fond du jardin. Perla s'y tenait appuyée, en effet. Ellc était assez proche pour avoir entendu la conversation, pourtant elle n'avait pas l'air offensée, seulement dans l'expectative. Elle n'avait que quelques centimètres de plus que moi et un corps doux et rond. Son tee-shirt trop serré, vert pomme, recouvrait son buste sans pour autant atteindre son pantalon. Des cercles rouges striaient la peau de ses bras, traces de ses manches courtes remontées à présent sous les aisselles. En me voyant, elle tira sur les élastiqucs afin de les remettre en place.

— Bonjour, dit Elizabeth. Voici ma fille, Victoria. Victoria, voici Perla.

Aux mots « ma fille », mon mal de ventre me reprit. J'envoyai de la terre à Elizabeth avec mes pieds, qu'elle immobilisa en marchant dessus avec sa chaussure droite tandis que sa main m'agrippait par la nuque. Là où elle me toucha, la peau me brûla.

— Salut, Victoria, chuchota Perla, toute timide en soulevant l'épaisse natte noire qui reposait sur son épaule pour en mâchouiller le bout déjà humecté.

— Bien, soupira Elizabeth comme si le calme de Perla et mon silence borné avaient établi un quelconque contact. Je vais faire la sieste. Victoria, reste jouer avec Perla jusqu'à ce que je t'appelle.

Sans attendre de réponse, elle regagna la maison. Laissées seules, Perla et moi passâmes un bon moment à contempler le sol. Soudain, d'un geste hésitant, elle posa un doigt potelé sur mes pansements.

— Qu'est-ce qui t'est arrivé ?

Je pris la gaze entre mes dents et tirai, brusquement possédée par une furieuse envie de retrouver l'usage de mes mains.

— Des épines, lui répondis-je en les lui présentant. Défais-les.

Perla tira sur l'extrémité des bandes et je secouai les mains pour m'en libérer. La peau mise à nu était pâle et fripée, semée de petites croûtes rondes et sèches. J'en détachai facilement une à l'aide d'un ongle. Elle tomba au sol.

— On va être dans la même classe demain à l'école, m'informa Perla. Il y a qu'un seul CM1.

Je demeurai silencieuse. Si Elizabeth pensait que j'irais à l'école, si elle croyait que je deviendrais sa fille et qu'on pourrait me forcer à avoir des copines, elle se trompait sur toute la ligne ! Je me dirigeai vers la cabane à outils, suivie des pas lourds de Perla. Sans avoir en tête aucune intention précise. Je voulais seulement faire comprendre à Elizabeth à quel point elle avait tort. Je m'emparai sur une étagère d'un couteau et d'un sécateur, et ainsi armée, amorçai un furtif tour du jardin.

De l'autre côté de l'amandier, j'empruntai un chemin gris-vert tapissé de plantes grasses qui peu à peu se couvrait de gravier. A l'endroit où la route poussiéreuse marquait la limite du jardin luxuriant poussait un énorme cactus ébouriffé, plus grand que la voiture de Meredith. Son tronc était marron et lacéré de cicatrices, à croire qu'il s'était coupé un peu partout avec ses propres épines. Chaque branche était constituée d'une série de petites mains plates qui émergeaient les unes des autres, alternant à droite et à gauche, de manière à ce que l'ensemble s'équilibre assez pour que la plante tienne debout et pointe vers le ciel.

Je savais ce qu'il me restait à faire.

— Un figuier de Barbarie, énonça Perla. Avec des figues.

— Quoi ?

— Tu vois ces trucs tout en haut ? Au Mexique, les gens les vendent au marché. C'est très bon, du moment que tu les épluches.

— Coupe-le, lui ordonnai-je.

— Comment ? bafouilla Perla sans bouger. Ce grand cactus ?

— Juste la branche, celle des fruits. Je la veux, pour Elizabeth. C'est toi qui le fais, moi, j'ai mal aux mains.

Perla se contenta de contempler le cactus, deux fois plus haut qu'elle. Des fruits d'un rouge violacé poussaient au bout de chaque paume plate comme des doigts boudinés. Je lui tendis mon couteau, pointe en avant, à la hauteur de son ventre.

Perla en testa le fil avec son doigt puis se rapprocha de moi et le prit par le manche.

— Où ça ? demanda-t-elle doucement.

Je lui désignai un point, juste au-dessus du tronc brun, là où une longue branche verte commençait. Perla posa la lame du couteau contre le cactus, ferma les yeux et appuya de tout son poids. La peau était dure, mais une fois qu'elle eut traversé la couche supérieure, le couteau s'enfonça facilement et la branche tomba au sol. Je lui indiquai les fruits. Elle les coupa un à un. Ils s'éparpillèrent par terre en pissant un jus couleur de sang.

— Attends-moi, lui lançai-je en courant à travers le jardin afin de récupérer les pansements souillés que j'avais abandonnés.

A mon retour, Perla était exactement là où je l'avais laissée. Je saisis un fruit à l'aide de la gaze, ramassai le couteau et entrepris de retirer délicatement les épines de la figue de Barbarie, comme j'aurais procédé avec la peau d'un animal mort. J'offris le fruit mûr, comestible, à Perla.

— Je croyais que c'était pour Elizabeth ? s'étonna-t-elle.

— T'as qu'à le lui apporter, si tu veux. Moi, j'ai juste besoin de cette partie.

J'enveloppai le bout de peau épineuse dans la gaze.

— Maintenant, rentre chez toi, conclus-je.

Perla prit la figue et s'en fut à pas lents en soupirant comme si elle était déçue de ne pas avoir été mieux récompensée pour sa preuve de bonne volonté.

Je n'avais rien à lui donner.

12

Natalia était une des sœurs de Renata. Elles étaient six. Pas de frère. Renata venait en deuxième, Natalia en dernier. Il me fallut la semaine entière pour récolter ces informations, et c'était très bien comme ça. Natalia dormait en général jusqu'au milieu de l'après-midi et, une fois éveillée, demeurait silencieuse. Elle m'avait confié un jour qu'elle ménageait sa voix. Le fait qu'elle considérait toute conversation avec moi comme une perte de temps ne me vexait pas du tout.

Natalia était la chanteuse d'un groupe punk qui, pour reprendre ses paroles, n'avait « cartonné que dans un rayon de vingt pâtés de maisons autour de l'appartement ». Natalia et ses musiciens avaient du succès dans le quartier de Mission et quelques fans à Dolores Park, mais ils restaient inconnus dans les autres quartiers comme dans les autres villes. Ils répétaient dans la salle du bas. Les immeubles du coin abritaient exclusivement des bureaux dont certains étaient vides et tous les autres fermaient à dix-sept heures. Natalia m'avait donné une boîte de boules Quies et une pile d'oreillers. En conséquence de quoi, la musique se réduisait à des vibrations sous la fausse fourrure de la moquette, avec pour effet de la rendre encore plus vivante. La plupart du temps, le groupe ne commençant à répéter qu'après minuit, je bénéficiais de quelques heures de mauvais sommeil avant de me lever.

Je ne travaillai pas avant le samedi suivant, mais chaque matin de cette semaine-là, je me pris à errer aux environs du marché aux fleurs où les camions surchargés manœuvraient pour se garer à reculons dans le parking bondé. Je n'étais pas à la recherche du mystérieux marchand de fleurs. Du moins, c'est ce dont j'essayais de me convaincre. Dès que je l'aperçus, je me glissai dans une ruelle et détalai, ne m'arrêtant qu'à bout de souffle.

Lorsque le samedi arriva, ma réponse était prête. La gueule-de-loup. *Présomption.* J'arrivai au marché à trois heures du matin, une heure avant Renata, un billet de cinq dollars en poche et un bonnet en tricot moutarde, un nouvel achat, enfoncé jusqu'aux yeux.

Le marchand de fleurs, occupé à décharger des monceaux de lys, de roses et de renoncules qu'il piquait dans des baquets en plastique blanc, ne me vit pas approcher. J'en profitai pour lui rendre la monnaie de sa pièce et étudier en détail son corps depuis sa nuque jusqu'à ses gros souliers crottés. Il portait le même sweat à capuche noir, un peu plus crasseux que la fois précédente, et un pantalon de travail blanc tacheté de boue, le genre pourvu d'une patte spéciale pour le marteau, sauf qu'elle était vide. Lorsqu'il se redressa, je me tenais debout pile devant lui, les bras débordant de gueules-de-loup. Pour la modique somme de cinq dollars, à prix de gros, j'avais obtenu cinq bottes qui composaient une symphonie de violet, de rose et de jaune. J'élevai les fleurs jusqu'au bord de mon bonnet, cachant ainsi entièrement mon visage.

Ses mains se refermèrent sur le bas des tiges, ses doigts frôlant les miens. Sa peau était aussi fraîche qu'un ciel matinal de novembre. L'espace d'un instant, j'eus envie de les réchauffer, non pas avec mes propres mains, qui n'étaient guère plus chaudes, mais avec mon bonnet ou mes chaussettes... quelque chose que je pourrais laisser derrière moi. Il déplaça les fleurs. Tout mon être se retrouva exposé à son regard et je sentis la chaleur me monter aux joues et former de petites taches roses. Je tournai les talons et m'éloignai.

Renata, qui m'attendait à l'entrée, était nerveuse et surexcitée. Elle avait un autre mariage important et la mariée se révélait aussi capricieuse que si elle sortait tout droit d'une comédie hollywoodienne. Elle avait présenté à Renata une liste des fleurs qu'elle aimait et n'aimait pas, des échantillons de couleurs et des spécifications quant à leur taille, en centimètres. Renata déchira la liste en deux et me tendit la moitié ainsi qu'une enveloppe de billets.

— Ne paye pas plein pot ! me recommanda-t-elle alors que je me jetais dans la foule. Dis aux vendeurs que c'est pour moi !

Le lendemain matin, Renata m'envoya seule au marché. La veille, l'arrangement des fleurs pour la décoration et des bouquets de la mariée et des demoiselles d'honneur avait duré jusqu'à dix-sept heures, alors que le mariage avait lieu à dix-huit. Epuisée par le stress, Renata était restée au lit. Désormais, son magasin serait ouvert le dimanche. Elle avait changé la pancarte et informé ses meilleurs clients que je serais là. Elle m'avait donné de l'argent et confié sa carte de fleuriste, ainsi qu'une clé. Puis elle avait scotché son numéro de téléphone sur la caisse en me demandant de ne pas la déranger pour rien.

Au marché, il faisait encore noir, et un peu plus je le manquais, debout à la droite de l'entrée. Immobile, sans fleur, il tenait la tête baissée, mais ses yeux, eux, étaient levés, patients. Je marchai vers la porte d'un pas décidé en fixant la poignée métallique. A l'intérieur, il y avait sûrement beaucoup de monde et de bruit, mais dehors, on n'entendait presque rien. Au moment où je passai devant lui, il me tendit un rouleau de papier entouré d'un ruban jaune. Je m'en emparai comme s'il s'agissait d'un bâton de relais, sans marquer de halte, et ouvris la porte. La rumeur de la foule me sauta à la figure. Je jetai un coup d'œil par-dessus mon épaule : il avait disparu.

Son stand était vide. Accroupie entre les cloisons en bois blanc, je défis le ruban et déroulai le papier. Un vieux papier, tout jauni, qui s'effritait aux coins. Il refusait de rester à plat. Je bloquai le bas de la feuille avec mes gros orteils et le haut avec mes pouces.

Le dessin réalisé au fusain délavé ne représentait pas une fleur mais le tronc d'un arbre dont l'écorce granuleuse s'écaillait. Je passai mon doigt dessus. Le papier avait beau être lisse, le rendu semblait si réaliste que je pouvais presque sentir les nœuds du bois. En bas à droite, les mots *Peuplier blanc* se détachaient en une fine calligraphie.

Peuplier blanc. Ce n'était pas une plante dont je connaissais la signification. Retirant mon sac à dos, je sortis mon dictionnaire des fleurs. Je cherchai à P, mais aucune trace de « Peuplier blanc » ni de « Peuplier de couleur blanche ». Mon livre en l'occurrence ne me servait à rien. Je commençai à enrouler la feuille à l'aide de son ruban, mais je suspendis mon geste.

Au dos du ruban, dans le même graphisme en pattes de mouche que celui de ses ardoises de prix, je lus : *Lundi, 17 h, entre Mission et la 16e. Beignets pour le dîner*. La soie ayant bu l'encre noire, le reste était illisible.

Ce matin-là, j'achetai les fleurs sans réfléchir ni marchander, si bien que lorsque j'ouvris le magasin une heure plus tard, je fus stupéfaite quand je vis ce que j'avais entre les mains !

Les affaires étaient calmes, ce qui m'arrangeait. Assise sur un tabouret au comptoir, je feuilletai un annuaire. Le message du répondeur de la bibliothèque municipale de San Francisco était d'une longueur affolante. Je fus obligée de l'écouter deux fois avant de griffonner au dos de ma main les horaires d'ouverture et l'adresse. Elle fermait à dix-sept heures le dimanche, tout comme Bloom. Il me faudrait par conséquent attendre lundi. Une fois que j'aurais découvert la signification de son message, je déciderais de me rendre ou non au rendez-vous.

A la fin de la journée, je venais de transférer les fleurs de la devanture dans la chambre climatique, quand la porte d'entrée s'ouvrit pour laisser le passage à une femme seule qui contempla l'espace vide d'un air perdu.

— Est-ce que je peux vous aider ? demandai-je, impatiente de partir.

— C'est vous, Victoria ?

Je fis oui de la tête.

— C'est Earl qui m'envoie. Il m'a dit qu'il voulait la même chose. Exactement la même chose. Et il a dit que vous pouviez garder la monnaie, ajouta-t-elle en me tendant trente dollars.

Je déposai l'argent sur le comptoir et me retirai dans la réserve. Je n'étais pas sûre d'avoir assez de chrysanthèmes de Tokyo. De surprise, j'éclatai de rire en voyant l'énorme quantité que j'avais achetée au marché. Les quelques pervenches restantes reposaient, oubliées, sur le sol, là où je les avais laissées la semaine précédente. Renata ne les ayant pas arrosées, elles étaient desséchées, mais pas encore mortes.

— Pourquoi Earl n'est pas venu lui-même ? questionnai-je en confectionnant le bouquet.

Elle regardait alternativement mes mains et la devanture avec la vivacité et l'énergie d'un oiseau en cage.

— Il voulait que je vous rencontre.

Je ne dis rien et gardai les paupières baissées. Je voyais du coin de l'œil qu'elle tirait sur les racines de ses cheveux dont la teinte châtain foncé aux reflets rougeâtres cachait sans doute des cheveux gris.

— Il pense que vous pourriez peut-être me confectionncr un bouquet. Quelque chose de spécial.

— De spécial pour quoi ?

— Je suis célibataire, répondit-elle après une pause en regardant en direction de la vitrine. Et j'en ai assez.

Je promenai les yeux autour de moi. Le succès que j'avais eu avec Earl m'avait donné de l'assurance. Ce qu'il lui fallait, c'étaient des roses et du lilas, décidai-je. Evidemment, je n'en avais pas acheté. Autant que possible, je les évitais.

— Vous pouvez revenir samedi prochain ?

— Dieu sait que je sais attendre, soupira-t-elle en levant les yeux au ciel.

Elle contempla en silence mes doigts qui voltigeaient autour des chrysanthèmes. En sortant dix minutes plus tard, elle semblait plus légère et comme rajeunie, remontant la côte au pas de course vers la maison d'Earl.

Le matin suivant, je pris le bus jusqu'à la bibliothèque et attendis l'ouverture sur les marches. Je ne fus pas longue à trouver ce que je cherchais. Les livres sur le langage des fleurs se trouvaient au dernier étage, entre la poésie victorienne et une collection impressionnante sur le jardinage. Il y en avait bien plus que je ne pensais. Certains étaient anciens, comme le mien, avec une couverture rigide et craquelée, alors que d'autres, illustrés et en édition de poche, paraissaient avoir traîné pendant des années sur des tables basses. Tous ces volumes présentaient un point commun : personne n'avait dû les emprunter depuis des années. Elizabeth m'avait expliqué que le langage des fleurs était autrefois connu de tous, et j'avais toujours été fascinée par le fait que son existence avait presque été oubliée. J'empilai un maximum de livres dans mes bras tremblants.

Je m'assis à la table la plus proche et consultai un ouvrage relié de cuir. Son titre n'était plus que poussière d'or. La carte d'emprunt à l'intérieur avait été tamponnée pour la dernière fois avant même ma naissance. Contenant l'histoire détaillée du langage des fleurs, le livre expliquait que tout avait commencé en France, avec le premier dictionnaire des fleurs publié au XIXe siècle. S'ensuivait une longue énumération des têtes couronnées qui s'étaient servies de ce langage, accompagnée de la description détaillée des bouquets échangés. A la fin venait un bref dictionnaire. Mais aucune trace du peuplier blanc.

Je consultai une demi-douzaine d'autres ouvrages, mon angoisse montant d'un cran à chaque volume. Si j'avais peur de connaître la réponse du fleuriste inconnu, j'étais encore plus effrayée à l'idée de ne pas trouver la définition et de ne jamais savoir ce qu'il essayait de me dire. Après vingt minutes de recherche, je découvris enfin ce que je cherchais, une simple ligne entre Pervenche et Phlox. Peuplier Blanc : *Temps.* Je soupirai, soulagée et confuse.

Je refermai le livre et posai la tête sur la couverture fraîche. Le temps. Cette réponse à *Présomption* était bien plus abstraite que ce à quoi je m'attendais. Le temps nous le dira ? Laisse-moi du temps ? Sa réponse n'était pas précise. Il n'avait manifestement pas suivi les leçons d'Elizabeth. J'ouvris un autre livre, puis un autre, dans l'espoir de trouver une définition plus détaillée, mais aucun des autres ouvrages ne mentionnait cet arbre. Je n'étais pas étonnée. Le peuplier blanc n'avait a priori rien de romantique. Qui aurait l'idée d'offrir des brindilles ou des bouts d'écorce pour traduire les mouvements de son cœur ?

Je m'apprêtais à remettre les livres en place lorsqu'un petit volume de poche attira mon regard. La couverture était illustrée de dessins de fleurs dans de petites cases, avec la définition en caractères minuscules dessous. En dernier venaient les roses, classées par couleurs. Sous la jaune, on lisait : *jalousie.*

S'il avait été question d'une quelconque autre fleur, je n'aurais peut-être pas remarqué la différence. Mais je n'avais pas oublié l'expression de tristesse sur le visage d'Elizabeth lorsqu'elle m'avait montré les buissons de roses jaunes. Je n'avais pas non plus oublié la brutalité avec laquelle, au printemps, elle arrachait chaque nouveau bourgeon, avant de les laisser moisir près de la clôture qui délimitait le jardin. Si on remplaçait *infidélité* par *jalousie*, la signification changeait radicalement. L'une était une action, l'autre une émotion. Je feuilletai le petit livre, puis m'assis et en ouvris un autre.

Plusieurs heures passèrent. Je me trouvais devant des centaines de pages regorgeant de nouvelles informations. Je ne pouvais plus bouger, tant j'étais fascinée. Consultant une à une les fleurs, je rassemblai toutes les définitions des nombreux dictionnaires étalés sur la table.

Il ne me fallut pas longtemps pour comprendre. Elizabeth s'était bel et bien trompée sur le langage des fleurs, comme elle s'était trompée sur moi.

13

Elizabeth était assise sur les marches du perron, le pied dans une bassine d'eau. De l'endroit où je me trouvais, à l'arrêt de bus, elle me paraissait petite, ses chevilles d'une pâleur inquiétante exposées à l'air libre.

Elle leva la tête vers moi alors que j'approchais, et je sentis la tension monter. Elle n'en avait pas terminé avec moi. Je le savais. Ce matin-là, un hurlement suivi du bruit d'un talon de bois frappant le linoléum m'avait indiqué qu'elle avait découvert les épines de cactus. Je m'étais levée, habillée et précipitée en bas. Mais lorsque j'étais arrivée dans la cuisine, elle était assise tranquillement à table et mangeait son porridge. Elle n'avait même pas levé le nez lorsque je m'étais assise en face d'elle.

Son absence de réaction m'avait rendue furieuse. « Qu'est-ce que tu vas faire de moi ? » avais-je hurlé. Sa réponse m'avait abasourdie. Le cactus raquettes, m'avait-elle répondu, le regard moqueur, symbolise un *amour ardent*. Et même si ses chaussures n'avaient sans doute pas survécu, avait-elle ajouté, elle appréciait le geste. J'avais secoué la tête avec violence et Elizabeth m'avait répété la même phrase que la veille, dans le jardin : il n'y avait qu'une seule signification pour chaque fleur, afin d'éviter toute confusion. J'avais ramassé mon sac à dos en me dirigeant vers la porte, mais Elizabeth se tenait derrière moi, appuyant un bouquet sur ma nuque. « Tu ne veux pas connaître ma réponse ? » avait-elle demandé. Me retournant, je m'étais trouvée face à de minuscules pétales violets. Des héliotropes, avait-elle expliqué, *affection loyale.*

Je n'avais pas repris mon souffle et mes mots s'étaient formés dans un murmure :

« Les cactus, ça veut dire que je te déteste », avais-je répondu en lui claquant la porte au nez.

Au cours de la journée, ma colère toutefois s'était peu à peu muée en une sorte de regret. Elizabeth m'accueillit avec un sourire, le visage empreint d'une expression de bienveillance, comme si elle avait oublié ce que je lui avais dit quelques heures plus tôt.

— Alors, ce premier jour d'école ? s'enquit-elle.

— Horrible.

Je montai les marches deux par deux, afin de me glisser dans la maison. Mais elle referma ses doigts maigres sur ma cheville.

— Assieds-toi ! m'ordonna-t-elle.

Je tentai en vain de m'échapper et finis par m'installer sur les marches au-dessous d'elle afin d'éviter son regard, mais elle me tira par le col pour planter ses yeux dans les miens.

— C'est mieux, dit-elle en me tendant une assiette où étaient disposés des tranches de poire et un muffin. Maintenant, mange. J'ai un travail pour toi qui devrait te prendre tout l'après-midi. Tu commenceras quand tu auras fini ça.

Je détestais le fait qu'Elizabeth soit une aussi bonne cuisinière. Elle me nourrissait si bien que je n'avais pas encore puisé dans les réserves de fromage cachées dans le tiroir de mon bureau. Les poires étaient bien épluchées, et le muffin, encore chaud, contenait des morceaux de banane et des pépites de beurre de cacahouète qui fondaient dans la bouche. Je me régalai à chaque bouchée jusqu'à ce qu'il ne reste plus rien. Puis j'échangeai mon assiette vide contre un verre de lait.

— Bien, approuva-t-elle. Maintenant, tu peux travailler aussi longtemps qu'il le faudra pour enlever toutes les épines qui se trouvent dans la semelle de mes chaussures.

Elle m'apporta des gants de cuir trop grands pour moi, une pince à épiler et une lampe de poche.

— Lorsque tu auras terminé, je veux que tu enfiles mes souliers puis que tu montes et descendes les marches trois fois afin que je sois certaine qu'il n'en reste plus.

Je jetai les gants au bas de l'escalier. On aurait dit deux mains abandonnées dans la terre. J'enfilai mes mains nues à l'intérieur de sa chaussure, palpant du bout des doigts les épines plantées dans le cuir souple. J'en trouvai une, la pinçai entre mes ongles et la retirai avant de la lancer par terre.

Elizabeth m'observait en silence. Méthodiquement, j'explorai le dessous de chaque chaussure, puis les côtés, terminant par la pointe. La chaussure dans laquelle elle avait marché me donna plus de fil à retordre, car son poids avait profondément enfoncé les épines dans le cuir. J'arrachai chacune d'entre elles avec la pince, comme un chirurgien maladroit.

— Si ce n'est pas de l'amour ! s'exclama Elizabeth alors que je terminais mon ouvrage. Si ce n'est pas de la dévotion envers moi et une marque d'affection, alors, c'est quoi ?

— Je te l'ai dit avant de partir pour l'école, rétorquai-je. Cactus, ça veut dire « je te hais ».

— Non, fit Elizabeth fermement. Je peux te montrer les fleurs qui symbolisent la haine si tu veux. Mais le mot « haine » n'est pas assez spécifique. La haine peut être passionnée ou détachée ; elle peut venir du fait que tu n'aimes pas quelqu'un ou quelque chose, mais aussi de la peur. Si tu me dis exactement ce que tu ressens, alors je peux t'aider à trouver la fleur qui fera passer ton message.

— Je t'aime pas. J'aime pas quand tu m'enfermes dehors ou que tu me flanques dans l'évier. J'aime pas quand tu touches mon dos ou que tu m'attrapes le visage ou que tu me forces à jouer avec Perla. J'aime pas tes fleurs, tes messages, tes doigts osseux. J'aime rien chez toi, et j'aime rien dans le monde non plus.

— Voilà qui est bien mieux, déclara Elizabeth qui semblait impressionnée. La fleur que tu cherches, c'est sans aucun doute le chardon, qui symbolise la misanthropie. La misanthropic, c'cst la haine ou la méfiance à l'égard du genre humain.

— Le genre humain, ça veut dire tout le monde ?

— Oui.

Cela me fit réfléchir. *Misanthropie*. Personne n'avait jamais pu décrire mes sentiments en un seul mot. Je me le répétai jusqu'à être sûre de ne pas l'oublier.

— Et est-ce que tu en as ?

— Oui. Finis ton travail d'abord. De mon côté, j'ai un coup de fil à passer. Quand on aura toutes les deux terminé, on ira cueillir des chardons.

Elizabeth entra dans la maison en boitillant. En entendant la porte moustiquaire claquer, je me précipitai en haut des marches et me cachai sous la fenêtre. Je passai la main sur le cuir souple des chaussures, afin de débusquer les dernières épines. Si Elizabeth allait enfin composer le numéro qu'elle hésitait à appeler depuis des jours, j'étais curieuse d'entendre ce qu'elle avait à dire. Je ne comprenais pas pourquoi elle avait tant de mal à prononcer ces mots, elle qui parlait si bien. Jetant un coup d'œil discret par la fenêtre, je vis qu'elle était assise au comptoir de la cuisine. Elle tourna le cadran sept fois, écouta sonner une fois, puis raccrocha. Lentement, elle composa à nouveau le numéro et approcha le combiné de son oreille. Retenant son souffle, elle écouta un long moment.

— Catherine, prononça-t-elle finalement.

Elle appuya sa main contre le combiné et émit un petit sanglot étranglé. Elle s'essuya le coin des yeux. Elle approcha à nouveau le téléphone de sa bouche.

— C'est Elizabeth.

Elle cessa à nouveau de parler et je tendis l'oreille dans l'espoir, vain, de capter la voix qui se trouvait à l'autre bout du fil.

— Je sais que ça fait plus de quinze ans, continua Elizabeth d'une voix fragile, et tu pensais sûrement ne jamais plus m'entendre. Et pour être honnête, je ne pensais pas non plus que je reprendrais contact avec toi. Mais j'ai une fille maintenant, et je n'arrête pas de penser à toi.

Je compris alors qu'Elizabeth s'adressait à un répondeur, et non à une personne. Une cascade de mots s'échappa de sa bouche.

— Tu sais, dit-elle, toutes les femmes que j'ai connues et qui ont eu des enfants… la première chose qu'elles ont faite, c'est d'appeler leur mère. Elles veulent sa présence, même celles qui la détestent.

Elizabeth émit un petit rire et relâcha ses épaules qui étaient tendues au point de lui remonter jusqu'aux oreilles. Elle enroula et déroula le fil en spirale autour d'un doigt.

— Alors, maintenant, je comprends... D'une manière un peu différente. Nos parents ne sont plus là, je n'ai plus que toi, et je pense à toi tout le temps. Je ne pense presque qu'à ça.

Elle s'interrompit à nouveau, réfléchissant sans doute à ce qu'elle allait dire ensuite, ou à la façon dont elle allait le formuler.

— Je n'ai pas de bébé. Enfin, j'allais en adopter un. Mais j'ai eu une petite fille de neuf ans à la place. Je te raconterai tout un jour, quand je te verrai. J'espère que je pourrai te voir. Quand tu rencontreras Victoria, tu comprendras. Elle a le même regard sauvage que j'avais à son âge, quand j'ai appris que la seule manière d'attirer l'attention de ma mère, c'était de déclencher un incendie ou de briser toutes les conserves de pêches de l'année.

Elle rit à nouveau, puis s'essuya les yeux. Je voyais qu'elle pleurait, et pourtant, elle n'avait pas l'air triste.

— Tu te souviens ? Alors, je t'appelle pour te dire que je te pardonne. C'était il y a si longtemps. Presque une vie entière. J'aurais dû téléphoner bien avant, et je m'excuse de ne pas l'avoir fait. J'espère que tu me rappelleras, ou que tu viendras me voir. Tu me manques. Et je veux rencontrer Grant. S'il te plaît.

Elizabeth attendit un moment puis reposa délicatement le combiné. J'entendis à peine le cliquetis du téléphone.

Dégringolant les marches du perron, je fixai intensément les chaussures d'Elizabeth en espérant qu'elle ne m'avait pas vue l'espionner. Finalement, elle émergea de la cuisine et descendit vers moi en boitant. Ses yeux étaient secs, mais ils brillaient encore, et elle avait l'air de se sentir mieux, plus heureuse même, qu'elle ne l'avait été depuis mon arrivée.

— Bon. Voyons si tu as fait du bon travail, me dit-elle. Enfile-les.

Je m'exécutai, puis les retirai afin d'extraire une épine que j'avais manquée en dessous du gros orteil, puis les mis à nouveau. Je montai et descendis l'escalier trois fois de suite.

— Merci, fit-elle en enfilant une chaussure sur son pied blessé avec un soupir de contentement. C'est beaucoup mieux. Maintenant, ajouta-t-elle en se levant lentement, cours dans la cuisine et rapporte-moi un pot de confiture vide, un torchon et la paire de ciseaux qui se trouve sur la table.

Je fis ce qu'elle me demandait. A mon retour, elle se tenait au bas des marches, testant son poids sur son pied blessé. Elle regarda la route, puis son jardin, comme si elle ne pouvait se décider sur la direction à prendre.

— Les chardons poussent partout, m'informa-t-elle. C'est peut-être pour ça que les humains ont tendance à être aussi désagréables entre eux.

Elle fit un pas vers la route, en grimaçant.

— Il va falloir que tu m'aides, sinon on ne va jamais y arriver, dit-elle en tendant le bras vers mon épaule pour s'y appuyer.

— Tu n'as pas une canne ou un truc ? lui lançai-je en m'écartant.

— Non, et toi ? répliqua-t-elle en riant. Je ne suis pas une vieille dame, contrairement à ce que tu pourrais croire.

Elle s'approcha à nouveau de moi. Cette fois, je me laissai faire. Elle était si grande qu'elle devait se courber pour atteindre mon épaule. On avançait à petits pas vers la route. Elle ne s'arrêta qu'une fois pour ajuster sa chaussure. Mon épaule était en feu sous sa main.

— Ici, déclara Elizabeth en atteignant la route.

Elle s'assit sur le gravier puis s'adossa au piquet en bois de la boîte aux lettres.

— Tu vois ? Ils sont partout.

Elle désigna le fossé qui séparait les vignes de la route. Le trou était aussi haut que moi, plein de plantes sèches. Je n'y apercevais pas la moindre fleur.

— Non, je ne vois rien, soupirai-je, déçue.

— Descends voir.

Je me laissai glisser dans le trou le long du mur de terre. Elle me tendit le pot de confiture et les ciseaux.

— Cherche des petites fleurs rondes qui devraient être violettes. Mais elles se sont sans doute ternies, vu la période de l'année. Elles doivent être brunes, comme tout le reste en Californie du Nord. Ça pique, alors, fais attention.

Je saisis le pot et les ciseaux, et me faufilai dans les herbes. La plante aux allures de hérisson était charnue, dorée, et dégageait une odeur de fin d'été. Je coupai une plante sèche à la racine. Elle resta cramponnée aux mauvaises herbes qui l'entouraient. L'extirpant de son refuge, je la lançai sur les genoux d'Elizabeth.

— C'est ça ?

— Oui, mais celle-ci ne porte pas de fleur. Cherche encore.

Je m'élevai un peu sur la pente du fossé pour mieux voir, mais il n'y avait rien de violet. D'énervement, je ramassai un caillou que je lançai de toutes mes forces. Il rebondit sur la paroi, si bien que je fus obligée, pour l'éviter, d'esquisser un pas de côté. Elizabeth éclata de rire.

Retournant vers l'herbe, je dégageai les plantes de mes mains, examinant chaque touffe sèche.

— Là ! m'écriai-je en arrachant un petit bouton de la taille d'un trèfle avant de le jeter dans le pot en verre.

La fleur ressemblait à un petit poisson-globe doré avec une touffe de cheveux violet passé. Je grimpai vers Elizabeth pour lui montrer la fleur, laquelle ballottait dans son bocal de verre comme une bête vivante. Je posai la main au-dessus afin qu'elle ne s'échappe pas.

— Un chardon ! annonçai-je en lui tendant le récipient. Pour toi !

D'un geste maladroit, je tapotai légèrement son épaule. C'était peut-être la première fois de ma vie que je provoquais volontairement un contact humain, du moins à mon souvenir. Meredith m'avait dit que bébé, j'avais été un vrai pot de colle. Mes petits poings violets venaient se refermer sur les cheveux, les oreilles ou les doigts si je pouvais les atteindre, sinon ils s'agrippaient sur la ceinture de mon siège-auto. Sauf que je n'en avais aucun souvenir. Aussi, mon geste, cet effleurement de la paume de ma main sur l'épaule pointue d'Elizabeth, me stupéfia. Je reculai, la regardant comme si elle m'avait forcée.

Elizabeth se contenta de sourire.

— Si je ne savais pas ce que ça voulait dire, j'en serais ravie, soupira-t-elle. Je crois que c'est la chose la plus gentille que tu aies faite pour moi, tout ça pour exprimer ta haine et ta méfiance du genre humain.

Pour la deuxième fois de la journée, ses yeux s'emplirent de larmes sans que son visage exprime de tristesse.

Elle s'avança pour me serrer dans ses bras, mais je me dérobai à son étreinte, et replongeai dans le fossé.

14

La solide chaise de bibliothèque sur laquelle j'étais assise semblait s'être liquéfiée. Sans savoir comment, je me retrouvai allongée à plat ventre par terre au milieu de livres ouverts disposés en demi-cercle autour de moi. Plus je lisais, plus ma compréhension de l'univers m'échappait. Les ancolies symbolisaient à la fois l'*abandon* et la *folie*. Les coquelicots, *imagination* et *extravagance*. La fleur d'amandier, dont la définition était l'*indiscrétion* dans le dictionnaire d'Elizabeth, était classée dans d'autres ouvrages comme symbole d'*espoir*, ou bien d'*inconséquence*. Les définitions se révélaient différentes, et aussi très souvent contradictoires. Même le chardon, qui occupait une si grande place dans ma sémiologie, ne voulait pas seulement dire *misanthropie*, mais aussi *austérité*.

La température dans la bibliothèque monta avec le soleil. En milieu d'après-midi, en nage, je m'essuyais le front d'une main humide, comme pour chasser les souvenirs d'une mémoire surchargée. J'avais offert à Meredith des pivoines, qui étaient l'emblème non seulement de la *colère*, mais aussi de la *honte*. Admettre que j'avais honte, voilà qui était presque présenter des excuses à Meredith. Alors que c'était plutôt à elle de m'offrir des bouquets de pivoines, des couvre-lits à motifs de pivoines, des gâteaux en forme de pivoines ! Si cette fleur pouvait être mal interprétée, alors combien de fois m'étais-je mal exprimée, devant combien de personnes ? Cette pensée me nouait l'estomac.

Ainsi, je n'étais plus certaine des réponses que j'avais données au marchand de fleurs. La définition du rhododendron, dans tous ces livres, restait le *danger*, mais combien d'autres centaines, d'autres milliers de dictionnaires y avait-il en circulation ? Il était impossible de savoir de quelle manière il avait interprété mes messages et ce qu'il était en train de penser... assis dans la buvette où nous avions rendez-vous. Car il était dix-sept heures passées. Sans doute attendait-il, les yeux rivés sur la porte.

Il fallait que j'y aille. Laissant les livres par terre, je dévalai les quatre étages et sortis dans les rues de San Francisco. Le ciel commençait à s'assombrir.

Il était presque dix-huit heures lorsque j'arrivai au point de rendez-vous. Je savais qu'il serait encore là. J'ouvris la double porte vitrée et le trouvai seul à une table, une demi-douzaine de beignets placés dans une boîte rose devant lui.

Je m'approchai de la table, mais je ne m'assis pas.

— Rhododendron ? interrogeai-je, tout comme Elizabeth le faisait jadis.

— *Danger.*

— Gui ?

— *Je surmonte tous les obstacles.*

— Gueule-de-loup ? continuai-je en hochant la tête.

— *Présomption.*

— Peuplier blanc ?

— *Temps.*

Je hochai à nouveau la tête en répandant sur la table la poignée de chardons que j'avais cueillis en chemin.

— Chardon, dit-il. *Misanthropie.*

Je m'assis. Il avait réussi le test. Je ressentais un soulagement disproportionné au regard de ses cinq bonnes réponses. Je pris un beignet au sirop d'érable dans la boîte, je n'avais rien mangé de la journée.

— Pourquoi des chardons ? s'enquit-il en choisissant un beignet au chocolat.

— Parce que, bafouillai-je entre deux bouchées, c'est tout ce qu'il y a à savoir sur moi.

Il attaqua un deuxième beignet.

— Impossible, commenta-t-il.

J'en pris un recouvert d'un glaçage au sucre, un autre parsemé de pépites, et les déposai sur une serviette. Il mangeait avec une telle précipitation que la boîte allait se vider avant que j'aie eu le temps de terminer mon premier.

— Alors qu'est-ce qu'il y a de plus ? demandai-je, la bouche pleine.

Il s'arrêta de mâcher pour me regarder dans les yeux.

— Où tu étais passée ces huit dernières années ?

Sa question me cloua sur place.

Soudain incapable d'avaler, je crachai mon beignet dans une serviette.

Tandis que je le regardais, tout à coup, la lumière se fit. La vérité était d'autant plus choquante qu'elle me crevait les yeux. Nos chemins s'étaient déjà croisés. Comment se faisait-il que je ne l'aie pas reconnu immédiatement ? Je percevais à présent le garçon qu'il avait été dans l'homme que j'avais en face de moi. Son regard profond et effrayé. Son corps, désormais plus viril, toujours courbé au niveau des épaules, protecteur. Je me souvins de la première fois où je l'avais vu, maigre adolescent qui triait des roses, adossé à l'arrière d'un pick-up.

— Grant.

Il confirma d'un signe de tête.

Mon instinct me soufflait de partir en courant. J'avais passé tant d'années à essayer de ne pas penser à ce que j'avais fait… à tout ce que j'avais perdu. Néanmoins, même si l'envie de fuir me démangeait, je voulais savoir ce qu'il était advenu d'Elizabeth et de ses vignes.

J'enfouis mon visage dans mes mains. Elles sentaient le sucre. Je murmurai ma question. Je n'étais pas sûre qu'il réponde.

— Elizabeth ?

Il demeura silencieux. A travers mes doigts écartés, je l'observais. Curieusement, il n'avait pas l'air en colère. Plutôt tourmenté. Il tira sur une mèche de cheveux au-dessus de son oreille, soulevant légèrement la peau de son crâne.

— Je ne sais pas, répondit-il, je ne l'ai pas revue depuis…

Il se tut, se tourna vers la fenêtre, puis vers moi. Je laissai retomber mes mains de mon visage, cherchant la colère sur le sien. Il affichait seulement une expression chagrine. Le silence s'épaissit entre nous.

— Je ne sais pas pourquoi tu m'as demandé de venir, dis-je enfin. Je ne vois pas pourquoi tu aurais eu envie de me voir, après tout ce qui s'est passé.

Grant soupira. Ses traits se détendirent.

— J'avais peur que ce soit toi qui ne veuilles pas me voir.

Il se lécha le doigt. La lumière des néons jeta un éclair dans ses yeux et fit miroiter son menton mal rasé. Je n'avais pas l'habitude des hommes. Dans les foyers de jeunes filles, les seules présences masculines étaient des thérapeutes ou des profs. Je ne me rappelais pas y avoir jamais vu un homme à la fois jeune et séduisant. Grant était si différent de tout ce qui m'était familier, depuis la taille de ses mains, pesantes, là, sur la table, jusqu'à sa voix grave dont l'écho se prolongeait dans notre mutisme.

— C'est ta mère qui t'a appris ? lui demandai-je finalement en désignant les chardons.

— Oui. Elle est morte il y a sept ans. Ton rhododendron, c'était le premier message fleuri depuis sa disparition. J'étais surpris de ne pas en avoir oublié la signification.

— Toutes mes condoléances. Pour ta mère.

Mes mots ne semblaient pas venir du cœur, Grant n'eut pas l'air de le remarquer. Il haussa les épaules.

— Elizabeth t'a appris ?

— Elle m'a appris ce qu'elle savait, répondis-je. Mais elle ne savait pas tout.

— Qu'est-ce que tu veux dire ?

— « Le langage des fleurs n'est pas sujet à négociation, Victoria », entonnai-je en imitant la voix d'Elizabeth. Et aujourd'hui, à la bibliothèque, j'ai découvert que les définitions, pour la fleur d'amandier, par exemple, se contredisent.

— *Indiscrétion.*

— Oui. Et non.

J'expliquai à Grant que le peuplier blanc ne se trouvait pas dans mon dictionnaire et que j'avais dû me rendre à la bibliothèque. Je lui parlai aussi des roses jaunes.

— *Jalousie*, dit Grant lorsque je décrivis l'illustration sur la couverture du livre.

— Exactement. Mais ce n'est pas ce qu'on m'a appris.

Je terminai mon dernier beignet et me léchai les doigts avant de sortir le dictionnaire de mon sac à dos. Je l'ouvris à « R » et parcourus la page jusqu'à trouver « Rose, jaune ». Je lui désignai la ligne.

— Infidélité, dit-il les yeux écarquillés. Waouh !

— Ça change tout, pas vrai ?

— En effet, cela change tout.

Il sortit à son tour de son propre sac un livre, couverture rouge et feuilles bordées de vert. Il l'ouvrit à la page de la rose jaune et disposa nos dictionnaires côte à côte. *Jalousie/Infidélité*. Cette simple différence de définition qui avait tant pesé sur nos vies paraissait à présent suspendue entre nous. Grant connaissait peut-être les détails de l'affaire, moi non, et cela ne m'intéressait pas de savoir. Sa compagnie me suffisait. Je ne souhaitais pas déterrer le passé.

Grant paraissait partager mon état d'esprit. Il ferma la boîte de beignets vide.

— Tu as faim ?

Toujours, j'avais toujours faim. Mais surtout, je n'avais pas envie de le quitter. Grant n'était pas en colère. J'avais un peu le sentiment d'être pardonnée. Et cette impression, je voulais la conserver, m'en imbiber, l'emporter avec moi, afin de vivre le jour suivant avec ce poids en moins, un peu moins hantée, un peu moins remplie de cette haine.

— Je meurs de faim, répondis-je.

— Moi aussi.

Il ferma les deux dictionnaires et fit glisser le mien vers mon sac à dos.

— Allons dîner, on pourra comparer. C'est la seule solution.

Le Mary's était un *diner* qui restait ouvert toute la nuit, et c'est ce qui motiva notre choix. Nous avions des centaines de pages de fleurs à comparer et, à chaque désaccord sur la définition, nous débattions longtemps pour décider laquelle était la meilleure. Et celui de nous deux qui perdait devait rayer sa signification et écrire la nouvelle à la place.

Dès la première fleur, nous étions tombés sur un os. Le dictionnaire de Grant stipulait que l'acacia représentait l'*amitié*, alors que le mien disait *amour secret*.

— Amour secret, décrétai-je. A la suivante.

— Quoi ? Comme ça ? Tu refuses toute discussion.

— C'est pourvu d'épines, de fruits en gousses… Cet arbre qui se balance, ça me fait penser à un pervers dans un supermarché. J'ai pas confiance.

— Et en quoi un amour secret n'est-il pas digne de confiance ?

— Tu peux me dire, toi, de quoi il en est digne ? répliquai-je.

Grant resta un moment coi, puis tenta une autre approche.

— L'acacia. Il appartient aux mimosoïdées, une sous-famille des fabacées. Ses fruits se consomment. Les hommes se servent de son bois pour se chauffer et construire des logis. C'est un vrai ami.

— Bla-bla-bla. Cinq pétales. Tellement minuscules qu'ils sont cachés par un énorme pistil. Cachés, répétai-je. *Secret*. Pistil : *amour*.

Je rougis, mais gardai mes yeux plantés dans les siens. Il ne détourna pas non plus le regard.

— Bon, d'accord, on prend ta définition, dit-il finalement en attrapant le marqueur noir qui se trouvait sur la table entre nous.

Pendant des heures, le débat se poursuivit, fleur après fleur. Le débat et le dîner. Car tout comme moi, Grant ne semblait jamais être rassasié. Il me battait presque. Avant le lever du soleil, nous avions fait honneur à trois repas complets chacun alors que nous n'avions atteint que le milieu de la lettre C.

Grant admit sa défaite concernant les ancolies avant de refermer son dictionnaire. Je ne l'avais pas laissé gagner. Pas une seule fois.

— Eh bien, je pense que je n'irai pas au marché aujourd'hui, déclara-t-il en fixant ses yeux sur moi d'un air coupable.

Je consultai ma montre. Six heures du matin. Renata était sans doute déjà sur place, étonnée de voir que le stand de Grant était vide. Je haussai les épaules.

— Novembre, c'est calme. Mardi, c'est calme. Prends ta journée, lui suggérai-je.

— Pour faire quoi ?

— Qu'est-ce que j'en sais ?

Soudain épuisée et tenaillée par l'envie d'être seule, je me levai, m'étirai, rangeai mon dictionnaire dans mon sac à dos, fis glisser l'addition vers Grant et sortis du restaurant sans un au revoir.

II
Un cœur qui ignore l'amour

1

Pas plus qu'Elizabeth, Grant n'était facile à oublier. Non seulement nos chemins s'étaient autrefois croisés, non seulement il y avait eu le dessin du peuplier blanc qui, par son côté énigmatique, m'avait menée à la vérité à propos du langage des fleurs, mais surtout cela tenait à un petit quelque chose qui lui était propre. Son air grave quand il parlait des fleurs, ou bien cette voix aux intonations tout à la fois implorantes et catégoriques quand il discutait avec moi. Qu'il ait haussé les épaules quand je lui avais présenté mes condoléances pour la mort de sa mère, voilà qui m'intriguait aussi. Sa vie jusqu'à présent, à part quelques bribes saisies au vol lorsque j'étais enfant, constituait pour moi un mystère. Dans les foyers d'accueil, les filles ne se lassent pas de vous faire des confidences, et les rares fois où j'avais rencontré quelqu'un avare de détails sur son enfance, cela avait été pour moi un soulagement. Avec Grant, c'était différent. Après une seule soirée en sa compagnie, je voulais en savoir plus.

Pendant une semaine, je me levai tôt pour profiter des heures d'ouverture de la bibliothèque et comparer les emblèmes ou significations. Ayant rempli mes poches de galets bien lisses que j'avais ramassés devant la maison de thé japonaise à Golden Gate Park, je m'en servais comme presse-papiers. Alignant mes dictionnaires sur deux tables, j'ouvrais chacun à la même lettre et plaçais des cailloux aux coins des pages. En passant de l'un à l'autre, je comparais les rubriques de chaque fleur. Dès que je tombais sur des définitions contradictoires, j'entamais dans ma tête un long débat avec Grant sur le sujet. Parfois, je le laissais avoir le dernier mot.

Le samedi suivant, j'arrivai au marché aux fleurs avant Renata. Je tendis à Grant le rouleau auquel j'avais œuvré, un glossaire allant jusqu'à la lettre J et comprenant les corrections que j'avais apportées à celui que nous avions établi ensemble. Lorsque, une heure plus tard, je revins avec Renata au stand de Grant, il était toujours plongé dans la lecture de mon rouleau. Il ne leva les yeux que pour observer Renata qui manipulait ses roses.

— Un mariage, aujourd'hui ? s'enquit-il.

— Deux, opina Renata. Modestes. L'aînée de mes nièces… elle fugue avec son amoureux, mais elle a tenu à m'en informer pour que je lui offre des fleurs. Elle m'exploite, la petite chérie, conclut-elle en haussant les yeux au ciel.

— La journée commence tôt, alors ? continua Grant en me regardant.

— Probablement, au rythme où va Victoria ! répliqua-t-elle. J'aimerais fermer la boutique à quinze heures. Il n'y a pas beaucoup de monde dans les rues à cette époque de l'année.

Grant emballa les roses de Renata et lui rendit plus de monnaie qu'il ne lui devait. Elle avait cessé de marchander avec lui, ce n'était pas la peine. Au moment où nous nous tournions pour partir, il nous héla :

— A tout à l'heure !

Je lui lançai un coup d'œil étonné. Il leva la main, trois doigts en l'air.

Soudain, j'eus l'impression que ma cage thoracique s'ouvrait. Le stand devint un espace éclaboussé d'une lumière surnaturelle où soufflait un air pétillant d'oxygène. Veillant à respirer calmement, je suivis machinalement les instructions de Renata. Nous avions chargé le camion quand je me rappelai ma promesse de la semaine précédente.

— Attends ! m'exclamai-je en fermant la portière au nez de Renata déjà installée à l'intérieur.

Je traversai le marché au pas de course en cherchant des yeux des roses rouges et du lilas. Grant en avait des seaux pleins, mais je passai devant lui sans leur accorder un regard. En rebroussant chemin un peu plus tard, le visage dissimulé derrière une branche de lilas blanc, je risquai un bref coup d'œil dans sa direction. Il leva de nouveau trois doigts et m'adressa un grand sourire. Le rouge me monta aux joues. Pourvu, me dis-je, qu'il ne pense pas que ces fleurs sont pour lui.

Je passai ma matinée à travailler dans une sorte de stress cotonneux. La porte n'arrêtait pas de s'ouvrir et de se fermer, les clients entraient et sortaient ; je ne levais pas le nez.

A treize heures trente, Renata m'empoigna par les cheveux pour m'obliger à la regarder les yeux dans les yeux, son visage à quelques centimètres du mien.

— Dis ? Ça fait trois fois que je t'appelle ! Il y a une dame qui te réclame.

Je ramassai les roses et les lilas dans la réserve et passai du côté de la boutique. Devant la sortie, une femme aux épaules basses me tournait le dos, comme si elle s'apprêtait à partir.

— Je n'ai pas oublié, commençai-je.

Elle se retourna.

— Earl en était sûr.

Elle me regarda arranger le lilas blanc autour des roses de manière à ce que le rouge ne soit plus visible. J'enroulai autour des tiges de longs brins de romarin – j'avais appris à la bibliothèque que cette herbe aromatique pouvait signifier *fidélité* en plus de *souvenirs*. Comme ils étaient frais et souples, les brins ne se cassèrent pas quand je les nouai. J'ajoutai un ruban blanc pour consolider ma composition et emballai le tout dans du papier kraft.

— Premiers émois, amour véritable et fidélité, énumérai-je en lui présentant les fleurs.

Elle me tendit quarante dollars. Je rassemblai la monnaie à la caisse, mais quand je levai les yeux, je constatai qu'elle avait disparu.

Je retournai au plan de travail où Renata m'accueillit avec un petit sourire.

— Qu'est-ce que tu fabriques ?

— Je donne aux gens ce qu'ils veulent, répondis-je en roulant des yeux comme Renata le jour où nous nous étions rencontrées, alors qu'elle était plantée sur le trottoir avec des douzaines de tulipes hors saison.

— Si tu arrives à savoir ce qu'ils veulent, acquiesça Renata.

Elle ôtait à coups de sécateur ses épines à une rose jaune. Une rose destinée au « mariage » de sa nièce, sa fugueuse et exploiteuse de nièce chérie. *Jalousie*, *infidélité*. Dans ce cas précis, peu importait le choix de l'emblème. De toute façon, c'était mal parti. Je terminai mon dernier arrangement de table et consultai l'horloge. 14 h 15.

— Je vais déjà mettre ceux-là dans le camion, déclarai-je à Renata en me chargeant d'un maximum de vases qui, trop pleins, débordèrent sur mon chemisier.

— Ne t'occupe pas de ça. Cela fait deux heures que Grant patiente sous le porche. Je lui ai dit que puisqu'il insistait pour rester là, il veille à ne pas effrayer la clientèle, et que pour me remercier il pourrait me servir de manutentionnaire.

— Il a accepté ?

Elle confirma d'un signe de tête, je posai les vases. Après avoir mis mon sac à dos, je fis un signe de la main à Renata, évitant de croiser son regard. Grant était en effet assis sur le trottoir, le dos contre le mur en brique chauffé par le soleil. En me voyant, il sursauta et se releva d'un bond.

— Qu'est-ce que tu fais là ? m'écriai-je, surprise moi-même par mon ton accusateur.

— Je voudrais te ramener à la ferme. Je ne suis pas d'accord avec toutes tes définitions, et je pense que tu comprendras mieux si tu peux tenir mes fleurs dans tes mains. Tu sais combien je suis mauvais dans les discussions.

Je contemplai de haut en bas la colline. Je ne demandais qu'à partir avec Grant, seulement il me rendait nerveuse. J'avais la sensation de faire quelque chose d'interdit. Je ne sais pas si c'étaient les séquelles de ma vie en compagnie d'Elizabeth, ou si c'était parce que notre relation se mettait à ressembler à un flirt ou à une amitié, deux pièges que j'avais passé mon existence à éviter. Je m'installai à côté de lui pour mieux réfléchir.

— Bien, dit-il, comme si le simple fait de me voir m'asseoir constituait déjà une victoire.

En me tendant les clés de son pick-up, il désigna l'autre côté de la rue d'un mouvement du menton et ajouta :

— Tu n'as qu'à m'attendre dans le camion, si tu veux, pendant que j'aide Renata à charger ses fleurs. J'ai acheté de quoi déjeuner.

La perspective de manger eut raison de mes dernières réticences. J'attrapai ses clés au vol. Dans le pick-up, je trouvai le siège du passager occupé par un sac en papier blanc. Je le ramassai pour m'asseoir. Il y avait des restes de fleurs partout. Le sol était jonché de tiges coupées et le tissu des sièges incrusté de pétales fanés. Je m'y enfonçai et ouvris le sac : un sandwich, une épaisse baguette fourrée de dinde, bacon, tomate et avocat, le tout assaisonné de mayonnaise. Je mordis dedans.

De l'autre côté de la rue, Grant transportait les vases deux par deux jusqu'en haut de la côte. Il ne s'arrêta qu'une fois lors de son dernier chargement, le sommet atteint, et me regarda. En souriant, de très loin, il articula les mots : « C'est bon ? »

Je me cachai derrière le sandwich.

2

Le conducteur s'écarta lorsque je grimpai à bord du bus de ramassage scolaire. Je connaissais cette expression – un mélange de pitié, d'antipathie et d'une bonne dose de peur. Je fis claquer mon sac à dos contre le dossier du siège en m'asseyant. La seule raison pour laquelle je méritais sa pitié, pensai-je, furieuse, c'était pour être obligée de voir sa vilaine tête chauve tout le long du trajet.

Perla s'assit de l'autre côté de la travée et me tendit son sandwich au jambon alors que je ne lui avais encore rien demandé. La rentrée datait d'il y a deux mois, et elle connaissait la chanson. Je coupais de gros morceaux que je fourrais dans ma bouche en repensant à la vitesse avec laquelle Elizabeth était sortie le matin, me laissant seule pour ranger mon déjeuner dans mon sac et trouver mes chaussures. J'aurais voulu ne pas aller à l'école – je l'avais suppliée de me laisser rester à la maison pour le premier jour des vendanges. Elle avait refusé de m'écouter, même quand je m'étais mise à hurler. « Si tu m'aimais vraiment, tu voudrais me garder ici ! » lui avais-je crié en visant l'arrière de sa tête avec mon livre de math, tandis qu'elle se dirigeait en toute hâte vers la sortie. Je n'avais pas été assez rapide. Elle avait passé la porte, dévalé l'escalier du perron et ne s'était même pas retournée en entendant le bruit du livre heurter le chambranle. Je voyais rien qu'à sa démarche qu'elle ne pensait pas à moi. Ce matin non plus. Elle était tellement tendue à cause des vendanges, qu'elle ne voulait pas m'avoir dans les pattes. Pour la première fois, j'avais eu l'impression de comprendre Elizabeth. Folle de rage, je continuai à m'époumoner : elle n'était pas différente de mes autres mères d'accueil ! Je me dirigeai vers l'arrêt d'autobus en tapant des pieds, ignorant les regards effarés des vendangeurs débarquant de leurs camions.

Le conducteur du bus me faisait les gros yeux dans le rétroviseur à chaque morceau que j'arrachais au sandwich, au lieu de regarder la route. Je me mis à mâcher la bouche ouverte. Il esquissa une grimace de dégoût.

— Tu n'as qu'à pas regarder ! vociférai-je en me levant d'un bond. Si tu trouves ça tellement dégoûtant, regarde ailleurs !

Je ramassai mon sac à dos avec la vague intention de sauter du bus en marche et de terminer le trajet à pied. Me ravisant, je le lançai en l'air et l'abattis sur le crâne luisant du conducteur. Le contact de mon thermos métallique plein avec sa boîte crânienne produisit un bruit mat des plus délectables. Le bus tangua, le conducteur jura et les enfants poussèrent des cris à percer les tympans. Quelque part dans ce tintamarre, j'entendis la petite voix de Perla me suppliant d'arrêter, puis elle fondit en larmes. Après un dérapage contrôlé, le bus s'immobilisa sur le bas-côté et le conducteur coupa le moteur. Seuls subsistèrent les sanglots de Perla.

— Descends ! ordonna le conducteur.

Un œuf de pigeon poussait déjà sur sa tête. Il plaqua une main dessus en tendant l'autre vers sa radio de bord. Je mis mon sac à dos et obtempérai.

Une nuée de poussière tourbillonna autour de moi tandis que je levais le nez vers la porte ouverte du véhicule.

— Le nom de ta mère ? interrogea-t-il en pointant vers moi un doigt accusateur.

— J'en ai pas.

— Ton tuteur, alors.

— L'Etat de Californie.

— Chez qui tu habitcs, merde ?

La radio crachota des sons discordants. Le conducteur coupa la communication. A l'intérieur du bus, on aurait entendu voler une mouche. Même Perla avait cessé de pleurer et s'était changée en statue de sel.

— Elizabeth Anderson, me décidai-je enfin. Je connais pas son numéro de téléphone ni son adresse.

J'avais toujours refusé de mémoriser les numéros dc téléphone, justement pour éviter de répondre à ce genre de questions.

Hors de lui, le conducteur flanqua sa radio par terre. Il me fusilla du regard. Je ne baissai pas les yeux. Tout ce que je voulais, c'était qu'il parte et me laisse au bord de la route. Je préférais être abandonnée que d'aller à l'école, et je me réjouissais à la perspective que cet abandon lui coûte son job. Il martela l'avertisseur avec ses pouces pendant que je prenais la mesure de la route déserte.

A cet instant, Perla se leva et s'avança vers le conducteur.

— Vous pouvez appeler mon père, dit-elle. Il viendra la chercher.

Je coulai un de mes regards à Perla, qui détourna le sien.

Carlos vint en effet me chercher. Il me jeta presque dans son camion, écouta l'histoire du conducteur du bus, puis me ramena au vignoble en silence. Et moi je regardai le paysage défiler par la fenêtre en m'imprégnant de chaque détail comme si je le voyais pour la dernière fois. Après ce qui venait de se passer, Elizabeth ne voudrait plus de moi. J'avais mal au ventre.

Quand Carlos raconta à Elizabeth ce que j'avais fait, sa pogne râpeuse vissée sur ma nuque pour m'obliger à lui faire face, elle se contenta de rire. Un éclat de rire si inattendu, si fugace, que je crus avoir été le jouet de mon imagination.

— Merci, Carlos, dit-elle.

Ayant repris son sérieux, elle lui donna une poignée de main aussi cordiale que brève, tout à la fois geste de reconnaissance et de congédiement.

— Les équipes n'ont besoin de rien ? s'enquit Elizabeth alors qu'il s'éloignait.

Carlos fit non de la tête.

— Je serai de retour dans une heure, peut-être plus, ajouta-t-elle. Veillez sur les vendanges, s'il vous plaît, pendant mon absence.

— Vous pouvez compter sur moi, répliqua-t-il en disparaissant derrière les dépendances.

Elizabeth piqua droit sur son pick-up. Voyant que je ne la suivais pas, elle revint sur ses pas.

— Toi, tu viens avec moi, déclara-t-elle. Tout de suite !

Elle se rapprocha encore d'un pas. Je me rappelai comment elle m'avait portée dans la maison, il y avait seulement deux mois de cela. Depuis, j'avais grandi et regagné le poids perdu, mais je ne doutais pas une seconde qu'elle était capable de me balancer dans son camion, si c'était ce qu'elle avait en tête. Je grimpai donc dans le pick-up, imaginant la suite : la route jusqu'aux services sociaux, les murs blancs de la salle d'attente, le départ d'Elizabeth avant que l'assistante sociale de garde retrouve mon dossier. C'était déjà arrivé. Les poings serrés, je regardais par la fenêtre.

Nous n'avions pas plus tôt démarré, qu'Elizabeth me sidéra en annonçant :

— Nous allons rendre visite à ma sœur. Cette brouille a assez duré, tu ne trouves pas ?

Je me pétrifiai. Elizabeth se tourna vers moi comme si elle attendait une réponse de ma part. Encore tout abasourdie, je fis oui de la tête.

Elle allait me garder.

Mes yeux se remplirent de larmes. La colère qui m'avait possédée le matin retomba pour être aussitôt remplacée par un ébranlement de tout mon être. Je n'avais pas, même pas une seconde, cru Elizabeth quand elle m'avait assuré que rien ne pourrait la persuader de me rendre. Et voilà que, alors que je venais d'être renvoyée à la maison – et que je risquais d'être renvoyée tout court de l'école –, j'étais en train de l'écouter me parler de sa sœur. Je ne savais trop que penser, ce que je ressentais tenait bizarrement du soulagement, si ce n'est de la joie. Je serrai les lèvres pour retenir un sourire.

— Catherine ne va pas me croire quand je lui dirai que tu as tapé sur la tête du conducteur du bus, poursuivait Elizabeth. Je vais te dire pourquoi : parce que j'ai fait exactement la même chose ! J'étais en quoi... en CE1 ? Je ne me rappelle plus. Quoi qu'il en soit, il était au volant et tout d'un coup il s'est mis à m'observer dans son rétroviseur. Ça a été plus fort que moi. J'ai sauté sur mes pieds en criant : « Regarde donc la route, espèce de gros con ! » Et il était gros, ça, je te le garantis.

Je fus prise d'un rire qui se transforma en fou rire. Pliée en deux, le front contre le tableau de bord, je m'étranglai sur ce qui ressemblait à des sanglots. J'enfouis mon visage dans mes mains.

— Mon conducteur à moi est pas gros, parvins-je à articuler, mais il est laid.

Le fou rire me menaça de nouveau, mais cette fois, devant le silence d'Elizabeth, je me ressaisis.

— Ne crois pas que je t'encourage, dit-elle. Ce que tu as fait est mal. Seulement je regrette de ne pas avoir pris en compte ta colère tout à l'heure et de t'avoir envoyée à l'école malgré l'état dans lequel tu te trouvais. J'aurais dû mieux t'expliquer, t'impliquer dans ma décision…

Elizabeth me comprenait.

Je relevai la tête du tableau de bord pour la poser sur ses genoux, soudain moins seule que je ne m'étais jamais sentie de toute ma vie. Le volant était tout près de mon nez. Je frottai le haut de mon crâne au creux de son estomac. Si Elizabeth en éprouva de l'étonnement, rien chez elle ne le trahit. Elle fit glisser sa main du levier de vitesse à ma tête, me caressa la tempe, l'arête du nez.

— J'espère qu'elle sera à la maison, ajouta-t-elle.

Ses pensées étaient retournées à Catherine. Une fois arrivée au bout du chemin, elle mit son clignotant et attendit que toutes les voitures soient passées avant de s'engager sur la route goudronnée.

Elizabeth n'avait pas cessé de penser à sa sœur au cours des semaines qui avaient précédé les vendanges. Je le savais à cause des appels téléphoniques, qui se comptaient par dizaines, et de tous les messages qu'elle avait laissés sur le répondeur de Catherine. Les premiers étaient semblables à celui que j'avais entendu sous le porche : quelques mots évoquant des souvenirs épars qui se concluaient par son pardon. Ses derniers messages toutefois étaient différents, plus bavards, plus longs aussi, parfois si longs que le répondeur la coupait et qu'elle était obligée de rappeler. Elle entrait dans les détails de notre vie quotidienne, décrivait les interminables dégustations de raisin et le nettoyage des seaux à vendange. Elle décrivait souvent ce qu'elle était en train de cuisiner, s'entortillant dans le cordon en spirale du téléphone tandis qu'elle allait et venait du fourneau à l'étagère à épices.

Plus Elizabeth passait du temps à parler à Catherine, ou plutôt au répondeur de Catherine, plus il m'apparaissait qu'elle ne parlait à personne d'autre. Elle ne quittait la propriété que pour se rendre au marché, à l'épicerie, à la quincaillerie et, de temps à autre, à la poste pour réceptionner des plantes qu'elle avait commandées sur catalogue. Jamais elle n'envoyait ni ne recevait de courrier. Elle connaissait évidemment tout le monde dans la petite communauté : elle demandait au boucher de transmettre ses amitiés à sa femme et, au marché, elle saluait tous les vendeurs par leur prénom. Mais jamais elle n'avait avec eux de véritable conversation. En fait, depuis que j'étais arrivée chez elle, elle n'avait pas vraiment conversé avec quelqu'un. Elle parlait à Carlos quand il le fallait, mais seulement pour discuter des techniques de taille et de récolte du raisin ; pas une fois ils n'avaient dévié de ce sujet.

Alors que nous étions en route pour chez Catherine, ma tête reposant sur les genoux d'Elizabeth, je comparai ma tranquille existence actuelle à ce que j'avais cru jusqu'alors composer une vie : des familles nombreuses, des foyers bruyants, des bureaux d'aide sociale, des villes encombrées, des éclats de violence. Je n'avais pas envie de retourner en arrière. J'aimais beaucoup Elizabeth. J'aimais ses fleurs, ses raisins et son côté attentif. Finalement, me dis-je, j'avais trouvé un endroit où me poser.

Elizabeth se gara sur le bas-côté, coupa le moteur et respira bruyamment par le nez.

— Qu'est-ce qu'elle t'a fait ? demandai-je, soudain intéressée comme je ne l'avais jamais été par quoi que ce soit.

Ma question n'eut pas l'air de l'étonner, mais elle ne me répondit pas tout de suite. Elle commença par me caresser le front, la joue et l'épaule. Puis elle dit d'une voix chuchotante, à peine audible :

— Elle a planté les roses jaunes.

Là-dessus, elle tira sur le levier du frein à main et déclara, en posant les doigts sur la poignée de la portière :

— Viens. Il est temps que tu rencontres Catherine.

3

Grant traversa la ville en ne levant pratiquement le pied qu'aux carrefours, quand son pick-up devait prendre un virage serré au milieu de la circulation.

— Grant ?

— Oui ?

Je raclai le fond du sac en papier blanc dans l'espoir d'y récolter quelques miettes. Il n'y en avait pas.

— Je n'ai pas envie de voir Elizabeth.

— Et alors ?

Comme au sujet du peuplier blanc, sa réponse me parut trop vague.

— Et alors, quoi ?

— Alors, si tu n'as pas envie de la voir, ne la vois pas.

— Elle ne viendra pas à la ferme ?

— Elle n'est pas venue depuis le jour où tu l'as accompagnée, il y a combien de temps... dix ans ?

Grant avait le visage tourné, comme s'il regardait l'océan, et lorsqu'il reprit la parole, ce fut sur un ton presque rageur :

— Elle n'a pas assisté aux funérailles de ma mère, et toi, tu crois qu'elle va se pointer aujourd'hui rien que parce que tu es là ?

Il descendit sa vitre et la force du vent éleva comme un mur entre nous.

Il n'avait aucun contact avec Elizabeth. C'est ce qu'il m'avait affirmé pendant que nous mangions des beignets. Je trouvais cela inconcevable. Grant devait savoir la vérité, et dans ce cas, qu'est-ce qui l'avait empêché de la dire à Elizabeth ? Je passais le reste du trajet à me creuser la tête. Je n'en avais toujours aucune idée quand nous nous sommes arrêtés devant le portail en fer forgé. Grant sortit l'ouvrir avant de reprendre le volant.

La vue des fleurs me tira de ma méditation. Sautant du camion, je tombai à genoux au bord de la route. Il devait sûrement y avoir quelque part une clôture délimitant la propriété, mais elle n'était visible nulle part, tant l'étendue des champs de fleurs semblait se dérouler à l'infini. La plante la plus proche de moi portait une étiquette avec un nom latin que je ne reconnaissais pas, donnant son genre et son espèce. Je pressai des poignées entières de petites fleurs jaunes contre mon visage, à croire que je venais de tomber sur un point d'eau après une longue traversée du désert. Du pollen saupoudra mes joues et une pluie de pétales arrosa ma poitrine, mon ventre et mes cuisses. Grant s'esclaffa.

— Je t'abandonne une minute, annonça-t-il. Quand tu auras terminé, tu me trouveras derrière la maison.

Le camion laissa dans son sillage un nuage de poussière tandis qu'il bondissait d'ornière en ornière.

M'allongeant sur la terre entre les rangs de fleurs, je disparus à la vue du monde.

Je trouvai Grant derrière le corps de ferme, assis à une table de pique-nique patinée par le temps. Sur la table, une boîte de chocolats, deux verres de lait et le rouleau que je lui avais offert le matin même. Je m'assis en face de lui et désignai la feuille de papier d'un signe de tête.

— C'est quoi, le problème ?

Tirant à moi la boîte, j'inspectai les chocolats. Noirs, pour la plupart, avec des éclats de noisette ou fourrés au caramel. Exactement ce que j'aurais choisi.

Grant fit courir son doigt le long de la liste, marqua une halte sur une ligne et tapota sur un mot qu'à l'envers j'étais bien incapable de lire.

— Le noisetier, prononça-t-il. *Réconciliation.* Pourquoi pas *paix* ?

— A cause de l'histoire de la famille des *Betulaceae*, divisée pendant plusieurs siècles en deux familles, les *Betulaceae* et les *Corylaceae*. Récemment on les a réunies dans la même. Et la réunion de ce qui a été divisé signifie… réconciliation.

Grant avait gardé les yeux baissés sur la table, mais je devinais qu'il connaissait déjà cette histoire botanique.

— Je n'ai aucune chance d'avoir le dernier mot avec toi, dls ?

— Tu sais bien que non, répliquai-je. Tu m'as vraiment amenée ici pour me mettre à l'épreuve ?

Il leva les yeux vers la maison puis les tourna vers les champs.

— Non, admit-il en ramassant une poignée de chocolats avant de se redresser. Vas-y, prends ce que tu veux. Je reviens tout de suite. Nous irons faire une promenade.

Je bus mon verre de lait. Grant reparut avec un appareil photo autour du cou, noir et pesant au bout de sa courroie brodée. Il avait tout l'air d'appartenir à l'ère victorienne au même titre que le langage des fleurs.

Il souleva l'appareil et me le tendit.

— Pour ton dictionnaire, précisa-t-il.

Je compris tout de suite. J'allais créer mon propre dictionnaire et photographier ses fleurs pour l'illustrer.

— Tu me donneras un exemplaire, ajouta-t-il, afin qu'il n'y ait jamais de malentendu entre nous.

Tout cela en était un – un vaste malentendu –, me dis-je en prenant l'appareil. Monter dans le camion d'un jeune homme, manger du chocolat assise à une table dehors, cela n'était pas moi ! Pas plus que je ne buvais du lait en discutant de la famille, celle des fleurs ou une autre.

Comme Grant s'éloignait, je lui emboîtai le pas. Il me conduisit jusqu'à un chemin de terre battue orienté à l'ouest. Le soleil se couchait derrière les collines qui nous faisaient face. Sous un front de nuages menaçants, le ciel hésitait entre un camaïeu d'orange et de bleu, électrisé par l'approche d'un orage. Je croisai les bras en glissant mes mains sous mes aisselles et m'étreignis très fort. Je restai un peu à la traîne. Grant me désigna du doigt une rangée de cabanes en bois, toutes cadenassées. Ils avaient autrefois possédé une affaire de fleurs séchées, m'expliqua-t-il. Il avait arrêté quand sa mère était tombée malade. Et puis les dépouilles de ce qui avait jadis été gorgé de vie lui inspiraient une certaine répugnance. A droite s'allongeaient d'immenses serres éclairées d'où sortaient des tuyaux d'arrosage calés dans l'entrebâillement des portes. Grant en tint une ouverte pour moi. Je me glissai à l'intérieur.

— Mes orchidées, annonça-t-il en m'indiquant d'un geste les rayonnages où se succédaient des pots. Pas encore commercialisables.

Il n'y avait pas une fleur en vue.

Dehors, le chemin grimpait jusqu'au sommet d'une colline pour redescendre de l'autre côté. Au-delà des champs de fleurs verdoyaient les vignobles. La limite de la propriété était toujours invisible. Après avoir circulé autour des serres, le chemin nous ramena à travers des prairies devant la ferme.

En bas d'une côte en pente douce, Grant me mena dans un jardin de roses. Oh ! une toute petite roseraie, parfaitement entretenue, que l'on aurait dit rattachée à la maison plutôt qu'à la ferme. La main de Grant effleura la mienne alors que nous nous promenions. Je m'écartai.

— Tu as déjà donné à quelqu'un une rose rouge ? me demanda Grant.

Je le fixai comme s'il essayait de me gaver de digitale pourpre. Il insista :

— Une rose moussue ? Une branche de myrte ? Des œillets de la Pentecôte ?

— *Déclaration d'amour* ? *Amour* ? *Pur amour* ? articulai-je afin de m'assurer que nous nous accordions sur les emblèmes.

Grant opina.

— Non, non et non, conclus-je.

Je cueillis un bouton rose pâle dont je froissai un à un les pétales.

— Je suis plutôt du style chardon-pivoine-basilic.

— *Misanthropie-colère-haine*, récita Grant. Hum !...

— C'est toi qui as demandé, répliquai-je en me détournant.

— C'est assez paradoxal, tu ne trouves pas ? ajouta-t-il en promenant un regard pensif sur les roses, presque toutes écloses, sans une seule de couleur jaune. Tu es obsédée par un langage romantique, une symbolique inventée pour exprimer des sentiments amoureux, et tu t'en sers pour répandre ton animosité.

— Pourquoi les rosiers sont tous en fleur ? interrogeai-je, faisant celle qui n'avait pas entendu.

La saison était tardive pour les roses.

— Ma mère m'a appris à les tailler la deuxième semaine d'octobre, afin que nous ayons toujours des roses pour Thanksgiving.

— Tu fais la cuisine pour Thanksgiving ? enchaînai-je en jetant un coup d'œil du côté de la maison.

La vitre du chien-assis n'avait pas été réparée, après toutes ces années. On s'était borné à la condamner de l'intérieur au moyen de quelques planches.

— Non. Ma mère préparait un repas de fête quand j'étais petit, à l'époque où elle ne passait pas encore ses journées dans son lit. J'ai continué à tailler les rosiers à sa manière, dans l'espoir qu'en les voyant de sa fenêtre, elle serait prise par l'envie de descendre à la cuisine. Mon stratagème n'a réussi qu'une seule fois, l'automne avant sa mort. Maintenant qu'elle n'est plus là, c'est juste une habitude que j'ai gardée.

J'essayai de me rappeler si Thanksgiving était déjà passé ou si c'était la semaine suivante. Je n'attachais guère d'importance aux jours fériés, quoique dans le monde des fleuristes, les fêtes ne passent pas inaperçues. Je ne l'avais pas manqué. Lorsque je relevai les paupières, quel ne fut pas mon étonnement de voir que Grant me regardait comme s'il attendait une réponse.

— Quoi ?

— Tu connais ta mère biologique ?

Je fis non de la tête, puis lui coupai la parole avant qu'il puisse articuler une seule syllabe.

— Et ce n'est pas la peine de perdre ton temps à m'interroger… Je ne sais rien de plus sur elle que toi.

Sur ces paroles, je m'éloignai de quelques pas et m'agenouillai en levant l'appareil photo pour coller mon œil au viseur. Je pris une photo floue d'un vieux tronc noueux aux racines en partie apparentes.

— Il est manuel. Tu sais t'en servir ?

Je fis signe que non. Il me montra comment tourner les boutons et les molettes en m'expliquant des termes de photo qui m'étaient inconnus. Je n'avais d'yeux que pour la distance qui séparait ses doigts de l'appareil pendu autour de mon cou. Dès qu'ils se rapprochaient trop de ma poitrine, je reculais d'un pas.

— Essaye, maintenant, me dit-il quand il eut achevé son exposé.

Je levai de nouveau le boîtier et tournai le bouton vers la gauche. La fleur rose gagna en netteté.

— De l'autre côté, m'indiqua Grant.

Je tournai encore vers la gauche, dérangée par sa voix trop proche de mon oreille. L'instant d'après, sa main se fermait sur la mienne, et ensemble nous tournions la molette vers la droite. Il avait la main douce et je ne ressentis aucune brûlure.

— Oui, c'est ça, approuva-t-il.

Il prit ma main pour la placer sur le dessus de l'appareil et appuya sur mon index en le posant sur un bouton métallique rond. Mon cœur s'arrêta de battre un fragment de seconde. Le temps du déclic de l'obturateur.

Grant ôta ses mains mais moi, je me gardai bien d'abaisser l'appareil. Je craignais que mon visage ne me trahisse. Je ne sais pas s'il aurait vu mes yeux briller de joie ou de haine, ni mes joues rougir de peur ou de plaisir. Toujours est-il que j'avais le souffle coupé.

— Rembobine pour prendre une autre photo, m'indiqua-t-il.

Je ne bougeai pas.

— Tu veux que je te montre ?

Je reculai en disant :

— Non. Ça suffit.

— Assez d'infos pour aujourd'hui ?

— Beaucoup trop, opinai-je en lui rendant l'appareil.

Grant ne m'invita pas à entrer dans la maison. Il se dirigea tout droit vers son camion, ouvrit la portière du côté du passager et me tendit la main. Après une légère hésitation, je lui permis de m'aider à grimper dans le véhicule.

Le trajet du retour s'effectua dans le plus grand silence. Il se mit à pleuvoir, d'abord doucement, puis avec une violence surprenante. On ne voyait plus rien. Des voitures se garaient au bord de la route pour attendre la fin de l'orage, mais l'averse n'était pas près de s'arrêter. C'était la première pluie de l'automne et la terre s'offrait à cette manne tant attendue en exhalant une odeur métallique. Grant roulait très lentement, se fiant pour les virages davantage à sa mémoire qu'à la signalisation. Le Golden Gate Bridge était désert. L'eau se soulevait de la surface de la mer et tombait du ciel avec une force équivalente. Je me figurai le camion inondé, le niveau de l'eau montant jusqu'à nos pieds, nos genoux, notre ventre, notre gorge…

Préférant ne pas révéler l'adresse de Natalia, je priai Grant de me déposer chez Bloom. Il pleuvait encore quand il se gara devant le magasin. Je ne sais pas s'il me fit au revoir de la main : on ne voyait rien à travers le pare-brise détrempé.

Je trouvai, en rentrant, Natalia et ses musiciens en train de mettre en place leurs instruments. Ils me saluèrent d'un signe de tête tandis que je me faufilais dans l'escalier. Après avoir sorti mes clés de mon sac à dos, j'ouvris la petite porte, rampai à l'intérieur et me recroquevillai par terre. Mes vêtements mouillés imbibèrent d'eau la moquette en fourrure. Le monde devint un lieu humide, bleu et glacé. Je frissonnai, les yeux grands ouverts. Cette nuit-là je ne cherchai pas à dormir.

4

— Prête ? me demanda Elizabeth.

J'étais étonnée par le peu de kilomètres que nous avions parcourus. Elizabeth s'était garée devant une grille fermée, dans une allée. A droite, il y avait l'aire de stationnement où se tenait le marché, et juste derrière, les vignes. Quelque part au-delà de la vaste étendue de bitume, me semblait-il, les deux propriétés se rencontraient.

En descendant de son camion, Elizabeth sortit de sa poche une clé très fine qu'elle introduisit dans la serrure du portail, lequel s'ouvrit aussitôt comme par magie. Je pensais qu'elle allait revenir au camion, mais elle me fit signe de la rcjoindre.

— On va y aller à pied, m'annonça-t-elle. Il y a longtemps que je n'ai pas foulé cette terre.

Elle remonta l'allée vers la maison sans se presser, s'arrêtant ici et là pour pincer entre ses ongles des fleurs fanées et enfoncer son pouce dans le sol. Cernée de fleurs, je pris soudain conscience de la gravité de la brouille entre les sœurs. Qu'est-ce qui pouvait bien avoir rendu Elizabeth folle de rage au point d'avoir renoncé non seulement à sa sœur, mais aussi à ces hectares et ces hectares de fleurs ? Ce devait être une trahison de la pire espèce !

Elizabeth accéléra le pas en arrivant devant la maison, plus petite que la nôtre et de couleur jaune, mais sinon coiffée du même toit pointu. Alors que nous gravissions l'escalier du perron, je remarquai que le bois était tendre, à croire qu'il n'avait pas tout à fait séché depuis les pluies du printemps précédent. La peinture jaune s'écaillait sur le mur près de la porte d'entrée, et la gouttière détachée pendouillait au-dessus de la dernière marche. Elizabeth baissa la tête pour passer dessous.

Une lucarne rectangulaire perçait le battant peint en bleu. Elizabeth se pencha pour mieux regarder. Debout sur la pointe des pieds, ma tête calée sous son menton je regardai moi aussi à l'intérieur. La vitre sale et gondolée vous donnait l'impression de voir à travers un aquarium. Les meubles possédaient des contours flous. Des photographies paraissaient flotter au-dessus d'une cheminée. Le tapis à motif floral s'effaça sous la buée de notre haleine. Je fus frappée par l'aspect vide de la pièce : il n'y avait là ni êtres humains, ni vaisselle, ni journaux – aucun signe de vie.

Elizabeth frappa quand même : discrètement, puis plus fort. Elle attendit un moment puis, comme personne ne venait, elle se mit à tambouriner. Des coups de plus en plus sonores. Toujours pas de réponse.

Elle redescendit l'escalier du perron. Je la suivis à pas feutrés, de crainte que les marches ne s'affaissent. Elle n'avait pas fait dix pas qu'elle se retourna. Elle me montra du doigt une fenêtre en chien-assis sur le pignon : fermée mais sans rideau.

— Tu vois cette fenêtre ? C'est le grenier où on jouait quand on était petites filles. Quand j'ai été envoyée en pensionnat – j'avais onze ans, Catherine devait en avoir dix-sept ou dix-huit –, elle en a fait son atelier. Elle avait du talent, beaucoup de talent. Elle aurait pu intégrer n'importe quelle école d'art du pays, mais elle refusait de quitter notre mère.

Elizabeth se tut tandis que nous restions toutes les deux le nez en l'air. La vitre poussiéreuse, tachetée de marques d'eau, réfléchissait les rayons du soleil. Impossible de voir ce qu'il y avait à l'intérieur.

— Elle est là, décréta Elizabeth. Je sais qu'elle est là. Tu crois qu'elle n'aurait pas entendu frapper ?

Si elle était là, elle avait entendu. La maison, en dépit de ses deux étages, n'était pas grande. Mais une lueur d'espoir brillait dans les yeux d'Elizabeth. Je ne la sentais pas prête à recevoir la vérité.

— Je ne sais pas, murmurai-je. Peut-être.

— Catherine ! s'écria-t-elle.

La fenêtre ne s'ouvrit pas, je ne perçus pas le moindre mouvement.

— Peut-être qu'elle dort, ajouta-t-elle plus bas.

— Partons ! m'exclamai-je en la tirant par la manche.

— Pas avant d'être sûres qu'elle nous a vues. Si c'est le cas, et qu'elle ne descend toujours pas, elle aura au moins manifesté ses sentiments.

Soudain, Elizabeth donna un grand coup de pied dans le parterre de fleurs. Après quoi, elle se plia en deux pour cueillir un caillou, bien rond et bien dur, de la taille d'une noix. Elle le lança en visant la fenêtre. Il rebondit sur les bardeaux du toit et retomba au sol, à quelques mètres de nous. Elle le ramassa et recommença, encore et encore, n'améliorant aucunement sa technique.

Saisie d'impatience, je ramassai un caillou au hasard et le lançai à la volée vers la fenêtre. Il atteignit sa cible et transperça la vitre en sifflant comme une balle de pistolet, laissant un trou parfait au milieu du verre. Lorsque je me tournai vers Elizabeth, je fus très étonnée de voir qu'elle avait les mains sur les oreilles et qu'elle fermait les yeux en serrant les dents.

— Oh, Victoria, souffla-t-elle d'une voix chagrine. Trop fort. Beaucoup trop fort.

Elle ouvrit alors les yeux pour les lever vers la fenêtre. Je l'imitai. Un store descendit derrière le verre brisé. A mon côté, Elizabeth soupira, le regard toujours rivé à l'endroit où elle avait aperçu le mouvement d'une main pâle et maigre.

— Viens ! lui dis-je en la prenant par le coude.

Elle mit un pied devant l'autre, péniblement, comme si elle marchait dans du sable, et je la guidai doucement jusqu'à la route. Jc l'aidai à monter dans la camionnette, puis je retournai fermer les grilles du portail.

5

Je fus insomniaque et ne me montrai bonne à rien pendant toute la semaine. Les longs poils de la moquette mirent des jours à sécher, et chaque fois que je m'y étendais, je sentais l'humidité imbiber ma chemise, ce qui avait le don de me rappeler les mains de Grant. Et lorsque d'aventure je m'endormais, je rêvais que l'appareil photo était braqué sur ma peau nue, qu'il prenait des clichés de mes poignets, du dessous de mon menton, et même, une fois, de mes bouts de sein. En descendant les rues désertes, j'entendais le clic-clac de l'obturateur et pivotais sur mes talons, m'attendant à trouver Grant derrière moi. Il n'y avait jamais personne.

Il n'échappa pas à Renata que j'étais incapable d'articuler une phrase cohérente ni de tenir la caisse. C'était la semaine de Thanksgiving. La boutique nc désemplissait pas. Elle me relégua à la réserve au milieu de seaux débordant de fleurs orange et jaunes, et de longues branches de feuilles séchées aux rutilantes couleurs automnales, avec un livre de photos de compositions florales pour les fêtes que je n'ouvris même pas. Je n'étais pas tout à fait éveillée, mais peu importait : j'étais capable de faire des bouquets en dormant. Elle m'apportait des bons de commande griffonnés à la hâte puis revenait un peu plus tard chercher ma production.

Le vendredi, le lendemain de Thanksgiving, alors que la folie des achats était retombée, Renata m'envoya dans la réserve balayer le sol et poncer le plan de travail qui à force de recevoir de l'eau et des chocs commençait à gondoler et à former des échardes. Une heure plus tard, lorsque Renata vint voir où j'en étais, elle me trouva endormie sur la table, la joue contre le bois brut.

Elle me secoua. J'avais encore à la main le papier de verre qui avait laissé son empreinte sur la pulpe de mes doigts.

— Si tu n'avais pas autant de succès, je te renverrais, déclara Renata, d'un ton amusé qui contredisait son propos.

Me croyait-elle amoureuse ?

La vérité était bien plus compliquée.

— Lève-toi ! Ta cliente te réclame.

Je soupirai. Les roses rouges étaient épuisées.

La dame attendait les bras croisés sur le comptoir. Elle portait un imperméable vert pomme et était accompagnée d'une autre femme, plus jeune et plus jolie, avec un manteau rouge du même style, qui se fermait par une ceinture. Leurs bottes noires étaient mouillées. Je jetai un coup d'œil dehors. La pluie était revenue, juste quand mes vêtements et ma chambre étaient enfin secs après l'averse de la semaine précédente. Je fus parcourue d'un frisson.

— Et voici la fameuse Victoria, annonça la dame en me désignant du menton. Victoria, je vous présente ma sœur, Annemarie. Moi, c'est Bethany.

Elle me tendit la main. Je la serrai et crus qu'elle allait me broyer les os.

— Comment allez-vous ? bredouillai-je.

— Je ne me suis jamais sentie aussi bien, répondit Bethany. J'ai passé la journée de Thanksgiving chez Ray. Comme on n'avait aucune expérience en la matière, on a fini par jeter la dinde à moitié cuite à la poubelle et réchauffer des boîtes de soupe à la tomate. Un vrai régal.

A son expression, je devinai qu'elle ne parlait pas seulement de la soupe. Sa sœur émit un grognement.

— Qui est Ray ? questionnai-je.

A cet instant, Renata surgit sur le seuil, armée du balai. J'esquivai son regard interrogateur.

— Quelqu'un à mon travail. Nous n'avions jusqu'ici qu'échangé des récriminations concernant l'ergonomie de nos bureaux, et puis mercredi, voilà qu'il vient me voir à mon poste… pour m'inviter à dîner.

Bethany projetait de sortir de nouveau avec Ray le lendemain, et cherchait quelque chose pour son appartement, quelque chose de séduisant à coup sûr, mais sans que cela se remarque, ajouta-t-elle en rougissant. Pas d'orchidées, précisa-t-elle, comme s'il s'agissait d'un symbole sexuel et non de celui de la beauté raffinée.

— Et pour votre sœur, ce sera ? m'enquis-je.

La dénommée Annemarie parut gênée, mais ne protesta pas quand sa sœur se lança dans un exposé détaillé de sa vie amoureuse.

— Elle est mariée, m'informa Bethany comme si tous ses maux avaient leur source dans ce qualificatif. Elle a peur que son mari ne soit plus attiré par elle, ce qui est, il suffit de la regarder, ridicule ! Seulement, ils ne font plus… vous comprenez. Et cela ne date pas d'hier…

Annemarie se tourna vers la vitrine. Elle ne prit la défense ni de son mari ni de son mariage.

— Très bien, acquiesçai-je. Demain ?

— A midi, répliqua Bethany. Il me faut tout l'après-midi pour faire le ménage dans mon appartement.

— Annemarie ? dis-je. Midi, cela vous va ?

Elle respirait les roses et les dahlias, ce qui restait des lots orange et jaunes. Lorsqu'elle leva les yeux vers moi, ils étaicnt vides de toute expression, je compris leur message muet.

— Oui, s'il vous plaît, finit-elle par répondre.

— A demain, leur lançai-je alors qu'elles tournaient les talons.

Une fois la porte refermée, je m'aperçus que Renata se tenait toujours sur le seuil de la réserve, le balai à la main.

— La fameuse Victoria, me taquina-t-elle, qui offre aux clients ce qu'ils recherchent.

Avec un haussement d'épaules, je passai devant elle pour décrocher mon manteau de la patère.

— Dcmain ? m'enquis-je.

Elle ne m'avait jamais donné d'emploi du temps. Je travaillais à la demande.

— Quatre heures du matin. Mariage en début d'après-midi. Deux cents personnes.

Je passai la soirée assise dans ma chambre bleue, à ruminer le problème que me posait Annemarie. J'étais familiarisée avec l'inverse de la séduction : hortensia, *froideur*, un de mes préférés depuis toujours. Il fleurissait six mois par an sur les pelouses impeccables des jardins de San Francisco, et se révélait très utile pour tenir à distance les pensionnaires et le personnel des foyers de l'enfance. En revanche, la vie amoureuse et le plaisir charnel, c'étaient là des domaines sur lesquels je n'avais jamais eu l'occasion d'investiguer. Je restai assise des heures durant sous l'ampoule nue dont la clarté jaunissait les pages tachées d'eau de mon dictionnaire, à traquer les fleurs adéquates.

Il y avait bien le tilleul, dont la fleur signifiait *amour conjugal*, mais elle ne paraissait pas s'appliquer vraiment à son cas. La définition se rapprochait trop d'une description du passé pour appeler l'avenir. En outre, il n'était pas évident d'identifier un tilleul à cette époque de l'année, de lui couper une petite branche puis d'expliquer à Annemarie qu'elle devait l'exposer dans un vase sur la table de la salle à manger à la place d'un bouquet de fleurs. Non, décidai-je, le tilleul ne convenait pas.

En bas, Natalia et ses musiciens attaquèrent. Je tendis la main vers mes boules Quies. Les pages du livre vibraient sur mes genoux. Je trouvai des fleurs pour l'attachement, la sensualité et le plaisir, mais aucune, à elle seule, capable de vaincre le vide que j'avais décelé dans les yeux d'Annemarie. De plus en plus frustrée, je lus la dernière rubrique et repris le dictionnaire depuis le commencement. Grant saurait, lui, songeais-je, mais je n'oserais jamais lui demander. Lui poser la question serait déjà trop intime.

Je finis par me dire que si je ne trouvais rien, je pourrais toujours donner à Annemarie un superbe bouquet multicolore et mentir sur sa signification. Ce n'était pas comme si les fleurs elles-mêmes possédaient le pouvoir de transmuer une définition abstraite en une quelconque réalité tangible. J'avais l'impression qu'Earl et Bethany, en rentrant chez eux avec un bouquet de fleurs, s'attendaient à ce que les choses changent. Le fait d'y croire provoquait en soi une transformation. Plutôt que de consulter Grant, je décidai qu'il valait mieux envelopper de papier kraft un beau bouquet de gerberas en lui prêtant le sens d'épanouissement sexuel.

Je refermai le livre, je fermai les yeux et essayai de dormir.

Deux heures plus tard, je me levai et me préparai pour me rendre au marché aux fleurs. J'avais froid. En m'habillant chaudement, je me dis qu'il était hors de question que je donne à Annemarie des gerberas. La seule chose que je n'avais jamais transgressée, c'était le langage des fleurs. Alors, si je commençais à mentir sur ce chapitre, il ne resterait plus rien de beau ni de vrai dans ma vie. Je me dépêchai de sortir et fendis l'air glacial au pas de course, dans l'espoir de parcourir mes douze pâtés de maisons suffisamment vite pour battre Renata.

Grant se trouvait sur le parking, occupé à décharger son pick-up. J'attendis qu'il me tende les seaux pour les transporter à l'intérieur. Il n'avait qu'un seul tabouret sur son stand. Je m'y perchai tandis que Grant s'adossait à la cloison en contreplaqué.

— Tu es matinale, commenta-t-il.

Je consultai ma montre. Il était un peu plus de trois heures du matin.

— Toi aussi.

— Je ne pouvais pas dormir.

Moi non plus, mais je m'abstins de commentaire.

— J'ai rencontré une femme…

Je me détournai comme pour servir un client, alors que le marché était pratiquement désert.

— Oui ? Qui ça ?

— Oh, juste une dame. Elle est entrée chez Bloom hier. J'avais servi sa sœur le week-end dernier. Elle dit que son mari ne s'intéresse plus à elle. Tu sais, d'une manière…

Je laissai ma phrase en suspens, incapable d'aller plus loin.

— Hum ! fit Grant.

Je sentis son regard se poser sur mon dos, mais je me gardai bien de me retourner.

— Ça, c'est vraiment pas commode, ajouta-t-il. C'était l'époque victorienne, tu sais. On ne parlait pas de sexe.

Je n'avais pas envisagé le problème sous cet angle. En silence, nous avons regardé le marché se remplir. Renata allait surgir d'une minute à l'autre, et ensuite, pendant des heures, je n'aurais plus la possibilité de penser à autre chose qu'aux fleurs du mariage de quelqu'un d'autre.

— Le désir, laissa finalement tomber Grant. C'est ce que je vois de plus proche.

Je ne connaissais pas le désir.

— Oui ?

— La jonquille. C'est une variété de narcisse. Elle pousse à l'état sauvage dans le sud des Etats-Unis. J'en ai, si tu veux, sauf que mes bulbes ne fleuriront pas avant le printemps.

Le printemps me parut à des années-lumière. Annemarie n'aurait sûrement pas cette patience.

— Il n'y a pas d'autre moyen ?

— On pourrait forcer mes bulbes en serre pour une floraison hâtive. Un procédé que j'évite en général. C'est une fleur tellement associée au printemps qu'elle ne trouve pas preneur avant la fin février. Mais si tu veux, on peut toujours essayer.

— Combien de temps ça prendra ?

— Pas longtemps. Je parie qu'à la mi-janvier, on aura une floraison.

— Je vais demander à ma cliente... Merci.

Alors que je m'éloignais, Grant posa une main sur mon épaule. Je pivotai.

— Cet après-midi ?

Je songeai aux fleurs, à son appareil photo et à mon dictionnaire.

— J'aurai sûrement fini pour quatorze heures, répondis-je.

— Je passerai te prendre.

— J'aurai faim, précisai-je avant de sortir.

— Je sais, répliqua-t-il en riant.

Annemarie parut moins déçue que soulagée lorsque je lui annonçai la nouvelle. Janvier lui allait très bien – mieux encore, c'était parfait. Avec les fêtes, elle allait être débordée. Elle ne verrait pas le mois passer. Elle écrivit son numéro de téléphone sur un bout de papier, se drapa dans son manteau rouge en resserrant sa ceinture autour de la taille et sortit en courant pour rattraper Bethany, déjà loin. Je lui avais donné des renoncules, *vous êtes plein(e) de charme.*

Grant était en avance, tout comme la semaine précédente. Renata l'invita à entrer. Il s'assit à la table et nous regarda travailler en mangeant un curry au poulet fumant dans une boîte en polystyrène. Une seconde barquette, celle-là fermée, était posée devant lui. Une fois que j'eus terminé les centres de table, Renata me libéra.

— Et les boutonnières ? m'enquis-je en me penchant sur la boîte où elle alignait les bouquets des demoiselles d'honneur.

— Je peux finir sans toi, m'assura-t-elle. J'ai du temps à revendre. Allez, ouste !

D'un geste de la main, elle me fit signe de décamper.

— Tu préfères manger ici ? proposa Grant en me tendant une fourchette en plastique et une serviette en papier.

— Dans la voiture. Ne perdons pas de temps pendant qu'il fait jour.

Renata nous jeta un regard intrigué, mais ne posa aucune question. La discrétion même. Je n'avais jamais vu quelqu'un comme ça. J'eus pour elle un bref élan d'affection en sortant derrière Grant.

Le curry et nos haleines embuèrent les vitres pendant le long trajet jusqu'à la ferme. Hormis le bourdonnement du dégivreur, le silence était total. La route était mouillée, mais le ciel se dégageait. Le temps que Grant ouvre le portail et se gare devant la maison, l'horizon était tout bleu. Grant partit chercher son appareil photo. Au lieu d'entrer dans la maison, à ma grande surprise, il disparut à l'intérieur d'une dépendance, une bâtisse carrée toute en hauteur, qui comptait trois étages.

— Qu'est-ce que c'est ? questionnai-je à son retour en désignant le curieux bâtiment.

— Le château d'eau, me répondit-il. Je l'ai aménagé pour y vivre. Tu veux visiter ?

— La lumière, lui rappelai-je en me tournant vers le soleil déclinant.

— Tu as raison.

— Après, peut-être.

— D'accord. Tu as besoin d'une autre leçon ?

Grant me passa la courroie de l'appareil autour du cou. Ses mains frôlèrent ma nuque.

Je fis non de la tête.

— Temps de pose, ouverture, mise au point, récitai-je en tournant les molettes et en lui recrachant le vocabulaire dont il m'avait gavée la semaine précédente. Je vais apprendre par moi-même.

— Comme tu voudras. Tu sais où me trouver.

Là-dessus, il rentra dans le château d'eau. J'attendis qu'une lumière soit visible à la fenêtre du haut pour me diriger vers le jardin de roses.

La rose blanche me semblait un bon point de départ. Je m'assis devant un rosier et sortis un cahier neuf de mon sac à dos. Je comptais apprendre la photo en notant tout ce que je faisais pour voir ce qui était bon, et ce qui l'était moins. Si, par exemple, au développement, il s'avérait qu'une seule photo de toute la pellicule était réussie, en consultant mes notes, je saurais exactement pour quelles raisons. Je numérotai une liste de un à trente-six sur une page.

Dans la lumière décroissante, je photographiai la même rose blanche à peine éclose. Chaque fois que j'appuyais sur le bouton, je relevais avec mes mots à moi la mesure donnée par le posemètre, la position exacte des molettes, la mise au point, la position du soleil et les angles que faisaient les ombres. J'estimais la distance entre l'appareil et la rose en me servant de la longueur de ma paume. Lorsqu'il n'y eut plus ni lumière ni film, j'arrêtai.

Je trouvai Grant assis à la table de la cuisine. La porte était ouverte, et le même froid glacial régnait à l'intérieur et à l'extérieur. Le soleil en se couchant nous privait de sa chaleur. Je me frottai les mains.

— Du thé ? me proposa-t-il en me présentant une tasse fumante.

Je fermai la porte derrière moi.

— Merci.

Nous étions à présent assis l'un en face de l'autre à une table de pique-nique identique à celle qui trônait dehors. Celle-ci était poussée contre une petite fenêtre où s'encadrait une vue de la propriété : une pente où ondoyaient des rangs de fleurs, avec au premier plan les dépendances, les serres et la maison à l'abandon. Grant se leva pour ajuster le couvercle de l'autocuiseur à riz dont le contenu débordait par un petit trou. D'un placard il sortit un flacon de sauce de soja qu'il posa sur la table de guingois.

— C'est bientôt prêt, dit-il.

Je me tournai vers la cuisinière. Rien n'avait l'air de cuire, à part le riz.

— Tu veux que je te fasse visiter ?

Je haussai les épaules, et me levai.

— Ceci est la cuisine.

Des placards peints en vert pâle, un plan de travail en formica gris bordé d'une baguette d'acier chromé. Pas de planche à découper : les surfaces étaient tout éraflées par des marques de couteau. Une antique cuisinière à gaz blanche émaillée avec des finitions chromées. Au-dessus, sur une étroite étagère, des vases en verre vert côtoyaient une unique cuillère en bois sur le manche de laquelle était restée collée une étiquette avec le prix encore visible, ce qui portait à croire qu'elle n'avait jamais servi, ou bien n'avait jamais été lavée. Toujours est-il que je n'étais pas tellement pressée de goûter à sa cuisine.

Dans un coin, un escalier métallique noir en colimaçon disparaissait dans une petite ouverture carrée pratiquée au plafond. Grant me précéda. Au premier, il y avait à peine la place pour le canapé à deux places orange tendu de velours et la bibliothèque qui montait jusqu'au plafond. Une porte ouverte donnait sur une salle de bains carrelée de blanc meublée d'une baignoire à pattes de lion. Ni téléviseur ni stéréo. Je ne vis même pas de téléphone.

Grant reprit l'escalier pour me mener à l'étage supérieur, dans une pièce dont le sol était entièrement recouvert d'épais matelas en mousse qui s'émiettaient aux endroits où les draps-housses s'étaient détachés. Dans les coins deux tas de linge, l'un plié, l'autre en vrac. Là où on se serait attendu à trouver des oreillers, s'entassaient des livres.

— Ma chambre !

— Tu dors où ? lui demandai-je.

— Au milieu. Plus près des livres que des vêtements, en général.

Il piétina les matelas pour éteindre sa lampe de chevet. Me tenant fermement à la rampe, je redescendis dans la cuisine.

— Sympa, commentai-je. Tranquille.

— Je me sens bien ici. Je peux oublier où je suis, tu comprends ?

Je comprenais. Dans le château d'eau de Grant où tout appareil électrique ou électronique brillait par son absence, il était facile d'oublier non seulement le lieu, mais aussi la décennie.

— Ma coloc fait partie d'un groupe qui répète toute la nuit juste sous ma chambre, l'informai-je.

— Ce doit être atroce.

— Ça l'est.

Il se planta devant le comptoir et versa de grosses cuillerées de riz collant dans d'énormes bols à soupe en terre cuite. Il me tendit un bol et une cuillère. Le riz me réchauffa la bouche, la gorge, le ventre. Son goût me surprit agréablement.

— Pas de téléphone ? interrogeai-je en regardant autour de moi.

Moi qui croyais être la seule personne jeune de notre monde moderne à négliger ce moyen de communication ! Grant secoua la tête. Je poursuivis :

— Pas d'autre famille ?

— Mon père est parti avant ma naissance. Il est retourné à Londres. Je ne l'ai jamais vu. Quand ma mère est morte, elle m'a laissé les terres et les fleurs, un point c'est tout.

Il prit une autre bouchée de riz.

— Elle te manque ?

Grant versa quelques gouttes supplémentaires de sauce de soja dans son bol.

— Quelquefois. Mais seulement celle qu'elle était quand j'étais petit, lorsqu'elle préparait à dîner tous les soirs et m'emballait des sandwichs et des fleurs comestibles pour l'école. Sur la fin, elle me confondait avec mon père. Elle piquait des colères et me flanquait dehors. Quand elle avait repris ses esprits, elle me demandait pardon avec des fleurs.

— C'est pour ça que tu vis ici ?

— Oui, et j'ai toujours aimé être seul. Personne ne peut comprendre.

Si, moi. Je comprenais.

Il reprit du riz puis me resservit. Le reste du repas se passa en silence.

Grant se leva pour laver son bol et le renverser sur l'égouttoir en métal. Je l'imitai.

— Prête ? me lança-t-il.

— Et le film ? Je ne sais pas le sortir.

Je décrochai l'appareil photo du mur et le lui mis dans les mains.

Il rembobina et sortit du boîtier un petit cylindre que j'empochai.

— Merci.

Un peu plus tard, nous étions à mi-chemin de la ville, quand, brusquement, je me rappelai Annemarie. Sans le vouloir, j'émis un petit sifflement.

— Quoi ? fit-il.

— Les jonquilles. J'ai oublié.

— Je les ai plantées pendant que tu étais dans le jardin de roses. Elles sont dans une boîte en carton dans la serre... Les bulbes doivent être maintenus dans l'obscurité tant que le feuillage n'est pas apparu. Tu les inspecteras samedi prochain.

Samedi prochain. Comme si nous avions un rendez-vous régulier... J'observai Grant du coin de l'œil, son profil sérieux où je ne décelai pas l'ombre d'un sourire.

Je les inspecterais le samedi suivant. Un simple constat, aussi bouleversant que la découverte de la rose jaune.

Jalousie, infidélité. Solitude, amitié.

6

Il faisait déjà noir lorsque je rentrai dîner. La maison était brillamment éclairée et dans l'encadrement de la porte, je vis Elizabeth assise à la table de la cuisine. Elle avait préparé du bouillon de poulet – son fumet irrésistible m'était parvenu jusque dans les vignes – et penchée sur son bol, elle semblait étudier le reflet de son visage dans la soupe.

— Pourquoi t'as pas d'amis ? m'entendis-je lui demander à brûle-pourpoint.

Depuis une semaine, je l'observais diriger les vendanges d'un air accablé, malheureux, et à la trouver là, seule et manifestement souffrant de sa solitude, les mots avaient jailli d'eux-mêmes de ma bouche.

Elizabeth porta son regard dans ma direction. Doucement elle se leva et reversa le contenu de son bol dans la casserole. Craquant une allumette, elle alluma le feu dessous.

Elle se tourna vers moi.

— Et toi ?

— J'en veux pas, déclarai-je.

A part Perla qui, à présent, attendait le bus à l'arrêt suivant pour éviter d'être vue en ma compagnie, les seuls enfants que je connaissais étaient ceux qui étaient dans ma classe. Ils m'appelaient *l'orpheline*, un surnom dont ils abusaient au point qu'à mon avis, même l'institutrice ne se souvenait plus de mon vrai nom.

— Pourquoi ? insista Elizabeth.

— Je sais pas, répondis-je, sur mes gardes.

En fait, je savais. J'avais été exclue temporairement pendant cinq jours après ce que j'avais fait au conducteur du bus, et pour la première fois de ma vie, je n'étais pas malheureuse. J'étais bien avec Elizabeth, je n'avais besoin de personne d'autre. Je passais mes journées à trotter derrière elle pendant qu'elle guidait ses vendangeurs vers les fruits mûrs et les empêchait de cueillir les grappes auxquelles il manquait un jour ou deux de soleil. Elle fourrait des grains de raisin dans sa bouche, et dans la mienne, et recrachait des chiffres qui correspondaient à leur état de maturité : 74/6, 73/7 et 75/6. Lorsqu'elle repérait un lot de grappes à point, elle indiquait à l'équipe : « C'est ça dont vous devez vous souvenir. Cet arôme-là – les sucres à 75, les tanins à 7. Voilà des raisins parfaitement mûrs, qu'aucun appareil ni aucun amateur ne sera jamais capable d'identifier. » A la fin de la semaine, alors que j'avais mastiqué et craché des grains de presque tous les ceps, le rapport sucre/tanins me venait à l'esprit avant même que leur goût se soit répandu dans ma bouche, comme si ma langue les déchiffrait comme une date sur un timbre-poste.

La soupe se mit à frémir. Elizabeth remua une cuillère en bois dans la casserole.

— Ote tes chaussures. Et va te laver les mains. C'est prêt.

Elizabeth posa sur la table deux bols et des pains aussi gros que des melons. Je brisai ma miche en deux et en sortis les tendres entrailles blanches pour les tremper dans le bouillon brûlant.

— J'avais une amie, commença Elizabeth. C'était ma sœur. J'avais ma sœur, mon travail et mon premier amour, et il n'y avait rien d'autre qui comptait pour moi. Puis, d'une seconde à l'autre, il ne m'est resté que mon travail. Ce que j'avais perdu, rien ne me semblait pouvoir le remplacer. Je n'ai plus vécu que pour mes vignes et pour que mes raisins soient les plus recherchés de la région pour la fabrication du vin. Le but que je m'étais fixé était si ambitieux, et cela m'a coûté tant de temps et d'efforts, que je n'ai pas eu une minute pour penser à mon chagrin.

Manifestement, le fait de m'avoir accueillie avait tout changé. Ma présence était un rappel constant de l'existence d'une famille, de l'amour, et je me demandai si elle regrettait sa décision.

— Victoria, s'enquit Elizabeth, d'un ton abrupt. Tu es heureuse ici ?

J'acquiesçai d'un signe de tête, le cœur battant la chamade. Personne ne m'avait jamais posé une question de cette nature sans enchaîner aussitôt sur unc phrase du style : « Parce que si tu étais heureuse, si tu étais consciente de la chance que tu as de vivre ici, tu ne te conduirais pas comme une sale petite ingrate. » Mais le sourire d'Elizabeth, quand il éclaira son visage, n'exprimait qu'un profond soulagement.

— Bien ! dit-elle. Parce que moi, je suis heureuse de t'avoir avec moi. Pour tout t'avouer, je ne me réjouis pas de te voir repartir demain pour l'école. Ce séjour à la maison t'a fait du bien, tu es plus détendue. C'est la première fois que je te vois t'intéresser à quelque chose, même si, je l'avoue, je suis un peu jalouse des raisins…

— Je déteste l'école.

Rien qu'en articulant ce mot, je sentais ma soupe remonter au fond de ma gorge et me donner la nausée.

— Tu détestes ça à ce point ? Je sais que tu ne détestes pas apprendre.

— Oui, à ce point.

Je déglutis un grand coup, et j'ajoutai qu'on m'appelait *l'orpheline* et que c'était la même chose dans toutes les écoles où j'avais été : on me rejetait, on me collait une étiquette, on me surveillait et on ne m'enseignait jamais rien.

Elizabeth termina sa dernière bouchée de pain, puis porta son bol dans l'évier.

— Je vais te retirer dès demain de cette école. Je peux t'instruire beaucoup mieux à la maison. Et si tu veux mon avis, tu as assez souffert pour une vie entière.

Elle me prit mon bol pour le remplir jusqu'à ras bord.

L'apaisement que j'éprouvai alors fut si grand que je bus toute ma soupe et me resservis. Et malgré tout, je me sentais si légère que je devais me retenir pour ne pas décoller de ma chaise et m'élever en tournoyant dans la cage d'escalier, jusqu'à mon lit.

7

Mes photographies étaient toutes ratées. Mon premier réflexe fut d'accuser la boutique à qui j'avais confié le développement en une heure et de déposer mes négatifs dans un véritable laboratoire. D'après l'enseigne, celui-ci se glorifiait de ne travailler que pour des photographes professionnels. Il leur fallut trois jours pour réaliser mes tirages, et quand je passai les prendre, ils étaient tout aussi ratés. Pires, même. Mes erreurs semblaient encore plus apparentes, les grosses taches vert et blanc se découpant avec plus de netteté contre l'arrière-plan glauque. Je jetai mes clichés dans le caniveau et m'assis sur le trottoir devant le labo, triste et découragée.

— On s'essaye à l'abstraction ?

Je me retournai. Une jeune femme se tenait debout derrière moi et regardait les photos éparses. Elle portait un tablier et fumait une cigarette. De la cendre voletait autour des photos. J'aurais voulu qu'elles prennent feu.

— Non, répondis-je. Je m'essaye à l'échec.

— Un nouvel appareil ?

— Non, c'est moi qui suis nouvelle en photo.

— Tu as besoin de savoir quoi ?

Je ramassai un des tirages et le lui tendis en disant :

— Tout.

Elle écrasa sa cigarette et étudia le cliché.

— C'est la vitesse qui cloche, déclara-t-elle en me faisant signe de la suivre à l'intérieur.

Elle me conduisit devant le présentoir des films, et me montra sur les petites boîtes des numéros que je n'avais jamais remarqués. Ma vitesse d'obturation était trop lente, m'expliqua-t-elle, et mon film n'était pas assez sensible pour des prises de vue en basse lumière. Je notai tout ce qu'elle me dit, au dos de mes photos, puis les glissai dans ma poche arrière de pantalon.

Le samedi suivant, j'avais hâte d'en avoir fini. La boutique était vide ; nous n'avions pas de mariage. Renata, occupée par de la paperasse à son bureau, ne leva pas le nez de toute la matinée. Prise d'impatience, je me rapprochai d'elle et tapai du pied sur le sol en béton.

— D'accord, vas-y ! me dit-elle en accompagnant ses paroles d'un geste ample m'indiquant la porte.

J'étais sur le point de sortir, quand elle ajouta :

— Et ne reviens ni demain, ni la semaine prochaine, ni la semaine suivante.

Je me figeai sur place en m'exclamant :

— Quoi ?

— Tu as fait deux fois plus d'heures que prévu. Ne me dis pas que tu ne t'en es pas aperçue.

Je n'avais pas fait attention. Ce n'était pas comme si j'avais eu la possibilité de trouver un autre emploi. Je ne possédais aucun diplôme, je n'avais même pas terminé mes études secondaires et je n'avais suivi aucune formation professionnelle d'aucune sorte. J'avais pensé que Renata le savait et se servait de moi à sa guise, ne tenant pas le compte de mes heures. Je ne lui en voulais pas du tout.

— Et alors ?

— Prends quelques semaines de vacances. Passe me voir dimanche en huit et je verserai ta paye comme si tu avais travaillé. C'est de l'argent que je te dois. J'aurai de nouveau besoin de toi pour Noël, et j'ai deux mariages le jour de l'An.

Elle me tendit une enveloppe pleine de billets, enveloppe que je ne m'étais pas attendue à recevoir avant le lendemain. Je la glissai dans mon sac à dos.

— OK, lui lançai-je. Merci. A dans deux semaines.

Je trouvai Grant sur le parking, occupé à charger dans son pick-up un seau de fleurs invendues. Sans préambule, je déployai sous ses yeux d'une seule main, à la façon d'un éventail, mon jeu de clichés flous.

— Maintenant, tu veux une leçon ? me demanda-t-il, visiblement titillé.

— Non.

Je grimpai dans son camion. Il hocha la tête.

— Chinois ou thaï ?

Sans répondre, je continuai à relire les notes que j'avais griffonnées au dos des photos déshonorantes. Lorsqu'il se gara devant le thaï, j'attendis dans la voiture.

— Un truc épicé ! lui criai-je par la fenêtre ouverte. Avec des crevettes !

J'avais acheté dix rouleaux de film couleurs de sensibilités différentes. J'envisageais de commencer à 100 par une forte lumière de milieu d'après-midi et de terminer à 800, juste après le coucher du soleil. Grant, qui lisait un livre assis sur la table de pique-nique, jetait un coup d'œil dans ma direction toutes les trois pages environ. Accroupie, j'avais à peine besoin de me relever pour passer d'un rosier blanc à l'autre. Sur les deux, la totalité des fleurs était ouverte ; encore une semaine, et toutes les roses seraient fanées. Comme la première fois, je numérotai chaque photo et notai l'ensemble des conditions de prise de vue. J'étais déterminée à y arriver.

Quand il fit noir, je rangeai mon appareil. Grant avait quitté son perchoir. De la lumière brillait aux fenêtres du château d'eau à travers un rideau de vapeur. Grant faisait la cuisine, et je mourais de faim. J'emballai les dix bobines dans mon sac à dos et le rejoignis.

— Tu as faim ? me lança-t-il en me regardant fermer mon sac et prendre une profonde inspiration.

— Quelle question !

Grant sourit. J'ouvris la porte du réfrigérateur. Vide à l'exception d'un pack de yaourts et d'un bidon de jus d'orange. Je sortis le jus d'orange et bus au goulot.

— Fais comme chez toi.

— Merci.

Je pris une dernière lampée et m'assis à la table.

— Qu'est-ce que tu prépares ?

Il me désigna du doigt six boîtes de conserve de raviolis à la viande. Je fis la grimace.

— Tu veux faire la cuisine ? me proposa-t-il.

— Je ne sais pas cuisiner. Il y a toujours un cuisinier dans les foyers, et ensuite, j'ai toujours mangé dehors.

— Tu as toujours vécu en foyer ?

— Après Elizabeth. Avant, j'ai habité chez plein de gens différents. Certains faisaient de la très bonne cuisine, d'autres non.

Il me dévisagea comme s'il avait voulu que je lui en dise davantage, mais je n'avais rien à ajouter. Nous avons mangé nos bols de raviolis. La pluie avait repris, le genre de trombes capables de transformer les chemins de terre en rivières.

Après le repas, Grant lava son bol et monta. Je restai assise à table, à attendre qu'il redescende pour me reconduire chez moi, mais il ne reparut pas. Je bus encore un peu de jus d'orange, et me plantai devant la fenêtre. J'avais toujours faim. Je fouillai dans le placard où je découvris un paquet non ouvert de cookies que je dévorai jusqu'au dernier. Grant n'était toujours pas redescendu. Je mis la bouilloire sur le feu pour me faire du thé, et me réchauffai les mains à la flamme bleue du foyer. La bouilloire se mit à siffler.

Je remplis deux tasses, sortis des sachets de thé d'une boîte rangée sur le plan de travail et montai à mon tour l'escalier.

Grant était installé dans le canapé orange du premier, un livre ouvert sur ses genoux. Il prit la tasse, et je m'assis par terre devant la bibliothèque. La pièce était si petite que j'avais beau me tenir aussi loin de lui que possible, si j'avais étendu mes jambes, il aurait pu toucher mon genou avec ses orteils. Je me tournai vers les livres. Sur l'étagère du bas se trouvaient des volumes de grand format : des guides de jardinage, pour la plupart, séparés par des traités de biologie et de botanique.

— De la biologie ? m'étonnai-je en sortant un traité et en l'ouvrant au hasard à une illustration : le dessin d'un cœur.

— J'ai suivi un cours à la fac. A la mort de ma mère, j'ai failli vendre la ferme pour poursuivre mes études. Mais j'ai laissé tomber. Les amphis, ce n'était pas mon élément. Trop de gens, pas assez de fleurs.

Une grosse veine bleue sortait du cœur. J'en suivis les sinuosités avec mon doigt puis levai les yeux vers Grant.

— Qu'est-ce que tu lis ?

— Gertrude Stein.

Je n'avais jamais entendu parler de cet écrivain.

— La poétesse, continua-t-il en me voyant secouer la tête. Tu sais... *Rose est une rose est une rose* ?

Comme j'avais toujours l'air de tomber des nues, il précisa :

— La dernière année, ma mère était obsédée par ses écrits. Elle avait passé son temps à lire les poètes victoriens, et quand elle a découvert Gertrude Stein, elle m'a confié qu'elle lui avait été d'un grand réconfort.

— Qu'est-ce que cela veut dire, *Rose est une rose est une rose* ? interrogeai-je.

Je fermai d'un coup sec le livre de biologie et mes yeux tombèrent sur une tête de mort. Je tapotai l'orbite vide.

— Que les choses sont comme elles sont, répondit-il.

— Rose est une rose...

— ...est une rose, acheva-t-il avec un petit sourire.

Je songeais à toutes les roses du jardin en contrebas, aux différentes nuances de leurs pétales, à leur fraîcheur.

— Sauf quand elle est jaune, fis-je remarquer. Ou rouge, ou rose, ou fermée, ou fanée.

— C'est ce que j'ai toujours pensé, approuva Grant. Mais je ne voudrais pas priver Mme Stein du plaisir de me convaincre.

Il replongea le nez dans son bouquin.

J'en pris un autre, sur une étagère un peu plus haute. Un mince volume de poésie. Elizabeth Barrett Browning. Au début de mon adolescence, lorsque je m'étais aperçue que les poètes romantiques se référaient souvent au langage des fleurs, j'avais lu tout ce qui me tombait sous la main et notamment ses écrits. Les pages du recueil étaient annotées dans les marges. Je l'ouvris à un poème de onze strophes, toutes commençant par les mots « *love me* ». Cela m'étonna. Je l'avais déjà lu, j'en étais sûre, mais je ne me rappelais aucune référence à l'amour, seulement aux fleurs. Je reposai le livre et en pris un autre, puis encore un. Pendant ce temps, Grant continuait à tourner les pages en silence. Je consultai ma montre. Dix heures dix.

Grant leva les yeux. Il jeta un regard à sa propre montre puis se tourna vers la fenêtre. Il pleuvait encore.

— Tu veux que je te ramène chez toi ?

Les routes étaient mouillées. Le retour promettait d'être laborieux. En plus, je ne me réjouissais pas à la perspective de devoir courir sous la pluie entre Bloom et l'appartement, où Natalia répétait sûrement avec ses musiciens. Renata ne m'attendait pas à la boutique le lendemain. J'en conclus que je n'avais pas tellement envie de rentrer chez moi.

— Est-ce que j'ai le choix ? répliquai-je. En tout cas, je ne dors pas ici avec toi.

— Je ne resterai pas ici. Tu n'as qu'à prendre mon lit. Ou le canapé. Fais ce que tu veux.

— Comment je peux être sûre que tu ne reviendras pas au milieu de la nuit ?

Grant prit dans sa poche un trousseau de clés dont il détacha celle du château d'eau, qu'il me tendit avant de descendre l'escalier. Je le suivis.

Dans la cuisine, il sortit d'un tiroir une torche électrique et décrocha du mur une veste en flanelle. Je lui ouvris la porte. Il marqua une halte sous l'auvent. La pluie tombait à verse.

— Bonne nuit, me dit-il.

— Le double de la clé ?

Secouant la tête, Grant soupira, mais il souriait. Il se pencha pour ramasser un arrosoir rouillé à moitié plein d'eau de pluie. Il arrosa le gravier. Dans le fond, il y avait une clé.

— Elle est sans doute tellement rouillée qu'elle ne sert à rien. Mais tiens, au cas où...

Nos mains se frôlèrent sur le métal trempé.

— Merci, lui dis-je. Bonne nuit.

Il ne bougea pas tandis que je fermais lentement le battant et donnais un tour de clé.

Le château d'eau était vide. Je montai l'escalier. Au deuxième, je retirai sa couverture au lit de Grant avant de redescendre dans la cuisine où je me roulai en boule sous la table de pique-nique. Si jamais la porte s'ouvrait, je l'entendrais.

Tout ce que j'entendis, toute la nuit, ce fut la pluie.

Grant frappa à dix heures et demie le lendemain matin. Je dormais toujours sous la table. J'avais fait le tour du cadran, j'étais toute courbatue. J'eus du mal à me lever. Une fois debout, je m'appuyai au bois massif de la porte et me frottai les yeux, les pommettes et la nuque avant de lui ouvrir.

Grant portait les mêmes habits que la veille et avait l'air à peine plus réveillé que moi. Il entra d'un pas mal assuré et s'assit tout de suite à la table.

L'orage n'était plus qu'un souvenir. Par la fenêtre, je vis que le ciel était bleu. Les fleurs scintillaient. Un jour idéal pour faire des photos.

— Le marché ? prononça-t-il. Le dimanche, je vends dans le coin au lieu d'aller en ville. Tu m'accompagnes ?

Décembre n'était pas une saison favorable pour les fruits et légumes – oranges, pommes, brocoli, chou frisé. Mais même si on avait été à la belle saison, je n'aurais pas eu envie d'y aller. Je ne voulais surtout pas prendre le risque de croiser Elizabeth.

— Je ne crois pas. Mais j'ai besoin d'une nouvelle pellicule.

— Viens avec moi ! Tu m'attendras dans le camion pendant que je vends ce qui me reste du marché d'hier. Je t'emmènerai au drugstore.

Grant se changea en haut. Je me brossai les dents avec mon index enduit de dentifrice. Je me débarbouillai et me recoiffai à l'eau du robinet, puis sortis l'attendre dans le pick-up. Lorsqu'il me rejoignit quelques minutes plus tard, il était rasé de frais et arborait un sweat gris propre sur un jean à peine sale. L'air toujours fatigué, il rabattit sa capuche sur sa tête en fermant à clé la porte du château d'eau.

La route était inondée par endroits. Grant roulait lentement, son véhicule tanguait tel un bateau en eaux profondes. Je fermai les yeux.

Moins de cinq minutes plus tard, il s'arrêta. Je rouvris les yeux : nous étions sur une aire de stationnement pleine de monde. Je me fis toute petite sur mon siège pendant que Grant descendait de voiture. Après avoir tiré sa capuche sur son front, il déchargea les seaux. Les paupières serrées, l'oreille plaquée contre la portière, je m'efforçai de ne pas entendre les bruits de ce marché où j'étais si souvent venue enfant. Une éternité plus tard, il revint.

— Prête ? me lança-t-il.

Je lui fis signe que oui. Grant me conduisit dans un de ces magasins qu'on ne trouve qu'à la campagne et où l'on vend de tout, y compris du matériel de pêche et des médicaments. De savoir Elizabeth si proche me rendait nerveuse.

La main sur la poignée de la portière, j'articulai :

— Elizabeth ?

— Elle n'est pas là. Je ne sais pas où elle fait ses courses, mais je viens ici depuis plus de vingt ans et je ne l'y ai jamais vue.

Soulagée, je me rendis tout droit au comptoir photo, glissai mes rouleaux de film dans une enveloppe que je déposai dans la boîte.

— Une heure ? m'enquis-je à l'adresse d'une employée en blouse bleue qui semblait mourir d'ennui.

— Moins que ça. Personne ne m'a rien donné à développer depuis une éternité.

Je m'enfonçai dans une travée. Il y avait une promotion sur les tee-shirts : trois pour cinq dollars. Je pris les premiers de la pile et les jetai dans mon panier avec des pellicules, une brosse à dents, du déodorant. Grant m'observait depuis la caisse en mastiquant quelque chose. Je pointai la tête hors de la travée et regardai alentour : le magasin était vide. Je le rejoignis à la caisse.

— Ton petit déjeuner ? lui lançai-je.

Il acquiesça de la tête. Je pris une barre Payday dont je m'empressai de grignoter les cacahouètes, ne laissant qu'une sorte de limace de caramel mou.

— Le meilleur, commenta Grant.

Je lui tendis la limace. Il l'engloutit à la hâte, comme s'il avait peur que je la lui reprenne.

— Tu m'aimes donc plus que tu ne le prétends, ajouta-t-il avec un large sourire.

La porte de la supérette s'ouvrit tout d'un coup pour laisser le passage à un couple âgé qui se tenait par la main. Elle était voûtée, lui claudiquait, de sorte qu'on avait l'impression qu'elle le remorquait. Le vieux m'inspecta de la tête aux pieds. Son sourire juvénile paraissait déplacé sur son visage tavelé.

Il me désigna du menton.

— Grant, éructa-t-il en clignant de l'œil, je te félicite, mon petit !

— Merci, monsieur, répliqua Grant les yeux rivés au sol.

Le vieux fit quelques pas cahin-caha, s'arrêta et donna une claque sur le postérieur de sa femme. Se retournant, il cligna de nouveau de l'œil au bénéfice de Grant.

Dès que le couple fut hors de portée de voix, Grant précisa :

— Un ami de ma mère. Il pense qu'on sera comme eux dans soixante ans.

Je levai les yeux au ciel, pris une seconde barre au caramel et m'avançai vers le comptoir photo en me disant que rien n'était plus improbable que moi et Grant nous tenant la main dans notre vieil âge. L'employée me rendit mon premier film développé, avec les négatifs découpés et rangés dans une enveloppe translucide. J'étalai mes photos sur le plateau jaune vif du comptoir.

Les dix premiers clichés étaient flous. Mieux que les taches blanchâtres indescriptibles de mon premier essai, mais toujours pas nets. Le onzième ressemblait à quelque chose, il n'y avait toutefois pas de quoi être fière. L'employée me passa les autres tirages au fur et à mesure, que j'alignai à la suite, prenant soin de ne pas les mélanger.

Pendant ce temps-là, Grant patientait en s'éventant avec cinq emballages de barres chocolatées. Je lui présentai la photo. La seizième de la huitième pellicule – une rose blanche éclatante, qui se découpait avec une netteté parfaite contre le fond sombre. Grant se pencha comme s'il voulait respirer son parfum.

— Joli.

— Allons-y ! dis-je.

Je réglai ce que je devais pour les articles dans mon panier et les friandises de Grant.

— Tes photos ? me rappela-t-il alors que nous sortions, en m'indiquant la masse de clichés sur le comptoir.

— Je n'ai besoin que de celle-ci, déclarai-je en levant ma rose blanche.

8

J'écoutais le bruit de la serpillière d'Elizabeth, mon épine dorsale collée contre un épais pied de vigne. J'aurais dû être en train de me promener, mais je n'avais pas envie de marcher. Elizabeth avait ouvert toutes les fenêtres afin de laisser entrer les premières bouffées de printemps et de ma cachette dans le rang le plus proche de la maison, j'entendais tout ce qu'elle faisait.

En six mois d'école à la maison, j'avais eu le temps de m'acclimater à ses méthodes. Je n'avais pas de bureau attitré. Et Elizabeth n'avait acheté ni ardoise, ni manuel scolaire, ni même des fiches. Elle s'était bornée à placarder un emploi du temps sur la porte du réfrigérateur – une feuille de papier de riz calligraphiée dont les bords rebiquaient aux quatre coins retenus par des pastilles aimantées couleur argent – et à me demander de m'y plier.

Sa liste était détaillée, exhaustive, exténuante et immuable. Chaque matin, après le petit déjeuner et la promenade, j'écrivais dans le cahier à couverture en cuir noir qu'elle avait acheté spécialement à mon intention. Comme j'étais bonne en grammaire et en orthographe, je faisais des fautes exprès pour garder Elizabeth à mon côté, elle qui savait si bien prononcer les mots à voix haute et corriger les erreurs. Après quoi, je l'aidais à préparer le déjeuner. Il fallait mesurer, verser, doubler les proportions, les diviser par quatre. L'argenterie, rangée en tas distincts, permettait d'aborder les fractions, des tasses pleines de haricots secs étaient destinées à résoudre différents problèmes de calcul. Elle se servait du calendrier et de la météo pour m'apprendre les statistiques, les pourcentages et les probabilités.

Le soir venu, Elizabeth me lisait des histoires. Elle avait une bibliothèque entière de classiques de la littérature enfantine, de beaux livres à la couverture poussiéreuse et aux titres en lettres d'or : *Le Jardin secret*, la série des *Pollyanna* et *Le Lys de Brooklyn*. Toutefois je préférais ses ouvrages de viticulture, les illustrations des cépages, et les formules de chimie m'apparaissaient comme des indices pour décrypter le monde qui m'entourait. Je mémorisai le lexique – lessivage du nitrate, séquestration du CO_2, lutte biologique intégrée – que je ressortais au cours des conversations avec un sérieux qui provoquait les rires d'Elizabeth.

Avant l'heure du coucher, nous barrions la journée écoulée sur le calendrier de ma chambre. Pendant le mois de janvier, je me bornai à inscrire un petit x rouge sous la date, mais à la fin mars, j'ajoutai les températures basses et hautes, tout comme Elizabeth le faisait sur le sien, plus ce que nous avions mangé à dîner, et une liste des différentes activités qui nous avaient occupées. Elizabeth coupa un bloc de post-it de la taille des fenêtres du calendrier, et il m'arrivait souvent, avant de me mettre au lit, d'en remplir cinq ou six.

Plus qu'un rituel vespéral, le calendrier était un compte à rebours. La fenêtre du 2 août – le lendemain de la date supputée de mon anniversaire – était colorée entièrement en rose. Au feutre noir, Elizabeth avait écrit *11 heures, troisième étage, salle 305*. La loi stipulait que je devais vivre avec Elizabeth une année entière avant que mon adoption puisse être finalisée. Meredith s'était arrangée pour que la date de l'audience du tribunal coïncide avec le premier anniversaire de mon arrivée.

Je consultai la montre qu'Elizabeth m'avait offerte. Encore dix minutes, et elle accepterait de me laisser rentrer. J'appuyai la tête contre les rameaux. Les premières feuilles d'un vert tendre pointaient, miniatures parfaites de ce qu'elles deviendraient plus tard. Je reniflai un de ces bourgeons éclatés avant de le grignoter un peu, en me disant que je pourrais ainsi décrire dans mon journal le goût de la vigne avant le raisin. Je consultai de nouveau ma montre. Encore cinq minutes.

Dans la tranquillité ambiante, j'entendis la voix d'Elizabeth. Claire, ferme. L'espace d'un instant, je crus qu'elle m'appelait. Alors que je revenais ventre à terre à la maison, je m'arrêtai net en me rendant compte qu'elle était au téléphone. Même si elle n'avait pas évoqué sa sœur depuis notre visite à la ferme, je sus tout de suite qu'elle parlait à Catherine. Je m'assis dans la poussière sous la fenêtre de la cuisine pour mieux entendre.

— Encore une récolte qui l'a échappé belle, disait-elle. Je ne bois pas, mais je comprends de mieux en mieux papa. Un petit verre de whisky au réveil, histoire d'engourdir la peur du gel, comme il disait, tu te rappelles ?

La pause qu'elle marqua fut si brève que j'en déduisis qu'elle s'adressait au répondeur de Catherine.

— Toujours est-il que je sais que tu m'as vue en octobre, enchaîna-t-elle. Tu as vu Victoria ? N'est-elle pas ravissante ? Tu ne voulais manifestement pas me rencontrer. Et tu vois, je respecte ta volonté, je t'ai donné du temps. C'est pourquoi je n'ai pas appelé. Mais maintenant, je ne peux plus attendre. Je te préviens, je vais te téléphoner tous les jours. Plus d'une fois par jour, si ça se trouve, jusqu'à ce que tu acceptes de me parler. J'ai besoin de toi, Catherine. Tu comprends ? Tu es ma seule famille.

Je fermai les yeux. « Tu es ma seule famille », avait-elle dit alors que pendant huit mois, nous avions vécu ensemble, mangé trois repas par jour à la même table, travaillé au coude-à-coude. Il ne restait plus que quatre mois avant mon adoption. Et malgré tout, Elizabeth ne me considérait pas comme quelqu'un de sa famille. Au lieu d'en éprouver du chagrin, je fus prise d'une rage folle. Dès que je l'entendis raccrocher, un clic suivi du bruit de l'eau qui coulait dans l'évier, je gravis les marches en tapant très fort des pieds. Je cognai à la porte à coups de poing, comme si j'essayais de l'enfoncer. « Qu'est-ce que je suis pour toi ? brûlais-je de lui crier. Pourquoi on fait semblant ? »

Mais quand Elizabeth ouvrit la porte et que je vis son air étonné, je me mis à pleurer. A ma connaissance, pour la première fois. Furieuse d'être trahie par mes larmes, je giflai mes joues trempées, la douleur faisant redoubler mes pleurs.

Elizabeth, sans poser de question, me prit dans ses bras et, tirant une chaise, m'assit sur ses genoux. J'allais avoir dix ans dans quelques mois. J'étais trop âgée pour m'asseoir sur des genoux, trop âgée pour les câlins. Trop âgée aussi pour être « rendue ». Soudain, j'étais tout à la fois terrifiée d'être placée dans un foyer de l'enfance et stupéfaite de constater que les menaces de Meredith se concrétisaient. Le visage enfoui dans le cou d'Elizabeth, je laissai libre cours à mes sanglots. Elle me serra plus fort. J'attendais qu'elle me dise de me calmer, elle n'en fit rien.

Du temps s'écoula. La minuterie du four sonna, mais Elizabeth ne bougea pas. Lorsque je me décidai enfin à relever la tête, la cuisine embaumait le chocolat. Elizabeth avait préparé un soufflé pour célébrer le retour du printemps. Cela sentait divinement bon. Je m'essuyai les yeux sur son épaule et me redressai. Je me penchai en arrière pour la dévisager. Elle aussi avait pleuré. Des larmes perlaient au bord de ses joues.

— Je t'aime, dit Elizabeth.

Je fondis de nouveau en pleurs.

Dans le four, le soufflé au chocolat commençait à brûler.

9

Grant partit pour le marché aux fleurs de bonne heure le lundi matin, sans moi. A mon réveil, je ne me retrouvai pas seule pour autant. Des hommes se parlaient en criant d'un rang à l'autre tandis que des femmes à genoux sur la terre détrempée arrachaient les mauvaises herbes. J'observai des fenêtres tout ce remue-ménage : la taille, les soins, la dépose des engrais dans le sol, la récolte…

Il ne m'avait jamais traversé l'esprit que Grant n'était pas seul à cultiver ces hectares de fleurs, mais une fois que je vis ces gens travailler, je me sentis ridicule d'avoir imaginé que cela pût être le cas. La tâche était aussi énorme que variée. Et tout en ne me réjouissant pas d'avoir à partager la propriété avec eux, surtout le premier jour où Grant me laissait seule, je leur étais reconnaissante de contribuer à l'épanouissement de ces centaines de variétés de fleurs.

Je passai un tee-shirt blanc propre et me brossai les dents. Munie d'une miche de pain et de mon appareil photo, je sortis. Les employés me saluèrent avec des hochements de tête et des sourires, mais personne n'essaya de me parler.

J'entrai dans la première serre. Celle que Grant m'avait ouverte lors de notre promenade initiale. Elle contenait surtout des orchidées, ainsi qu'un mur entier d'hibiscus de différentes espèces et d'amaryllis. Il faisait chaud, je me sentais bien dans mon tee-shirt. Je commençai par l'étagère du haut de la paroi de gauche. En leur donnant des numéros sur mon cahier, je pris deux photos de chaque fleur et notai leur nom scientifique au lieu des mesures photographiques. Ensuite, je consultai les livres de jardinage de Grant pour déterminer leur nom commun que j'inscrivis dans la marge. J'ouvris ensuite mon dictionnaire et traçai un X devant les fleurs que je venais de photographier. J'utilisai deux bobines de film et traçai seize X dans mon dictionnaire. Il allait me falloir la semaine entière pour répertorier tout ce qui était en fleur. Pour tout ce qui ne l'était pas encore, je devrais attendre la fin du printemps. Et même alors, je manquerais sûrement des floraisons.

A quelques pas seulement du mur du fond, l'œil collé au viseur, je trébuchai sur un objet volumineux placé au milieu de l'allée. Je vis qu'il s'agissait d'une boîte en carton fermée, avec *Jonquilles* inscrit dessus au marqueur noir.

Je soulevai un pan du carton. Six pots en céramique à touche-touche contenaient une terre sablonneuse, mouillée comme si elle avait été arrosée le matin même. J'y enfonçai le doigt, dans l'espoir de palper une pousse, mais il n'y avait rien. Je refermai la boîte et continuai le long de l'allée, saluant d'un déclic de mon appareil chaque nouvelle plante dont la fleur était ouverte avant d'actionner la molette pour faire avancer la pellicule.

Les jours succédèrent aux jours. Grant partait tôt le matin, avant mon réveil. Je passai de longs après-midi seule dans les serres, saluant les employés courtois lorsque je reprenais le chemin du château d'eau. En général, Grant rapportait des plats tout faits. De temps en temps, nous ouvrions des boîtes de soupe que nous accompagnions de pain, ou bien nous mangions de la pizza.

Après le dîner, nous lisions ensemble au premier, allant jusqu'à partager le petit canapé. Ces soirs-là, je guettais le moment où j'allais être saisie par un besoin vertigineux de solitude, mais je n'avais pas plus tôt commencé à trouver l'atmosphère oppressante que Grant se levait, me souhaitait bonne nuit et disparaissait par l'escalier en colimaçon. Parfois il revenait une heure plus tard, parfois je ne le revoyais pas avant le lendemain soir. J'ignorais où il allait et où il dormait, je ne posais aucune question.

Je séjournais chez lui depuis près de deux semaines quand, un jour en fin d'après-midi, il rentra avec un poulet. Cru.

— Qu'est-ce qu'on va faire de ça ? m'étonnai-je en soupesant le volatile froid, emballé dans du plastique.

— Le faire cuire.

— Comment ? On ne sait même pas le vider.

Grant leva un ticket de caisse. Au dos, il avait écrit la recette, qu'il me lut à haute voix. Il fallait commencer par faire chauffer le four et à la fin, il était question de romarin et de pommes de terre nouvelles.

J'allumai le four.

— C'est tout ce que je peux faire. Maintenant, à toi de jouer !

Je m'assis à la table.

Il sortit une feuille de papier sulfurisé puis lava les pommes de terre, qu'il coupa ensuite en cubes avant de les saupoudrer de romarin. Après les avoir disposés autour du poulet sur une plaque, il enduisit le tout d'huile d'olive, ajouta du sel et des épices d'un petit pot. Il se lava les mains, puis enfourna la plaque.

— J'ai demandé au boucher la recette la plus simple. Pas mal, non ?

Je haussai les épaules.

— Le seul problème, c'est qu'il faut patienter plus d'une heure, ajouta-t-il.

— Plus d'une heure !

C'était un cri du cœur. Je n'avais rien mangé depuis le petit déjeuner et, le ventre vide, je me sentais nauséeuse.

Grant alluma une bougie et sortit un paquet de cartes.

— Pour nous distraire, commenta-t-il.

Il déclencha le minuteur et s'assit face à moi.

A la lumière de la bougie, nous avons joué au seul jeu que nous connaissions l'un et l'autre. Sinon, je crois bien que je me serais évanouie ! Le minuteur n'avait pas plus tôt sonné que je lançais les assiettes sur la table. Grant découpa le blanc du poulet en tranches très minces. J'arrachai un pilon doré à la carcasse et me mis à manger goulûment.

Un mets succulent, dont la saveur récompensait le supplice de l'attente. La viande était chaude et tendre. Je mastiquai et avalai d'énormes bouchées, puis arrachai le second pilon sans laisser à Grant le temps de se l'approprier, croquant à pleines dents la peau croustillante et épicée.

De l'autre côté de la table, Grant mangeait une tranche de blanc avec sa fourchette et son couteau en coupant de petits morceaux qu'il dégustait sans se presser. Son visage exprimait le contentement qu'apporte une bonne nourriture, et la fierté d'avoir réussi la recette. A un moment donné, il posa ses couverts et me regarda, manifestement ravi de me voir dévorer mon poulet d'aussi bel appétit. Pourtant, son regard me dérangea.

Je posai mon second pilon, dont il ne restait plus que les os.

— Tu sais qu'on ne sera jamais comme eux, dis ? l'apostrophai-je.

Grant fixa ses yeux sur moi sans comprendre.

— Au drugstore, le vieux couple, les claques sur les fesses, les clins d'œil… On ne sera pas comme eux. Dans soixante ans, on ne se connaîtra plus. Et probablement, après les soixante prochains jours.

Son sourire s'évanouit.

— Qu'est-ce qui te rend si affirmative ?

Sa question me désarçonna un peu. J'étais sûre de ce que j'avançais, et je savais qu'il le savait. De là à pouvoir expliquer pourquoi…

— Je n'ai jamais connu personne plus de quinze mois excepté mon assistante sociale, mais ça, ça ne compte pas.

— Qu'est-ce qui se passe après quinze mois ?

Je le suppliai des yeux. Devinant la réponse, il détourna les siens, confus.

— Et pourquoi pas aujourd'hui ?

Là, il posait la bonne question, parce que je savais quoi lui répondre :

— Je ne me fais pas confiance. Tu peux toujours imaginer ce que tu veux, mais tous les deux, ça ne marchera jamais. Je gâcherai tout.

Grant demeura pensif. Je voyais bien qu'il tentait de saisir l'abîme entre le ton catégorique de mon affirmation et sa vision de notre avenir, comme pour mieux y jeter une passerelle d'espoir et d'illusions. Son aptitude à se raconter des histoires provoqua chez moi un sentiment de pitié et de gêne.

— Ne perds pas ton temps, lui dis-je. J'ai essayé, une fois, et ça a raté. Pour moi, c'est quelque chose d'impossible.

Lorsque Grant se tourna de nouveau pour me regarder, son expression s'était modifiée. Il serrait les mâchoires et ses narines palpitaient.

— Tu mens, accusa-t-il.

— Quoi ? m'exclamai-je, prise de court.

D'une main, Grant se pinça le front à la lisière du cuir chevelu. Lorsqu'il reprit la parole, ce fut d'une voix calme en détachant chaque syllabe :

— Ne mens pas. Dis-moi que tu ne me pardonneras jamais à cause de ce que ma mère a fait, ou dis-moi que chaque fois que tu poses les yeux sur moi, tu as envie de vomir. Mais ne reste pas assise là à me mentir, en disant que c'est ta faute si on ne pourra jamais être ensemble.

Je ramassai mes os de poulet et me mis à détacher la graisse des tendons. Je n'avais pas le courage de le regarder, j'avais besoin de temps pour réfléchir à ce qu'il venait de me déclarer. « Ce que ma mère a fait. » Il n'y avait qu'une seule explication. Lors de notre première rencontre, étonnée de ne déceler aucune hostilité dans ses yeux, j'avais conclu que Grant m'avait pardonné. Mais la réalité se révélait soudain tout autre. Grant ne m'en voulait pas pour une raison bien simple : il ne connaissait pas la vérité. Comment avait-il pu l'ignorer, alors qu'à l'époque il vivait avec sa mère ? Je n'en savais rien, et m'abstins de l'interroger.

— Je ne mens pas, affirmai-je, ne trouvant rien d'autre à dire.

Grant laissa tomber sa fourchette dans l'assiette avec un grand bruit. Il se leva.

— Tu n'es pas la seule dont elle a gâché la vie, déclara-t-il avant de sortir de la cuisine dans la nuit.

Je fermai à clé la porte derrière lui.

10

En juillet, le marché était follement animé. Chargées de sacs et d'enfants en bas âge aux joues barbouillées de nectarines, des mères de famille distraites bloquaient les allées où de vieux messieurs poussant des caddies leur adressaient de grands gestes impatients. Des coquilles vides de pistaches craquaient sous mes pieds. Je sautillais pour ne pas perdre Elizabeth. Elle se frayait un passage vers le marchand de mûres.

Après le déjeuner, m'avait-elle promis, nous ferions une tarte aux mûres et de la glace. C'était une façon de me garder dans la maison, à l'abri de la canicule qui battait tous les records de température et loin de ses raisins qui mûrissaient à vue d'œil. J'avais accepté à contrecœur. J'avais passé tout le printemps à assister Elizabeth dans les vignes, et maintenant qu'il n'y avait plus qu'à attendre, je n'avais pas envie de les laisser toutes seules. Elles me manquaient, ces longues matinées consacrées à l'ébourgeonnage, où je coupais les gourmands à la base du pied afin de préserver sa vigueur au plant. Il me manquait mon petit couteau de cuisine qui me servait quand je marchais derrière le petit tracteur avec lequel Elizabeth sarclait les allées entre les rangs, à arracher manuellement les mauvaises herbes qui restaient, comme elle me l'avait appris, assouplissant d'abord les racines de la pointe de la lame, afin d'extraire l'herbe en entier. Je maniais le couteau depuis trois bons mois avant de me décider à informer Elizabeth qu'il était interdit à une famille d'accueil de laisser l'usage d'un couteau à un enfant placé. Elle ne me le retira pas pour autant. « Tu n'es pas un enfant placé », s'était-elle contentée de répliquer. Même si je ne me sentais plus tellement une pupille (et si différente de la fille qui avait débarqué presque un an auparavant que souvent, le matin, je me dévisageais dans la glace de la salle de bains longtemps après qu'Elizabeth m'eut appelée pour le petit déjeuner, guettant les signes physiques de ma métamorphose intérieure), je savais qu'elle se trompait. J'étais encore un enfant placé, et le demeurerais jusqu'au jugement du tribunal en août.

En jouant des coudes pour avancer dans la cohue, je finis par rattraper Elizabeth.

— Une mûre ? m'offrit-elle en me présentant une barquette en carton vert.

Sur une nappe en tissu rouge, le marchand exposait des pyramides de mûres, de framboises et de baies hybrides aux noms curieux, Olallie et Boysen. Je cueillis une mûre dans la barquette. Juteuse et sucrée, elle me teignit en violet l'extrémité des doigts.

Elizabeth empila six barquettes dans un sac en plastique, paya ce qu'elle devait et passa à l'éventaire suivant. Je trottai derrière elle, portant les sacs qui ne tenaient pas dans son cabas en toile. Devant la camionnette du crémier, elle me tendit une bouteille de lait, au verre embué.

— On a fini ? m'enquis-je.

— Presque. Viens ! dit-elle en m'entraînant à l'autre extrémité du marché.

Avant même de passer devant les abricots « Royal », le dernier marchand de la rangée, je compris où on allait. Coinçant la bouteille sous mon bras, je rattrapai de nouveau Elizabeth et tentai de la retenir en la tirant par la manche. Elle accéléra au contraire le pas. Elle ne s'arrêta qu'une fois arrivée devant l'étalage du marchand de fleurs.

Des bottes de roses étaient alignées sur la table. Quand je les vis de près, leur perfection me stupéfia : leurs pétales cireux et veloutés s'imbriquaient les uns dans les autres pour former des corolles de toute beauté. Elizabeth s'était figée, étudiant comme moi les fleurs. Je lui désignai un bouquet mixte, en espérant qu'elle se dépêche de choisir, paye et s'en aille sans rien dire. Sans lui en laisser le temps, l'adolescent qui s'occupait du stand ramassa toutes les fleurs qui restaient sur l'étalage pour les jeter à l'arrière de son pick-up. J'écarquillai les yeux : il refusait de vendre à Elizabeth ! Je guettai la réaction de cette dernière sur son visage, mais elle demeura imperturbable.

— Grant ? prononça-t-elle.

Il ne répondit pas, ne se retourna même pas. Elle fit un deuxième essai.

— Je suis ta tante. Elizabeth. Tu le sais sûrement ?

Le buste à moitié couché sur la plate-forme de son pick-up, il déroula une bâche afin de couvrir les fleurs. Il avait beau avoir les yeux rivés sur ses roses, je voyais bien qu'il avait les oreilles grandes ouvertes. Vu de près, il avait l'air plus vieux. Sa lèvre supérieure s'ornait d'un duvet et, s'il était tout en bras et en jambes, il était aussi très musclé. Je fixai, hypnotisée, le mouvement de son maillot de corps dont le mince tissu blanc s'élevait et s'abaissait entre ses omoplates.

— Tu as l'intention de m'ignorer ? insista Elizabeth.

Comme il se taisait, elle reprit d'une voix changée, sur le ton qu'elle avait parfois employé avec moi les premières semaines : sévère, patient et sujet à d'inattendus éclats de colère.

— Regarde-moi, au moins, tu veux ? Regarde-moi quand je te parle !

Il fit la sourde oreille.

— Cela n'a rien à voir avec toi. Tu n'as jamais été le problème. Cela fait des années que je te regarde grandir de loin, et Dieu sait que j'ai dû me retenir pour ne pas venir ici te prendre dans mes bras...

Grant arrima la toile de bâche. Ses biceps saillirent. J'avais du mal à imaginer quelqu'un le prenant dans ses bras, lui qui avait l'air si fort. Après avoir serré le dernier nœud, il se retourna.

— Tu aurais dû, alors, si c'est ce que tu voulais faire, débita-t-il d'une voix glaciale. Personne ne t'en empêchait.

— Non, rétorqua Elizabeth, tu ne sais pas de quoi tu parles.

Elle s'exprimait à voix basse, avec au fond de la gorge une vibration étouffée que mon expérience dans les familles d'accueil précédentes m'avait appris à identifier comme préliminaire à une agression. Pourtant, elle ne lui sauta pas dessus comme je m'y attendais à moitié. En fait, ce qu'elle dit était tellement sidérant que Grant se tourna vivement vers moi, croisant pour la première fois mon regard.

— Victoria va faire une tarte aux mûres, murmura-t-elle. Passe donc nous voir.

11

Le souvenir du visage de Grant, de son expression déçue, désespérée, m'empêcha de dormir. J'abandonnai l'idée de trouver le sommeil avant l'aube et m'assis à la table de la cuisine, l'oreille guettant le bruit du moteur du pick-up. Le léger coup frappé à la porte me fit sursauter. Lorsque je lui ouvris, Grant passa devant moi, l'air ensommeillé, et monta l'escalier. J'entendis l'eau de la douche. Je me rappelai qu'on était dimanche.

J'avais envie de retrouver la chambre bleue, Renata, mon travail et l'effervescence précédant les fêtes. J'étais restée trop longtemps chez Grant. Seulement, aujourd'hui, il ne se rendrait pas en ville. Je m'assis sur la première marche de l'escalier en me demandant comment le convaincre d'effectuer un aller-retour de trois heures alors que c'était son jour de repos.

Je réfléchissais toujours quand le pied de Grant appuya entre mes omoplates. De surprise, je glissai de la marche sur le sol de la cuisine. Je me dépêchai de retrouver l'équilibre.

— Lève-toi ! dit-il. Je te ramène.

Ces mots m'étaient familiers. Me revinrent en un éclair des variantes de cette phrase entendues au fil des années : « Fais ta valise… Alexis ne veut plus partager sa chambre… On est trop vieux pour repasser par là. »

Le plus souvent, c'était tout simplement : « Meredith vient te chercher » avec, de temps à autre, un « Désolé ».

A Grant, je répondis ce que je disais toujours en ces circonstances :

— Je suis prête.

Munie de mon sac à dos alourdi par son appareil photo et des dizaines de pellicules, je grimpai dans le pick-up. Grant roula à toute allure sur les routes de campagne encore ténébreuses, puis se faufila dans le trafic pour doubler les camions chargés de marchandises. Il sortit par la première bretelle après le Golden Gate Bridge et se gara un peu plus loin dans une rue en contrebas. Il n'y avait pas un arrêt de bus en vue. Impassible, je me tournai des deux côtés de la rue.

— Il faut que je retourne au marché, me dit-il.

Il évitait de me regarder.

Après avoir coupé le moteur, il contourna le pick-up par-devant, ouvrit ma portière et prit mon sac que j'avais posé sur mes pieds. Ce faisant, sa poitrine frôla mes genoux et quand il se redressa, la chaleur combinée de nos deux corps s'envola dans le souffle glacé d'un vent de décembre. Je descendis d'un bond et empoignai mon sac à dos.

C'est donc ainsi que cela se terminait, me dis-je, par un appareil photo bourré d'images d'une ferme où jamais je ne retournerais. Les fleurs me manquaient déjà, mais pour rien au monde je ne me serais permis de regretter Grant.

Je changeai trois fois de bus pour retourner à Potrero Hill, mais il faut dire que j'avais pris le 38 dans la mauvaise direction et m'étais retrouvée à Point Lobos. La matinée était déjà bien entamée quand j'arrivai enfin à Bloom. Renata était en train d'ouvrir. Elle sourit en me voyant.

— Ni travail ni assistante pendant deux semaines, me dit-elle. Je me suis ennuyée à mourir !

— Pourquoi les gens ne se marient-ils pas en décembre ?

— Qu'y a-t-il de romantique dans les arbres sans feuilles et les ciels gris ? Les couples attendent le printemps et l'été, le ciel bleu, les fleurs, les vacances, tout ça.

De mon point de vue, le bleu et le gris étaient des couleurs aussi peu romantiques l'une que l'autre. En outre, une lumière forte n'est pas flatteuse, en photo. Mais les mariées n'étaient pas logiques. Renata m'avait au moins appris ça.

— Quand est-ce que tu auras besoin de moi ? m'enquis-je.

— J'ai un gros mariage à Noël. Ensuite tu es la bienvenue tous les jours jusqu'au premier week-end de janvier.

Je lui demandai à quelle heure elle voulait que je vienne.

— A Noël ? Oh ! tu peux faire la grasse matinée. Le mariage est tard dans la journée, et j'aurai acheté les fleurs la veille. Si tu es ici à neuf heures, ce sera parfait.

Renata sortit de la caisse une enveloppe gonflée de billets et me la donna en claironnant :

— Joyeux Noël !

Un peu plus tard, dans la chambre bleue, je constatai en l'ouvrant qu'elle m'avait payé deux fois la somme prévue. A point nommé pour acheter des cadeaux de

Noël, me dis-je avec ironie, en fourrant l'argent dans mon sac à dos.

Je dépensai la quasi-totalité de ma prime en pellicules chez un grossiste et le restant chez un fournisseur en beaux-arts sur Market Street. Mon dictionnaire ne serait finalement pas un livre. J'achetai deux boîtes de rangement pour photos tendues de tissu, l'un orange, l'autre bleu, des feuilles de papier fort format 13x18, un aérosol de colle « Photo Mount » plus un marqueur argent.

Il me restait dix jours avant Noël. Hormis quelques prises de vue de mon jardin à McKinley Square – la bruyère et l'hélénie ayant survécu en dépit du mauvais temps et de mon abandon de domicile –, je ne fis plus guère de photos. J'avais utilisé vingt-cinq rouleaux de film chez Grant, et il me fallut bien les dix jours pour faire développer toutes mes photos, trier les meilleures, les coller sur les feuilles et écrire les légendes. Sous l'image de la fleur, j'indiquais le nom commun, suivi de son équivalent scientifique, et au dos, je spécifiais sa signification. Je réalisais deux fiches identiques par fleur, que je rangeais chacune dans une boîte.

La veille de Noël, tout était prêt. Natalia et ses musiciens étaient partis là où les gens vont en vacances, et l'appartement était merveilleusement silencieux. Je transportai mes boîtes à l'étage inférieur et étalai mes photos par terre dans la salle de répétition en les alignant de manière à ménager entre les rangées un espace assez large pour mes pieds. Pour la boîte orange, je posai les cartes côté face, fleurs visibles, et pour la bleue, côté pile, fleurs invisibles. Je demeurai là des heures, à mettre mes fleurs en ordre alphabétique, puis à recommencer avec les significations. Après quoi, je remis les fiches dans les boîtes et ouvris le dictionnaire des fleurs d'Elizabeth afin de voir ce qu'il me restait à faire. On était au milieu de l'hiver, et mon ouvrage illustré était déjà à moitié achevé.

Il n'y avait personne dans la pizzeria en haut de la colline. J'achetai une pizza à emporter et la mangeai sur le lit de Natalia, d'où je pouvais contempler la rue en contrebas. Puis je me couchai dans la chambre bleue. J'avais beau être bien au chaud, au calme et dans le noir, mes yeux refusaient de rester fermés. Un rai de lumière argentée, provenant de l'éclairage urbain inondant la chambre de Natalia, passait sous la porte et traçait comme un fin trait de crayon sur le mur opposé et au milieu de mes boîtes à photos. La bleue était de la même couleur que le mur, et l'orange, posée sur sa jumelle, paraissait flotter dans les airs. L'orange n'était pas à sa place.

Sa place était dans la bibliothèque de Grant, en face de son canapé orange. J'avais choisi cette couleur exprès, même si sur le moment je n'avais pas voulu me l'avouer. Grant avait disparu de ma vie. Le risque qu'il se produise des malentendus quand on communiquait par le langage des fleurs ne devait plus me préoccuper, pourtant j'avais acheté une boîte supplémentaire et j'avais confectionné deux séries de fiches. Je déverrouillai ma porte qui donnait sur le séjour et posai la boîte orange à l'extérieur.

12

Grant ne vint pas manger sa part de tarte aux mûres. Il avait eu tort, songeai-je, en léchant le plat le lendemain matin. C'était trop bon.

Alors que je posais le plat dans l'évier, Elizabeth entra en coup de vent du jardin, très essoufflée. Ses cheveux lui tombaient sur les épaules. Tout d'un coup, je me rendis compte qu'en près d'un an, je ne l'avais jamais vue sans son petit chignon serré sur la nuque. Elle me sourit, les yeux débordants de bonheur, ce qui était, aussi, du jamais-vu.

— J'ai tout compris ! s'exclama-t-elle. C'est vraiment trop absurde de ne pas y avoir pensé plus tôt.

— Quoi ?

Sa joie me mettait, je ne sais pourquoi, les nerfs à vif. Je l'interrogeai du regard tout en léchant la gelée de mûres sur la cuillère.

— Quand j'étais en pension, Catherine et moi nous nous écrivions des lettres… jusqu'au jour où ma mère s'est avisée de les intercepter.

— Intercepter ?

— Prendre. Elle les a toutes lues… Elle se méfiait de moi et craignait que je ne corrompe Catherine, même si j'étais encore une enfant alors que ma sœur avait presque l'âge adulte. Nous ne nous sommes plus écrit pendant un moment. Mais juste après son vingtième anniversaire, Catherine a découvert un dictionnaire des fleurs victorien dans la bibliothèque de mon grand-père. Elle a commencé à m'envoyer des dessins de fleurs, avec leurs noms scientifiques soigneusement calligraphiés dans le coin en bas à droite. Elle m'en a envoyé des dizaines accompagnés d'une simple petite phrase : « Tu sais ce que je suis en train de te dire ? »

— Et tu le savais ?

— Non, avoua Elizabeth en secouant la tête au souvenir de ces moments de frustration. J'ai mené une enquête auprès de tous les bibliothécaires et les professeurs que j'avais autour de moi. Mais ce n'est que des mois plus tard que l'arrière-grand-mère de ma camarade de chambre, à la vue des dessins sur mon mur, m'a parlé du langage des fleurs. J'ai déniché un vieux dictionnaire dans la bibliothèque et envoyé tout de suite à ma sœur des fleurs pressées dans une feuille de papier ; pas de dessins, je n'ai jamais su dessiner.

Elizabeth alla chercher dans le séjour une pile de livres qu'elle posa sur la table.

— Dès lors, c'est ainsi que nous avons communiqué. Je lui envoyais des poèmes et de petites histoires en liant plusieurs fleurs séchées sur une ficelle, avec entre elles, des mots dactylographiés sur des bouts de papier : *et, le, la, si, ça*. Ma sœur, de son côté, continuait à m'adresser des dessins, parfois des paysages remplis de différentes variétés florales, toutes légendées et numérotées, de manière à ce que je comprenne par laquelle démarrer pour décoder son message et savoir ce qui se passait dans son existence. Je vivais pour ces missives, et allais jusqu'à vérifier la boîte aux lettres dix fois par jour.

— Et tu crois que ça va t'aider à te faire pardonner ?

Elizabeth, qui s'était tournée pour sortir dans le jardin, se figea dans son élan et pivota pour me dévisager :

— C'est moi qui lui pardonne ! Ne l'oublie pas.

Après avoir inspiré un grand coup, elle débita :

— Voilà ce que je pense. Catherine va se rappeler combien nous étions proches. Elle se rappellera que j'étais celle qui la comprenait le mieux. Même si ses remords l'empêchent de répondre au téléphone, elle me répondra avec des fleurs. J'en suis sûre.

Elizabeth sortit. Quand elle revint, elle avait à la main un bouquet de trois fleurs, toutes différentes. Elle posa une planche à découper sur la table, puis les fleurs et un couteau d'office.

— Je vais t'apprendre, me dit-elle. Et tu vas m'aider.

Je m'assis à la table. Elle avait continué à m'enseigner les fleurs et leur signification, mais pas de façon scolaire. La veille, par exemple, nous avions vu au marché un sac de fabrication artisanale taillé dans un imprimé à petites fleurs blanches. « La pauvreté en guise de sac à main », avait désapprouvé Elizabeth. Me désignant les fleurs du doigt, elle m'avait décrit les caractéristiques de la clématite.

Assis à présent auprès d'elle, je me réjouissais de bénéficier d'une vraie leçon en bonne et due forme. Je serrai ma chaise contre la sienne. Elle ramassa une fleur de la taille d'une noix, violet foncé, au centre jaune vif.

— Primevère, énonça-t-elle en la faisant tourner comme un petit moulinet entre pouce et index avant de la poser, corolle en l'air, sur la peau lisse et blanche de sa paume. *Enfance.*

Je me penchai sur sa main, mon nez presque collé aux pétales. Une odeur forte d'alcool sucré et de parfum lourd pour dames me prit à la gorge. Je me reculai et soufflai fort par le nez.

Elizabeth éclata de rire.

— Je n'aime pas non plus son parfum. Trop sucré, comme si elle essayait de masquer sa véritable odeur... pas terrible.

J'approuvai de la tête.

— Bon, mais si nous ne savions pas que nous avions affaire à une primevère, comment parviendrais-tu à l'identifier ? Voici un guide des fleurs sauvages d'Amérique du Nord classées par couleurs. Primevère devrait être répertoriée dans le « bleu-violet ».

Elle me tendit le livre. Je trouvai le « bleu-violet » et tournai les pages jusqu'à tomber sur le dessin qui correspondait à la fleur. Je lus à haute voix :

— La primevère de Cusick. De la famille des primulacées.

— Très bien, commenta-t-elle en soulevant le deuxième de ses trois spécimens, une grosse fleur jaune dotée de six pétales pointus. Celle-là maintenant. Le lys, *majesté*.

En cherchant dans la rubrique « jaune », je tombai vite sur le dessin correspondant. Je posai un doigt mouillé sur la page qui s'humecta. Elizabeth confirma d'un signe de tête.

— Maintenant, mettons que tu n'arrives pas à trouver le dessin, ou que tu n'es pas sûre que ce soit le bon. C'est là qu'il te faut avoir recours à tes connaissances en botanique. Un guide comme celui-ci est un peu comme un de ces livres où tu choisis tes propres péripéties. Ça commence par des questions très simples, du genre : ta fleur est-elle pourvue de pétales ? Si oui, combien ? Et chaque réponse te conduit à une autre question toujours plus précise.

Elizabeth ramassa le couteau et coupa en deux le lys, dont les pétales s'ouvrirent sur la planche à découper. Elle me montra l'ovaire et appuya mon doigt sur la partie supérieure du stigmate collant, proéminent et allongé.

Après avoir compté les pétales, il fallait décrire leur forme. Elizabeth m'expliqua la notion de symétrie florale, la différence entre les ovaires inférieurs et supérieurs, et les façons variées qu'ont les fleurs de s'insérer sur la tige. Elle vérifia mes connaissances en me présentant sa troisième fleur, une petite violette déjà en train de se faner.

— Bravo, me dit-elle lorsque j'eus répondu à un interminable questionnaire. Très bien. Tu apprends vite. Maintenant, va t'asseoir dans le jardin pendant que je prépare le dîner. Passe du temps devant quelques fleurs en te posant les mêmes questions. Combien de pétales, quelle couleur, quelle forme ? Même si tu sais que c'est une rose, qu'est-ce qui fait que c'est une rose et non un tournesol ?

Laissant Elizabeth à son énumération, je sortis en sautillant de la cuisine.

— Ramasse des fleurs pour Catherine ! me lança-t-elle.

J'étais déjà en bas des marches, hors de vue.

13

Renata eut l'air étonné de me trouver assise sur le seuil de Bloom à sept heures du matin quand elle gara sa camionnette dans la rue déserte. Je n'avais pas dormi de la nuit, et cela se voyait. Elle haussa les sourcils et me sourit.

— Tu as attendu le Père Noël ? Personne ne t'a jamais dit la vérité ?

— Non, fis-je. Personne ne m'a jamais dit la vérité.

Je suivis Renata dans la réserve où je l'aidai à sortir les seaux de roses rouges, d'œillets blancs et de gypsophiles. Les trois variétés que j'aimais le moins.

— Dis-moi, la mariée qui t'a demandé ça doit être une folle furieuse.

— Elle m'a menacée de mort, plaisanta Renata, qui partageait mon dédain pour les roses rouges.

Elle sortit de la boutique, pour revenir quelques minutes plus tard avec deux tasses de café. J'avais déjà terminé trois centres de table.

— Merci, lui dis-je en acceptant le gobelet en carton.

— Il n'y a pas de quoi. Ne va pas si vite. Je ne suis pas pressée de subir le déjeuner de Noël chez ma mère.

Je me saisis d'une rose et avec des gestes au ralenti lui ôtai ses épines, que j'alignai sur la table.

— C'est mieux. Quoique pas encore assez lent.

Nous eûmes beau traîner un maximum, tout fut fini à midi. Renata relut le bon de commande et procéda à une première vérification, puis à une seconde. Quand elle posa sa liste, je m'étonnai :

— C'est tout ?

— Oui. Hélas ! Il ne me reste plus qu'à livrer, et je suis bonne pour la fête de Noël... Tu viens avec moi.

— Non merci, répondis-je.

Je mis mon sac à dos en buvant une dernière gorgée de café froid.

— Si tu crois que tu as le choix, tu te trompes.

Je me serais volontiers rebiffée, mais je me sentais redevable pour la prime, et je n'étais pas contre un repas de fête, même si je me serais passée de l'ambiance qui allait avec. Je n'avais jamais goûté à la cuisine russe – ce serait certainement meilleur que les tranches de jambon blanc que j'avais projeté de consommer directement dans l'emballage.

— Comme tu voudras. Mais j'ai un rendez-vous ailleurs à dix-sept heures.

Elle rit. Elle se doutait bien que je n'avais nulle part où aller le jour de Noël.

La mère de Renata habitait le quartier de Richmond. Nous prîmes le chemin le plus long possible pour traverser la ville.

— Ma mère est infernale, laissa tomber Renata.

— De quelle manière ?

— De toutes les manières.

Elle se gara devant une maison rose vif. Un drapeau de Noël flottait sur une hampe en bois et le modeste porche croulait sous des figurines en plastique phosphorescentes : anges, rennes, chipmunks affublés de bonnets rouges et pingouins avec une écharpe tricotée autour du cou.

Renata poussa la porte, laquelle s'ouvrit sur un mur de chaleur. Des hommes et des femmes étaient perchés sur les coussins, les bras et le dossier du canapé ; des écoliers jouaient à plat ventre sur le tapis, des enfants en bas âge se promenaient à quatre pattes. Je m'empressai d'ôter ma veste et mon pull, mais le chemin jusqu'à la penderie, devant laquelle Renata bavardait avec quelqu'un de mon âge, était bloqué par des tout-petits.

Alors que je me tenais toujours plantée près de la porte d'entrée, une Renata plus âgée et plus douce se faufila dans la cohue avec un plateau en bois chargé de rondelles d'orange, d'amandes, de figues et de dattes.

— Victoria ! s'exclama-t-elle dès qu'elle m'aperçut.

Elle passa le plateau à Natalia, vautrée sur le canapé, et traversa la pièce jusqu'à moi, enjambant les enfants. Lorsqu'elle me serra contre elle, mon visage s'enfonça dans le creux de son aisselle et les grandes manches évasées de son gilet en laine gris s'enroulèrent autour de moi comme les appendices d'un être vivant. Elle était grande et forte. A peine avais-je réussi à me dégager qu'elle me prit par les épaules et m'obligea à lever mon visage vers le sien.

— Adorable Victoria ! dit-elle tandis que ses longs cheveux blancs chatouillaient mes joues. Mes filles m'ont beaucoup parlé de toi... Je t'aimais déjà avant de te rencontrer.

Elle sentait les primevères et le cidre. Je pris mes distances.

— Merci de m'avoir invitée, madame...

Je laissai ma phrase en suspens : Renata ne m'avait jamais dit son nom de famille.

— Marta Rubina mais je ne réponds qu'à « Maman Ruby ».

Elle avança comme pour me donner une poignée de main, puis éclata de rire et m'étreignit de nouveau. Nous étions coincées dans un renfoncement et je crois que sans le soutien du mur auquel j'étais adossée, j'aurais glissé à terre. Elle me passa un bras autour des épaules et entreprit de me présenter à la ronde. Les enfants se dispersaient pour nous laisser le passage, tandis que Renata, assise à présent sur une chaise pliante, nous observait, un sourire amusé aux lèvres.

Maman Ruby me conduisit à la cuisine, où elle me fit prendre place devant deux assiettes qui disparaissaient sous une montagne de nourriture. Sur la première : un poisson entier de belle taille, cuit au four avec des épices et un légume que je ne sus pas identifier. Sur la seconde : des haricots, des petits pois et des pommes de terre saupoudrés de persil. Elle me tendit une fourchette, une cuillère et un bol de soupe aux champignons.

— Ça fait des heures qu'on a terminé, m'informa-t-elle, mais j'en ai gardé un peu pour toi. Renata m'a prévenue que tu aurais faim... Rien ne me fait plus plaisir. J'adore nourrir ma famille.

Maman Ruby s'assit face à moi. Elle enleva les arêtes de mon poisson, plongea le doigt dans mes petits pois, poussa un cri et les mit à réchauffer. Elle me présenta à tous ceux qui passaient par là : ses filles, ses gendres, ses petits-enfants, les copains et copines de divers membres de la famille.

Je levais les yeux et saluais d'un hochement de tête, mais pas une seconde je ne posai ma fourchette.

Je m'endormis – bien malgré moi – chez Maman Ruby. Après le dîner, je m'étais esquivée et réfugiée dans la chambre d'amis où, vaincue par la cuisine lourde et ma nuit d'insomnie de la veille, j'avais glissé dans l'inconscience avant même de remonter le drap sur mes épaules.

Une odeur de café me réveilla le lendemain matin. Je m'étirai et sortis dans le couloir en quête de la salle de bains. La porte était ouverte. Maman Ruby était sous la douche, derrière un rideau en plastique translucide. Je pris aussitôt mes jambes à mon cou alors qu'elle s'écriait :

— Entre ! Il n'y a qu'une salle de bains. Ne fais pas attention à moi !

Je retrouvai Renata dans la cuisine, en train de se verser du café. Elle me tendit une tasse.

— Ta mère est sous la douche, l'informai-je.

— Avec la porte ouverte, je parie, dit-elle en bâillant.

Je confirmai.

— Désolée.

Je me servis à mon tour de café et m'adossai à l'évier.

— En Russie, ma mère était sage-femme. Elle a l'habitude de voir les femmes nues quelques minutes seulement après les avoir rencontrées. La Californie des années soixante-dix lui allait comme un gant, et je ne crois pas qu'elle ait remarqué que les choses ont changé.

Maman Ruby surgit alors, drapée dans un peignoir corail.

— Qu'est-ce qui a changé ? interrogea-t-elle.

— La nudité.

— Je ne pense pas que la nudité ait changé depuis la naissance du premier être humain, déclara Maman Ruby. Seule la société change.

Renata leva les yeux au ciel et, à mon bénéfice, expliqua :

— Ma mère et moi nous disputons sur ce point depuis que j'ai eu l'âge de raison. A dix ans, je lui ai dit que je ne voulais pas d'enfants parce que je refusais de me retrouver de nouveau nue devant elle. Et regarde-moi... cinquante ans, et sans enfants.

Maman Ruby cassa un œuf dans une poêle. L'huile grésilla.

— J'ai mis au monde mes douze petits-enfants, me précisa-t-elle, manifestement très fière.

— Vous êtes encore sage-femme ?

— Pas légalement. Mais on m'appelle encore à deux heures du matin des quatre coins de cette ville. Et je me déplace chaque fois.

Elle me tendit des œufs au plat cuits à la perfection.

— Merci.

Après les avoir mangés, j'allai au bout du couloir et m'enfermai à double tour dans la salle de bains.

— Explique-moi un peu mieux, si tu veux bien, la prochaine fois, lançai-je à Renata dans la camionnette alors que nous retournions à Bloom un peu plus tard au cours de la matinée.

Reposées et repues, nous étions prêtes pour affronter une semaine pleine de mariages.

— Si je t'avais prévenue, tu ne serais pas venue. Et tu avais besoin de dormir un peu et de te mettre quelque chose dans le ventre. Ne me dis pas le contraire.

Je ne discutai pas.

— Ma mère est une célébrité dans le milieu des sages-femmes. Elle a tout vu, et ses résultats sont bien meilleurs que ceux de la médecine moderne, alors que logiquement ce devrait être le contraire. Tu finiras par la trouver géniale, comme la plupart des gens.

— Mais pas toi ?

— Je respecte ma mère, déclara Renata en marquant un temps de pause. C'est juste qu'on est différentes. Tout le monde pense a priori qu'il existe une continuité biologique entre les mères et leurs enfants, ce n'est pas toujours vrai. Tu ne connais pas mes autres sœurs, mais regarde déjà Natalia, ma mère et moi…

Elle avait raison : ces trois-là n'auraient pas pu être plus différentes !

Tout en dressant une liste des quantités de fleurs à commander, je pensais à la mère de Grant. Je me souvenais de sa main pâle sortant du néant lors de ma visite avec Elizabeth. Quelle avait bien pu être l'enfance de Grant ? Seul, entouré de fleurs, et sa mère qui déambulait de pièce en pièce, oscillant entre le présent et le passé. Je lui poserais la question s'il voulait bien m'adresser de nouveau la parole.

Il ne se montra pas au marché aux fleurs cette semaine-là ni la suivante. Son stand vide n'offrait que des contreplaqués lépreux et un air d'abandon. Je me demandais s'il allait jamais revenir, ou si la perspective de me revoir suffisait à l'éloigner définitivement.

Rongée par cette absence, je voyais bien que mon travail s'en ressentait. Renata se mit à s'asseoir à côté de moi et à meubler nos habituels silences de récits humoristiques dont les protagonistes étaient sa mère, ses sœurs, ses nièces et neveux. Je ne l'écoutais que d'une oreille, mais son babillage ininterrompu me permettait de rester concentrée sur les fleurs.

Le Nouvel An s'envola dans un froufrou de mariages en blanc et de bouquets de perce-neige. Grant n'avait toujours pas reparu au marché. Renata m'offrit une semaine de congé. Je me confinai dans la chambre bleue, nc sortant que pour manger et aller aux toilettes. Chaque fois que je me trouvais sur le seuil de ma chambre, mes yeux tombaient sur la boîte à photos orange et ma poitrine se gonflait de chagrin.

Renata ne m'attendait pas avant le dimanche suivant, pourtant le samedi après-midi, on frappa à ma porte. Je pointai la tête et vis Natalia, encore en pyjama et de mauvaise humeur.

— Renata a téléphoné, m'annonça-t-elle. Elle a besoin de toi. Elle voudrait que tu prennes une douche et que tu la rejoignes aussi vite que possible.

Une douche ? me dis-je. Drôle de requête. Sans doute avait-elle besoin de mon aide pour une livraison. Elle avait supposé, à juste titre que j'étais en train de dormir et que je ne m'étais pas beaucoup lavée pendant la semaine…

Je pris tout mon temps, je me fis un shampoing et me brossai les dents avec de l'eau brûlante. En me frictionnant avec la serviette, je vis que j'avais la peau rouge et marbrée. Je choisis dans mes affaires ma tenue la plus élégante : un ensemble pantalon noir et un chemisier blanc tout doux, avec un plastron plissé comme une chemise de smoking. J'égalisai mes pointes puis passai un coup de sèche-cheveux sur mes épaules comme chez le coiffeur.

En arrivant à Bloom, j'aperçus de loin une silhouette familière assise au bord du trottoir désert, un carton ouvert sur les genoux. Grant. La raison de l'appel de Renata ! Je m'arrêtai et contemplai son profil, grave et attentif. Il se tourna vers moi et, dans le même mouvement, se leva.

Chacun se mit à marcher à tout petits pas jusqu'à ce que nos trajectoires se rejoignent à mi-côte. Grant me parut soudain très grand. Je ne voyais pas ce qu'il y avait dans la boîte en carton qu'il tenait sous son menton.

— Tu es joliment habillée, me dit-il.

— Merci.

Je ne pouvais pas lui retourner le compliment. Il avait déjà une journée de travail derrière lui. Cela se voyait à ses genoux tachés de terre et à la boue fraîche qui collait aux semelles de ses souliers. Et puis il sentait fort, pas comme les fleurs, comme un homme mal lavé : sueur, cigarette et terreau mélangés.

— Je ne me suis pas changé, s'excusa-t-il, prenant apparemment tout à coup conscience de son apparence. J'aurais dû.

— Ça ne fait rien.

Je cherchais à être gentille, mais il me sembla soudain que je n'avais réussi qu'à le rembarrer. La figure de Grant s'allongea et je fus traversée d'un éclair de colère, pas contre Grant, contre moi-même, parce que j'étais décidément incapable de maîtriser les subtilités de l'intonation. En guise de geste d'excuse, toujours maladroite, j'avançai d'un pas.

— Je sais, répliqua-t-il. J'ai juste fait un saut parce que je me suis dit que tu serais contente d'avoir ça... pour ton amie.

Il abaissa le carton. Je reconnus les six pots en céramique d'où jaillissaient en touffes légères et vaporeuses des fleurs d'un jaune ensoleillé à l'extrémité de leurs longues tiges. Les jonquilles... Un parfum suave, entêtant m'emplit les narines.

Je plongeai les bras dans la boîte, croyant que j'allais pouvoir soulever les six pots à la fois. Cette couleur, j'avais tellement envie de l'avoir tout autour de moi. Grant baissa encore le carton et à force de tirer doucement, je réussis à les prendre tous les six. J'enfouis mon visage dans les pétales. Pendant un moment, les pots restèrent bien calés dans mes bras, puis les deux du milieu glissèrent et se fracassèrent sur le trottoir, les bulbes roulant sur le côté dans une giclée de terre, les hampes tordues. Grant tomba à genoux pour les ramasser.

Je serrai les quatre rescapés contre ma poitrine, en les baissant un peu afin d'observer Grant par-dessus les pétales. Il prit les bulbes au creux de ses mains puissantes et redressa les tiges, en prenant soin de les enrouler dans leurs longues feuilles pointues aux endroits où elles avaient été fragilisées par leur chute.

— Où tu veux que je les mette ? me demanda-t-il en levant les yeux vers moi.

Je m'agenouillai à côté de lui.

— Ici, indiquai-je en désignant du menton les pots dans mes mains.

Il écarta les touffes jaunes et déposa les bulbes blessés au pied des jonquilles. Grant ne retira pas ses mains tout de suite. A son souffle régulier et lent, je le sentais en train de se préparer à partir.

Je relâchai les muscles de mes bras et les pots glissèrent sur mes genoux comme au ralenti. Les mains de Grant suivirent le mouvement. Je les pris dans les miennes et les levai vers mon visage, contre mes lèvres, mes joues, mes paupières. Je les nouai autour de ma nuque et l'attirai vers moi. Nos fronts se touchèrent. Je fermai les yeux. Sa bouche était douce et pleine, même si sa lèvre supérieure piquait un peu. Je l'entendis retenir sa respiration. Je l'embrassai de nouveau, avec plus de force, avidement. Je me rapprochai à genoux en renversant les pots de jonquilles, mue par le désir d'être plus près de lui encore, de l'embrasser plus passionnément, plus longtemps, pour lui montrer combien il m'avait manqué.

Lorsque, essoufflés, nos corps s'arrachèrent à cette étreinte, un seul pot avait roulé en bas de la côte, d'un jaune d'or d'une intensité presque insoutenable sous le soleil d'hiver.

J'avais peut-être tort finalement, me dis-je en regardant les jonquilles s'agiter dans la brise. Il était possible, après tout, que chaque fleur possède une signification, cachée quelque part dans le solide tube de sa tige, dans le délicat assemblage de ses pétales.

En tout cas, une chose était sûre : Annemarie allait être contente !

14

Assise sur les marches du porche, je triais les minuscules fleurs blanches de camomille qui s'entassaient à mes pieds. Tendu entre Elizabeth et moi, un mètre cinquante de ficelle était enfilé à chaque bout dans une aiguille. Le travail avançait vite. Il suffisait de transpercer le petit coussin jaune en poussant les fleurs vers le milieu. De temps à autre, distraite par un insecte ou un fragment de bois, je marquais une pause. Elizabeth, elle, ne s'arrêtait jamais. Une heure nous suffit à créer un délicat ruban frangé de pétales nous reliant l'une à l'autre.

— Définition ? lançai-je.

Elizabeth, pliée en deux, passait un petit papier carré à l'extrémité de notre ruban. J'eus tout juste le temps de voir qu'il y avait écrit dessus *août* et un 2, et *s'il te plaît*, répété plusieurs fois, ainsi qu'une phrase qui pour moi équivalait à un mensonge : *Je ne peux pas faire ça sans toi.*

Elizabeth enroula le cordon fleuri en prononçant :

— Energie dans l'adversité.

Rien n'aurait pu exprimer de façon aussi concise son état d'esprit. Depuis qu'elle avait décidé de communiquer avec sa sœur par le langage des fleurs, Elizabeth ne s'était pas accordé un seul moment de répit. Elle plantait des semences, arrosait, inspectait les bourgeons à peine éclos, attendait – une attente active, physique, meublée d'allées et venues – une réponse.

— Viens avec moi, me dit Elizabeth en grimpant dans son pick-up après avoir posé le rouleau de camomille entre nous deux.

Devant la propriété de Catherine, elle descendit, laissant le moteur en marche, drapa notre œuvre autour du piquet en bois de la boîte aux lettres de Catherine et glissa sa missive dans la fente. Puis elle remonta dans son camion et reprit la route en sens contraire du vignoble.

— Où on va ? m'enquis-je.

— Faire des courses.

Comme ses cheveux soulevés par le vent lui fouettaient le visage, elle remonta ses cuisses pour caler le volant pendant qu'elle se faisait une queue-de-cheval. Elle m'adressa un sourire malicieux.

— Où ? fis-je.

Il y avait bien à un peu plus d'un kilomètre un magasin où elle avait acheté mon imperméable et des sabots pour le jardin, mais il était dans la direction opposée.

— Chestnut Street. San Francisco. C'est là que se trouvent les boutiques de luxe pour enfants, qui vendent des sweats en velours pour nouveau-nés à deux cents dollars pièce, des robes en organza pour les enfants en bas âge, tu vois le genre. Ta robe d'adoption va me coûter plus cher que ce que je peux tirer de deux tonnes de raisins… Mais c'est maintenant ou jamais. Tu as dix ans, tu sais ? La semaine prochaine, tu seras *ma* petite fille. Hélas ! petite plus pour longtemps. Il faut que j'en profite un peu.

Elle me sourit de nouveau, et son sourire était une invitation.

Je me rapprochai et posai ma tête sur son épaule. Elle m'avait appris à me tenir droite sur mon siège quand nous étions dans le camion, afin d'éviter d'être arrêtée pour manquement au port de la ceinture, mais aujourd'hui son sourire m'autorisait à faire une exception. Elle conduisait un bras sur le volant, l'autre autour de mes épaules, m'attirant contre elle. Personne ne m'avait encore emmenée acheter des vêtements neufs autres que strictement utilitaires. Je n'aurais pas pu rêver meilleure façon de commencer ma vie en tant que fille légitime. Sur le pont et dans les rues de la ville, je fredonnais les vieux airs qui passaient à la radio, partagée entre l'envie que cette journée ne se termine jamais et celle d'être déjà le lendemain, ou plutôt après le surlendemain, jour de mon adoption.

Elizabeth se gara dans Chestnut Street. Je m'engouffrai à sa suite dans un magasin vide, à l'exception d'une vendeuse debout derrière un meuble tout en verre occupée à accrocher des clips d'oreilles en diamants à un arbre découpé dans de la feutrine.

— Je peux vous aider ? demanda-t-elle, me souriant avec l'air de me porter un vif intérêt.

— Nous cherchons quelque chose pour Victoria, répondit Elizabeth.

— Quel âge as-tu, ma chérie ? Sept ans ? Huit ans ?

— Dix, l'informai-je.

La vendeuse parut gênée, mais je n'étais pas du tout vexée.

— Quand on croit deviner, on se trompe souvent, comme dit le proverbe. Je vais vous montrer ce que j'ai dans ta taille.

Je la suivis dans le fond de la boutique, où des robes suspendues à un portant posaient devant un grand miroir équipé d'une barre de danse. Elizabeth agrippa la barre, écarta les jambes et s'accroupit, les pieds tournés vers l'extérieur. Aussi mince et élancée qu'une ballerine, elle n'en avait pas pour autant, et de loin, la grâce. Nous avons toutes les deux bien ri.

J'examinai les robes une à une sur la tringle, puis recommençai.

— Si aucune ne te plaît, déclara Elizabeth derrière moi, il y a d'autres boutiques.

Là n'était pas le problème. Je les aimais toutes. Ma main se posa sur des bretelles en velours. Je soulevai la robe et la tins contre moi. Alors que ce n'était qu'un huit ans, elle m'arrivait déjà sous les genoux. Le haut uni, bleu pâle, était rattaché à la jupe imprimée par une ceinture en velours marron qui se nouait dans le dos. C'était le motif de l'imprimé qui avait attiré mon œil : des dessins de fleurs brunes sur fond bleu. Leur profusion de pétales disposés en rond me rappelait la rose aux cent feuilles ou le chrysanthème. Je me tournai vers Elizabeth.

— Essaye-la, me dit-elle.

Je me déshabillai dans la cabine. Debout devant le miroir, en culotte de coton blanche, Elizabeth assise derrière moi, je m'étudiai : la peau blanche, sans une marque, les hanches étroites dans le prolongement de la taille – je n'en avais pas. Elizabeth me couvait des yeux, d'un air si fier et tendre que je me figurais que c'était ainsi qu'une mère devait regarder sa fille biologique, dont le corps avait entièrement été formé dans le sien.

— Les bras en l'air, me dit-elle.

Après m'avoir passé la robe par la tête, elle attacha les bretelles du haut sur ma nuque et les autres un peu au-dessus de ma taille.

La robe m'allait à ravir. Je contemplai mon reflet et soulevai les pans de la jupe pour mieux la déployer.

A cet instant, je croisai le regard d'Elizabeth. Elle était tellement émue que je n'aurais su dire si elle était au bord du rire ou des larmes. Elle me serra contre elle, passant ses bras sous les miens et plaquant ses mains contre ma poitrine. Je sentis ses côtes contre l'arrière de ma tête.

— Comme tu es belle... Mon bébé.

Bizarrement, ces mots sonnèrent juste. J'eus soudain l'impression d'être un tout petit enfant – un nouveau-né – bien au chaud, niché dans ses bras. Un peu comme si ma propre enfance appartenait à une autre que moi, une fille qui n'existait plus, une fille qui avait été remplacée par celle qui me regardait fixement dans la glace.

— Catherine va t'aimer, elle aussi, me murmura Elizabeth. Tu verras.

15

Avant le coup d'envoi de la saison des mariages, Renata m'engagea à plein temps. Elle était prête à prendre en charge mon assurance-maladie ou à m'offrir une prime. Comme j'étais en parfaite santé, et que j'en avais assez de dépendre de Grant pour me conduire à la ferme, j'optai pour la prime.

Le batteur de Natalia me vendit son vieux véhicule à cinq portes, sa nouvelle batterie – qui faisait encore plus de vacarme, me semblait-il, que l'ancienne – étant trop volumineuse pour la taille du coffre, il empocha ma prime et me passa sa carte grise. La transaction me parut correcte, mais aussi je n'y connaissais rien. Je n'avais pas mon permis et ne savais pas conduire. Grant remorqua ma nouvelle acquisition jusqu'à la ferme et ne me laissa franchir le portail que des semaines plus tard. Et alors j'eus seulement le droit d'aller au drugstore et d'en revenir. J'étais toujours terrifiée. Il me fallut encore un mois pour me sentir prête à prendre le volant seule en ville.

Ce printemps-là, je passai mes matinées à travailler pour Renata et mes après-midi à compléter mon dictionnaire. Après avoir pris en photo tout ce qu'il y avait chez Grant, j'explorai le Golden Gate Park et le front de mer. La Californie du Nord est en soi un véritable jardin botanique. Des fleurs sauvages poussent entre les autoroutes, de la camomille dans les fissures des trottoirs. Grant m'accompagnait parfois ; il excellait dans l'art d'identifier les plantes, mais se lassait vite des petits jardins publics aux pelouses parsemées d'amateurs de bains de soleil ultra-minces.

Le week-end, quand Renata et moi terminions à temps, Grant et moi partions nous promener dans la forêt de séquoias géants au nord de San Francisco. Nous restions un bon moment dans le parking à observer quels étaient les sentiers les plus fréquentés, afin de mieux les éviter. Nous aimions nous retrouver seuls au milieu des arbres. Grant se contentait de me regarder photographier, intarissable à propos de l'écosystème de chaque espèce en relation avec les autres. Une fois qu'il avait terminé son exposé, il s'adossait au tronc moussu d'un séquoia, renversait la tête en arrière et se perdait dans la contemplation du ciel pâle à travers les branchages. Le silence s'étirait entre nous, et je m'attendais toujours à ce qu'il évoque Elizabeth ou Catherine, ou bien le soir où il m'avait accusée de mentir. Je n'avais pas encore trouvé quelle réponse lui donner, comment lui expliquer la vérité sans le perdre pour toujours. Mais Grant ne fit aucune allusion au passé, ni dans la forêt ni ailleurs. Il paraissait satisfait de cette vie que nous menions, centrée sur les fleurs et le moment présent.

Souvent, je dormais au château d'eau. Grant s'était mis sérieusement à apprendre à cuisiner, et sur le plan de travail les livres de recettes illustrées s'entassaient. Pendant que je lisais ou que je regardais par la fenêtre, ou lui racontais une histoire drôle à propos d'une mariée, Grant éminçait, assaisonnait et touillait. Après le dîner, il m'embrassait, une fois, et attendait de voir ma réaction. Parfois je lui rendais son baiser. Alors il me prenait dans ses bras et nous restions enlacés dans l'encadrement de la porte pendant une demi-heure. D'autres fois, mes lèvres restaient scellées et froides. Moi-même, j'étais incapable de prévoir ma réaction. Face à l'intensification de notre relation, j'étais envahie à parts égales de peur et de désir, sans savoir jamais quel sentiment l'emporterait. A la fin de la soirée, il sortait rejoindre l'endroit où il dormait, tandis que je fermais à clé derrière lui.

A la fin mai, alors que nous reproduisions depuis des mois ce rituel, Grant se pencha comme pour m'embrasser, mais s'arrêta avant que ses lèvres ne se posent sur les miennes. Plaquant sa main au bas de mon dos, il m'attira contre lui de sorte que nos corps soient en contact, pas nos visages.

— Je crois qu'il est temps, dit-il.

— De quoi ?

— Que je récupère mon lit.

Je fis claquer ma langue contre mon palais et me tournai vers la fenêtre.

— De quoi tu as peur ? murmura-t-il comme je restais silencieuse.

Je réfléchis à sa question. Il avait raison. Je le savais. C'était la peur qui se dressait entre nous. De quoi précisément avais-je peur ?

— Je n'aime pas qu'on me touche, dis-je, répétant les mots de Meredith.

Alors même que j'articulais ces paroles, je savais qu'elles n'avaient pas de sens. Nous étions collés l'un à l'autre, et je ne me dérobais pas.

— Je ne te toucherai pas. A moins que tu ne me le demandes.

— Même quand je dors ?

— Surtout pas quand tu dors.

Même si j'avais confiance en lui, je me méfiais.

— Tu peux dormir dans ton lit si tu veux, moi, je prends le canapé. Et si jamais je me réveille et que je te trouve à côté de moi, je te préviens, je rentre tout droit à San Francisco.

— Sois tranquille. Je te promets.

Cette nuit-là, allongée sur le canapé, je luttai contre le sommeil, décidée à n'y céder que lorsque Grant serait endormi, mais voilà, il ne dormait pas non plus. Il se tournait et se retournait à l'étage au-dessus, réarrangeait ses couvertures, renversait une pile de bouquins. Et, finalement, à l'issue d'un silence prolongé, alors que j'étais sûre qu'il s'était enfin endormi, j'entendis frapper au plafond. L'instant d'après, un chuchotement dégringolait la cage d'escalier :

— Victoria ?

— Oui ?

— Bonne nuit.

— Bonne nuit, soufflai-je en cachant un sourire dans le velours orange.

Après une saison entière de jonquilles, Annemarie était méconnaissable. Elle venait chaque vendredi matin chercher un bouquet frais. Ses joues s'étaient teintées de rose, et comme elle ne se sanglait plus dans son lourd manteau, on découvrait les lignes douces de son corps soulignées par de fins tricots de coton. Bethany, m'annonça-t-elle, était partie en Europe pour un mois, avec Ray. Elle reviendrait fiancée. Son ton était catégorique, comme si c'était déjà fait.

Annemarie me ramenait ses amies, souvent accompagnées de fillettes froufroutantes. Ces dames étaient toutes malheureuses en mariage. Appuyées au comptoir pendant que les enfants sortaient des seaux des fleurs plus grandes qu'eux et gambadaient autour de la boutique, elles me confiaient leurs difficultés de couple, essayant d'en cerner l'origine. Je leur conseillais de chercher un mot qui résumait leur problème, et elles buvaient mes paroles. C'étaient des conversations tout à la fois tristes et cocasses, bizarrement optimistes. L'obstination de ces femmes à vouloir réparer leur couple me laissait rêveuse. Je ne comprenais pas pourquoi elles n'abandonnaient pas tout simplement.

A leur place, j'aurais tout quitté : le mari, la marmaille et les copines qui m'offraient une oreille attentive. Cela dit, pour la première fois de ma vie, cette pensée ne m'apportait aucun soulagement. Je commençais à remarquer comment je m'arrangeais pour rester isolée. Il y avait des choses évidentes, comme loger dans un placard pourvu de six serrures, mais aussi des moyens plus subtils, tels que me poster de l'autre côté de la table par rapport à Renata lorsqu'on travaillait ensemble, ou me camper derrière la caisse enregistreuse lorsque je parlais aux clientes. Dès que je le pouvais, je me séparais physiquement des autres en me coulant derrière des cloisons en plâtre, des tables en bois massif, de lourds objets métalliques.

Toujours est-il qu'en six mois, avec d'infinies précautions, Grant avait réussi à saper mes défenses. Non seulement je lui permettais de me toucher, mais encore je ne demandais que ça ! Peut-être que, au bout du compte, j'étais capable de changer. Je me prenais à espérer que ma faculté de détachement s'émoussait, un peu comme quand les enfants prennent goût aux oignons et aux plats épicés.

Fin mai, j'avais presque achevé mon dictionnaire. Je pris en photo les quelques plantes rares qui me manquaient encore au conservatoire des fleurs du Golden Gate Park. Après avoir imprimé, monté et légendé chaque cliché, j'inscrivais une croix dans ma liste. A la fin, je feuilletai celle-ci pour voir si j'avais des lacunes à combler. Une seule : la fleur de cerisier. Comment avais-je pu l'oublier ? J'étais furieuse contre moi-même. Les cerisiers étaient nombreux autour de la baic, et on en trouvait une douzaine de variétés rien que dans le jardin de thé japonais. Hélas ! leur période de floraison était brève – quelques semaines, parfois quelques jours selon les années – et je l'avais laissée passer par pure distraction.

Grant saurait où en dénicher, même hors saison, me dis-je. J'inscrivis le nom de la seule fleur qui me manquait sur un morceau de papier que je scotchai sur la boîte orange. Le moment était venu de la lui apporter.

Je plaçai la boîte sur le siège arrière de ma voiture et la calai avec la ceinture de sécurité. On était dimanche. J'arrivai au château d'eau avant le retour de Grant du marché. J'ouvris avec le double de clé et sortis du placard une miche de pain aux raisins. La boîte, dont l'orange vif tranchait sur la surface patinée de la table, me parut occuper trop de place. Un objet criard dans cette petite cuisine discrète aux ustensiles désuets. J'étais sur le point de la monter à l'étage, quand j'entendis le pick-up de Grant freiner sur le gravier.

Il n'avait pas plus tôt ouvert la porte, qu'il piquait droit sur la boîte, sourire aux lèvres.

— Alors, c'est le dictionnaire ? s'enquit-il.

Je confirmai d'un signe de tête en lui tendant le bout de papier où était écrit le nom de la fleur manquante.

— Pas tout à fait complet.

Grant laissa le papier s'envoler et souleva le couvercle. Il inspecta les fiches une à une, admirant les photos. J'en retournai une pour lui montrer la signification, puis la rangeai et rabattis le couvercle sur ses doigts.

— Tu regarderas plus tard, dis-je en ramassant le papier que j'agitai sous son nez. Pour le moment, j'ai besoin de ton aide pour trouver ça !

Il secoua la tête.

— Une fleur de cerisier ? Il va te falloir patienter jusqu'à avril prochain.

Mon appareil photo heurta le bord de la table.

— Presque un an ? Je ne peux pas attendre aussi longtemps.

— Qu'est-ce que tu veux que j'y fasse ? répliqua Grant en riant. Même si je plantais un cerisier dans la serre, il ne fleurirait pas.

— Alors, je fais comment ?

Sachant que je n'allais pas lâcher aussi facilement, il s'accorda quelques instants de réflexion avant de répondre :

— Regarde dans mes livres de botanique.

Je fronçai le nez et me rapprochai de lui comme si j'allais l'embrasser, au lieu de quoi je frottai mon nez contre sa joue râpeuse et lui mordillai l'oreille.

— S'il te plaît.

— S'il te plaît, quoi ?

— S'il te plaît, pense à quelque chose de plus beau que les illustrations d'un manuel scientifique.

Grant se tourna vers la fenêtre. Il semblait débattre intérieurement. Presque comme s'il avait dans sa poche un rameau de fleurs de cerisier et qu'il se demandait si je le méritais. Finalement, il opina.

— Bien. Suis-moi.

Mettant l'appareil autour de mon cou, je lui emboîtai le pas. Il se dirigea vers la maison principale. Pêchant une clé dans sa poche, il ouvrit la porte de derrière, laquelle donnait sur une buanderie. Suspendu sur l'étendoir, un chemisier rose pâle se balança dans le courant d'air. Dans la cuisine, les rideaux étaient tirés, les plans de travail noirs de poussière. Les appareils tous débranchés. Le silence du réfrigérateur me troubla.

Par une porte battante, on accédait à une salle à manger. La table avait été poussée sur le côté afin de laisser la place à un sac de couchage. Sur le plancher près du duvet, je reconnus le sweat de Grant et des chaussettes en boule.

— Après que tu m'as expulsé de chez moi, dit-il en souriant.

— Tu n'as pas de chambre ?

— Je n'y ai pas dormi depuis dix ans. Si tu veux savoir, je ne suis monté à l'étage qu'une seule fois depuis la mort de ma mère.

De la cage d'escalier, à ma gauche, je ne discernais dans la pénombre qu'une belle rampe en bois torsadé. Grant s'en approcha.

— Viens, me dit-il. J'ai quelque chose à te montrer.

En haut de l'escalier, le palier se prolongeait par un couloir bordé de portes closes des deux côtés. A l'extrémité du corridor se tenaient cinq marches et une porte basse. Je dus me baisser pour ne pas me cogner la tête.

Il faisait plus chaud dans la petite pièce que dans le reste de la maison, et il flottait dans l'air une odeur de poussière et de peinture éventée. Je sus avant même de repérer la fenêtre cintrée condamnée par des planches que je me trouvais dans l'atelier de Catherine. Lorsque mes yeux s'accommodèrent à l'obscurité, je vis les boiseries aux murs, la grande table à dessin, les étagères encombrées. Des pots à moitié pleins de peinture violette étaient alignés sur la plus haute, des pinceaux avaient séché dans des fonds de lavande et de pervenche. Sur une ficelle tendue autour de la pièce, des dessins – de généreux entrelacs de fleurs au crayon et fusain – étaient maintenus par des pinces à linge.

— Ma mère était une artiste, prononça Grant avec un geste vers les dessins. Elle passait des heures chaque jour ici. Toute sa vie, elle n'a peint presque que des fleurs : rares, tropicales, éphémères, fragiles... Elle vivait dans la crainte de ne pas avoir la fleur qu'il fallait pour exprimer ses pensées au fil des jours.

Il m'entraîna devant un meuble de rangement et ouvrit le tiroir du milieu. Une étiquette indiquait *L-Q*. Chaque dossier portait le nom d'une plante, et contenait un seul dessin : lys, marguerite, menthe, œillet, passiflore, pervenche. Il fit défiler les P jusqu'à *Peuplier, blanc*. Il ouvrit la chemise : vide. Le dessin se trouvait dans la chambre bleue, encore enroulé et retenu par le ruban de soie où il avait inscrit le jour, l'heure et le lieu pour notre premier rendez-vous.

Grant ferma le tiroir pour en ouvrir un autre. Il finit par en extraire un dessin de fleur de cerisier. Après l'avoir posé sur la table, il s'en alla, me laissant seule.

Je m'assis pour mieux admirer le travail. Des traits rapides, fermes et déterminés. Des ombres profondes et complexes. La fleur qui occupait la feuille entière était d'une beauté inouïe. Je me mordis la lèvre.

A son retour, Grant me regarda avec insistance.

— Signification ? lança-t-il.

— *Bonne éducation.*

Il secoua la tête.

— *Caractère de ce qui est éphémère.* La beauté et la fragilité de l'existence.

Cette fois, c'était lui qui avait raison. Je marquai mon approbation d'un signe de tête.

Grant me montra le marteau qu'il était allé chercher et détacha une planche de la fenêtre. Un pinceau de lumière tomba sur la table à la manière d'un projecteur. Grant plaça le dessin dans le rectangle de soleil et s'assit au bord de la table.

— Tu peux appuyer sur le bouton, me dit-il en caressant l'appareil avant de laisser glisser ses doigts pour me caresser moi.

Il ne me lâcha pas des yeux tandis que je sortais l'appareil de sa housse et faisais la mise au point. Je pris le dessin sous plusieurs angles : campée sur le plancher, debout sur une chaise, devant la fenêtre afin que l'écran de mon corps adoucisse la lumière. Je réglai avec soin la vitesse et la profondeur de champ. Le regard de Grant se posait partout, sur mes doigts, mon visage, mes pieds, sur le plateau de la table. Je consommai toute une pellicule. Il ne cilla pas quand je mis une deuxième bobine dans l'appareil, puis une troisième. Sous son regard, j'avais l'impression que ma peau se soulevait, comme si toute l'enveloppe de chair de mon corps était attirée par lui sans en avoir reçu l'autorisation de mon esprit.

Je rangeai le dessin dans son dossier. Demain, les photos seraient développées et mon dictionnaire serait complet ! Je fis pivoter mon appareil vers Grant, toujours assis au bord de la table, et étudiai ses traits dans le viseur.

Le soleil nimbait d'or son profil. Je tournai autour de lui en prenant son visage entre ombre et lumière. Je mitraillai son corps tout entier, commençant par le haut de sa tête. Je remontai ses manches afin de photographier ses bras, l'os dur et rond à son poignet, ses doigts épais, ses ongles en deuil. Je lui ôtai ses chaussures pour prendre la plante de ses pieds. Lorsque je n'eus plus de pellicule, je décrochai l'appareil de mon cou.

Je déboutonnai mon chemisier, l'enlevai.

La chair de poule disparut de mes bras pour apparaître sur ceux de Grant. Je montai sur la table.

Il s'assit sur les talons et se déplaça de manière à me faire face, puis posa ses deux mains à plat sur mon ventre. Ses doigts se soulevaient et s'abaissaient en rythme avec ma respiration de plus en plus profonde. Je me tenais cramponnée au bord de la table.

Ses mains migrèrent dans mon dos. Il ouvrit mon soutien-gorge, tout doucement, un crochet après l'autre. Détachant mes doigts de la table, il fit glisser la bretelle sur un bras, puis l'autre. Je repris ma position, comme si je tentais de garder l'équilibre sur une barque en perdition.

— Tu es sûre ? souffla-t-il.

Je confirmai d'un signe de tête.

Il m'allongea en soutenant ma tête pour ne pas qu'elle cogne sur le bois. Il me déshabilla entièrement, puis se déshabilla à son tour.

S'étendant à côté de moi, Grant commença par déposer une pluie de baisers sur mon visage. Je me tournai vers la fenêtre, de peur d'éprouver du dégoût devant son corps nu. Je n'avais jusqu'ici vu qu'un seul adulte nu, Maman Ruby, et le souvenir de ses chairs flasques et mouillées m'avait poursuivie pendant des mois.

Grant explora mon corps avec une dextérité savante. Il n'aurait pas été plus délicat avec une jeune pousse. Je tentais de me concentrer sur ses caresses, la douce chaleur qui m'envahissait alors que nous nous enlacions. Il me désirait, depuis longtemps. Mais en contrebas de la fenêtre s'étendait la roseraie, et alors que tous mes sens répondaient à sa tendresse, mon esprit voletait parmi les fleurs. Grant se coucha sur moi. Le jardin de roses était au sommet de sa floraison, toutes ses variétés écloses. Je comptais les rosiers, les classais en démarrant par les rouges et en arpentant les allées : seize, depuis les rouges légers jusqu'aux vermillons. La bouche de Grant se posa sur mon oreille qui se mouilla, tiède et ouverte. Je trouvai vingt-deux buissons de roses roses en y incluant les corails. Grant se mit à bouger plus vite, l'ardeur de son plaisir éclipsant les prévenances dont il m'entourait. Je fermai les yeux de douleur. Sur l'écran de mes paupières dansèrent les roses blanches, non recensées. Je retins mon souffle jusqu'à ce que Grant se détache de moi.

Tandis que je me tournais vers la fenêtre, il se lova contre mon dos. Son cœur battait contre mon épine dorsale. Je comptai les roses blanches, rayonnantes dans la clarté du couchant, trente-sept en tout, plus que toutes les autres couleurs.

Je pris une profonde inspiration et mes poumons s'emplirent de déception.

16

Pendant trois jours d'activité frénétique, nous avons déposé des messages à Catherine : une fleur d'aloès, *chagrin*, scotchée aux piques en métal qui grillageaient la fenêtre de sa cuisine ; un bouquet de pensées rouge sang, *pense à moi*, dans un minuscule pot en verre sur son porche ; des rameaux de cyprès, *deuil*, entrelacés à travers les barreaux du portail en fer forgé.

Catherine n'accusa pas réception ni ne donna rien en retour à Elizabeth.

17

Mes vêtements prirent le chemin de chez Grant. Mes chaussures suivirent, puis ce fut au tour de ma couverture marron, et finalement de ma boîte bleue. Tout ce que je possédais. Je continuais à verser un loyer à Natalia le premier de chaque mois et parfois, je piquais un petit somme sur la fourrure blanche de la moquette après mes heures de travail, mais à mesure que l'été avançait, je passais de moins en moins de temps dans la chambre bleue.

Mon dictionnaire des fleurs était complet. La photographie du dessin de Catherine avait été la touche finale. Le dictionnaire et le guide d'Elizabeth furent relégués en haut de la bibliothèque de Grant où ils prirent la poussière. Les boîtes bleue et orange trônaient côte à côte sur le rayonnage du milieu, toutes les deux classées par ordre alphabétique, celle de Grant selon les espèces, la mienne selon les significations. Deux ou trois fois par semaine, l'un de nous décorait la table de fleurs ou en déposait une sur l'oreiller de l'autre, mais nous consultions rarement les boîtes. Nous avions toutes les cartes en tête, et nous ne nous disputions plus à propos des définitions comme au début.

A vrai dire, nous ne nous disputions plus du tout. Je coulais avec Grant une existence paisible, tranquille, qui m'aurait sûrement comblée, si je n'avais été intimement persuadée que cela ne durerait pas. Notre rythme de vie me rappelait les mois précédant mon jugement d'adoption. Elizabeth et moi sarclions entre les rangs, cochions mon calendrier et profitions de la compagnie l'une de l'autre. Cet été-là, avec Elizabeth, avait été caniculaire. Celui-ci était identique. Dans le château d'eau, qui n'était pas équipé de la climatisation, la chaleur montait comme si elle avait été liquide. Le soir, Grant et moi nous nous étalions chacun à un étage et faisions de notre mieux pour respirer. L'humidité était aussi accablante que le poids du non-dit entre nous, et plus d'une fois je me suis élancée vers lui dans l'intention de lui confesser mon secret.

J'en étais incapable. Grant m'aimait. D'un amour silencieux et tenace, et à chaque déclaration, je me sentais transportée tout à la fois de plaisir et de culpabilité. Je ne méritais pas sa tendresse. S'il avait su la vérité, il m'aurait détestée. Rien ne m'avait jamais paru aussi évident. Mon affection pour lui n'arrangeait rien. Notre intimité grandissait. Nous nous embrassions en nous disant au revoir et bonjour, nous dormions même ensemble. Il me caressait les cheveux, les joues, les seins, à table et à tous les étages du château d'eau. Nous faisions souvent l'amour. J'y prenais plaisir, de plus en plus. Mais après, alors que nous étions couchés, nus, l'un auprès de l'autre, son visage exprimait un contentement que le mien, je le savais sans le voir, ne reflétait pas. Mon vrai moi, indigne, demeurait hors de portée de son désir, dérobé à son regard admiratif. De même, mes sentiments pour Grant me semblaient cachés, et je me figurais avoir autour du cœur une sphère impénétrable aussi dure et lisse que la coquille d'une noisette.

Grant ne parut pas remarquer mon détachement. S'il avait jamais souffert de l'éloignement de mon cœur, il ne m'en avait pas fait part. Nos rapprochements, nos séparations, chacun de nos mouvements étaient réglés comme du papier à musique. En semaine, nos chemins se croisaient pendant une heure, le soir. Le samedi, nous passions presque toute la journée ensemble : le matin de bonne heure nous prenions son pick-up pour nous rendre au travail, ensuite nous nous arrêtions pour manger un morceau, ou marcher, ou regarder les cerfs-volants à la marina. Le dimanche, nous gardions nos distances. Je n'accompagnais pas Grant au marché, et j'étais déjà partie lorsqu'il rentrait, déjeunant dans un restaurant en bord de mer ou bien traversant toute seule le pont à pied.

Je revenais toujours à temps au château d'eau pour le dîner dominical, pour lequel Grant déployait ses talents culinaires. Il avait passé tout l'après-midi aux fourneaux. J'étais accueillie par un assortiment de hors-d'œuvre qui, à l'entendre, m'empêchaient de lui casser les pieds pendant que le plat de résistance achevait sa cuisson, ce qui nous menait souvent à neuf heures du soir.

Grant avait dépassé le stade où il avait besoin des livres de cuisine, qu'il monta d'ailleurs à l'étage et stocka sous le canapé. Il inventait désormais tous les mets qu'il préparait. C'était moins flippant, m'avoua-t-il, de ne pas avoir à comparer le résultat obtenu avec la photo qui illustrait la recette. Et de toute façon – il devait le savoir –, ce qu'il nous servait était bien meilleur que ce qui sortait d'un bouquin, bien meilleur que tout ce que j'avais mangé depuis mon départ de chez Elizabeth.

Le deuxième dimanche de juillet, je rentrai d'une grande promenade dans le quartier d'Ocean plus affamée que d'habitude, l'estomac vide et les nerfs à fleur de peau. J'étais passée devant mon ancien foyer, la Gathering House, où la vue de plusieurs jeunes filles à la fenêtre – des visages au demeurant inconnus – m'avait noué le ventre. La vie ne tiendrait pas les promesses de leurs rêves, même si la mienne m'avait donné une chance inespérée, alors que je ne m'étais jamais permis d'escompter quoi que ce soit. J'étais une exception, bien sûr, et ma bonne fortune actuelle ne constituait qu'un épisode fugace dans une longue existence solitaire et ingrate.

Grant avait laissé sur la table de minces tranches de baguette tartinées d'une pâte blanche, sans doute du fromage frais, parsemée de fines herbes, d'olives et de câpres émincées, soigneusement alignées sur un plat carré en céramique. Je commençai à une extrémité et décimai les rangs. Avant de manger la dernière tartine, je levai les yeux. Grant m'observait, un sourire aux lèvres.

— Tu la veux ? lui proposai-je en lui tendant l'ultime tranche.

— Non. Il faut que tu tiennes encore quarante-cinq minutes avant la côte de bœuf.

— Je ne crois pas que je puisse attendre aussi longtemps.

— Tu dis ça tous les dimanches et une fois rassasiée, tu reconnais que tu ne regrettes pas d'avoir montré un peu de patience.

— C'est pas vrai.

Mais il avait raison. Avec tout ce fromage dans l'estomac, je me sentais lourde. Je posai mon front et mes bras sur la table, et fermai les yeux.

— Tu ne te sens pas bien ?

Je le rassurai. Grant continua à préparer le dîner pendant que je somnolais. Lorsque je soulevai les paupières, je vis de profil un morceau de côte de bœuf fumant sur une assiette. Je me hissai sur un coude.

— Tu peux la couper ? demandai-je à Grant.

— Bien sûr.

Grant me massa le crâne, le cou et les épaules, puis déposa un baiser sur mon front avant de se saisir du couteau et de la fourchette. La viande, rouge au milieu, comme je l'aime, était recouverte d'une croûte aux notes poivrées et baignait dans une sauce aux champignons exotiques, aux pommes de terre rouges et aux navets. Je n'avais jamais goûté à quelque chose d'aussi bon.

Hélas ! mon estomac se révéla en désaccord avec mes papilles. Je n'avais pas plus tôt avalé quelques bouchées, que je me rendis compte que je n'allais pas les garder longtemps. Me ruant dans l'escalier, je courus m'enfermer dans la salle de bains où je rendis tout ce que j'avais mangé dans la cuvette des toilettes. Après quoi, j'ouvris les robinets du lavabo et de la douche en espérant que le bruit couvrirait mes haut-le-cœur.

Grant frappa doucement à la porte, je ne lui ouvris pas. Il s'éloigna, pour revenir une demi-heure plus tard. Je refusai toujours de répondre. N'ayant pas la place de m'allonger de tout mon long, je me couchai en chien de fusil, les jambes contre la porte et le dos contre la petite baignoire en porcelaine. Je m'occupai en dessinant avec les doigts des fleurs à six pétales sur les carreaux hexagonaux. Il était vingt-trois heures quand je me relevai. Ma joue et mon épaule portaient l'empreinte des carreaux.

Je trouvai Grant sur le canapé, dans le noir.

— C'était pas bon ?

J'ignorais ce que j'avais, mais cela n'avait rien à voir avec la nourriture.

— Cette côte de bœuf était délicieuse.

Je m'assis auprès de lui, nos cuisses se touchant à travers une double couche de denim foncé.

— Alors, qu'est-ce que tu as ?

— Je suis malade, répondis-je en esquivant son regard.

C'était faux, et je savais qu'il le savait. Enfant, j'avais vomi rien que parce qu'on m'avait touchée, ou que je craignais de l'être. Mes mères d'accueil, me dominant de toute leur hauteur, me forçaient à enfoncer mon bras récalcitrant dans une manche ; mes institutrices m'arrachaient mon bonnet de la tête, leurs doigts s'attardant sur mes cheveux en bataille. Un jour, peu après mon arrivée chez Elizabeth, nous avions pique-niqué dans le jardin. J'avais trop mangé, comme à tous les repas cet automne-là et, incapable de bouger, j'avais permis à Elizabeth de me prendre dans ses bras pour me porter dans la maison. A peine m'avait-elle posée sur le porche, que je me penchai par-dessus la balustrade et rendis tout ce que j'avais avalé.

Je me tournai vers Grant. Il me touchait, dans mon intimité, depuis des mois. Inconsciemment, je m'étais attendue à ce que cela finisse par se produire.

— Je vais dormir sur le canapé. Je ne voudrais pas que tu l'attrapes.

— Je ne l'attraperai pas, me dit Grant en me prenant par la main pour m'aider à me lever. Viens avec moi.

Je ne lui opposai aucune résistance.

18

Le matin de mon jugement d'adoption, je m'éveillai à l'aube.

Je restai longtemps assise dans mon lit, le dos appuyé au mur frais, la couette remontée jusqu'au menton. La fenêtre laissait entrer une lumière douce qui nimbait ma commode et la porte ouverte du placard. Elle n'avait guère changé, cette chambre, depuis que j'y avais mis les pieds pour la première fois, un an plus tôt. Même mobilier, même duvet blanc, mêmes piles de vêtements, dont certains étaient encore trop grands. Pourtant tout autour de moi se multipliaient de petits signes indiquant que je n'étais plus la même : des livres empruntés à la bibliothèque (*La Botanique dans votre assiette* ; *Tout savoir sur le compost et les engrais naturels au jardin*), une photo d'Elizabeth et de moi prise par Carlos, nos joues roses pressées l'une contre l'autre, une corbeille à papier débordant de dessins de fleurs que je n'avais pas jugés dignes de lui donner. C'était mon dernier jour dans cette maison en tant qu'« enfant placé », songeai-je en posant sur les objets le même regard que je leur réservais toujours, puisque j'avais l'impression qu'ils appartenaient à quelqu'un d'autre. Demain, me dis-je, demain tout sera différent. Je me réveillerai, je regarderai autour de moi et je verrai une chambre – une vie

– qui sera mienne et dont personne ne pourra jamais me priver.

Dans le couloir, je tendis l'oreille. Il avait beau être très tôt, j'étais étonnée de n'entendre aucun bruit dans la maison. Et la porte de la chambre d'Elizabeth était fermée. Moi qui pensais qu'elle serait déjà debout, comme moi. La veille, pour fêter mon anniversaire, nous avions fait des petits gâteaux puis les avions décorés d'un glaçage de rose pourpre, mais la perspective de mon adoption imminente avait éclipsé tout le reste. Après le dîner, en léchant distraitement le glaçage sucré, nous nous étions prises toutes les deux à laisser nos yeux s'attarder sur la fenêtre, impatientes que le ciel s'obscurcisse pour ouvrir la voie à un jour nouveau. Etendue dans mon lit, enveloppée dans la longue chemise de nuit à fleurs qu'Elizabeth m'avait offerte ce soir-là, j'avais été plus excitée, je crois, que lors de toutes les veilles de Noël réunies. Elle avait peut-être eu du mal à s'endormir, elle aussi, conclus-je, et était en train de rattraper le sommeil perdu.

Derrière la porte de la salle de bains était suspendue dans sa housse en plastique la robe que nous avions achetée ensemble. Je me débarbouillai et me brossai les cheveux avant de la décrocher.

J'eus du mal à l'enfiler sans l'aide d'Elizabeth, mais j'étais déterminée. J'avais hâte de voir la tête qu'elle ferait quand elle me trouverait habillée à la table de la cuisine, prête. Car c'est cela que je voulais lui faire comprendre : j'étais prête ! Assise sur le rebord de la baignoire, je passai mes bras dans les manches, puis me tortillai pour remonter la fermeture éclair dans le dos. Les rubans étaient trop épais pour mes petits doigts et, après de multiples essais infructueux, j'optai pour un nœud lâche sur ma nuque. Je fis de même autour de la taille.

L'horloge de la cuisinière indiquait huit heures. Après une minutieuse inspection du réfrigérateur, je choisis un petit pot de yaourt à la vanille. Je soulevai la pastille protectrice et enfonçai la cuillère dans la préparation crémeuse, mais je n'avais pas faim. J'étais inquiète. Elizabeth n'avait jamais fait la grasse matinée, pas une seule fois depuis que j'étais chez elle. Je patientai une heure entière, les yeux sur l'horloge.

A neuf heures, je montai frapper à sa porte. Le ruban s'était à moitié dénoué sur ma nuque et le devant de la robe pendait, laissant à l'air libre mes côtes apparentes. Je n'avais pas l'air aussi chic que dans la boutique. Comme elle ne répondait pas, je tournai la poignée. La porte n'était pas fermée à clé. J'entrai doucement.

Elizabeth avait les yeux ouverts. Elle continua à regarder le plafond tandis que je m'avançais à son chevet.

— Il est neuf heures.

Elle resta silencieuse.

— On doit passer devant le juge à onze heures. Il faut peut-être y aller un peu en avance…

A la voir, on aurait dit que je n'étais pas là. Je me rapprochai et me penchai sur elle, me disant qu'après tout, elle dormait peut-être. J'avais eu une fois dans ma chambre une fille qui s'assoupissait les yeux ouverts : j'attendais qu'elle respire fort et je me relevais pour lui fermer les paupières. Je détestais avoir l'impression d'être épiée.

Je secouai Elizabeth, avec beaucoup de douceur. Elle ne cilla même pas.

— Elizabeth ? murmurai-je. C'est Victoria.

J'appuyai mes doigts dans le creux de sa gorge. Son pouls battait régulièrement, comme s'il comptait les secondes avant mon adoption. Lève-toi, la suppliai-je en mon for intérieur. La pensée de manquer l'audience au tribunal, d'avoir à attendre encore un mois, une semaine ou même une journée de plus me paraissait incompréhensible. Je me mis à la secouer, plus fort, en l'agrippant par les épaules. Sa tête dodelina.

— Arrête, souffla-t-elle enfin, à peine audible.

— Tu ne te lèves pas ? protestai-je, d'une voix brisée. On ne va pas au tribunal ?

Des larmes coulèrent de ses yeux. Elle n'esquissa pas un geste pour les essuyer. Je les suivis du regard tandis qu'elles roulaient sur ses joues et remarquai que l'oreiller était déjà trempé.

— Je ne peux pas.

— Qu'est-ce que tu veux dire ? Je vais t'aider.

— Non, je ne peux pas.

Elle resta un long moment silencieuse. Je me penchai encore un peu, collant presque mon oreille à sa bouche.

— Je n'ai pas dc famille à t'offrir. Juste toi et moi dans cette maison. Cela ne fait pas une famille. Je ne peux pas te faire ça.

Je m'assis au pied du lit. Elizabeth ne bougea plus, ne parla plus. Je demeurai assise, là, toute la matinée, à attendre.

19

Les nausées persistèrent, mais j'appris à les cacher. Je vomissais tous les matins sous la douche, jusqu'au jour où je m'aperçus que l'évacuation menaçait de se boucher. Du coup, je me précipitais, sans même faire ma toilette, dans ma voiture avant que Grant se lève, pestant contre Renata et un programme estival surchargé de mariages. J'avais mal au cœur toute la journée. L'odeur des fleurs aggravait mon cas, mais comme l'air froid de la chambre climatique me soulageait, je faisais la sieste l'après-midi au milieu des seaux.

Je ne sais pas combien de temps j'aurais tenu si Renata n'était entrée un jour me parler dans mon froid refuge. La lourde porte métallique se referma derrière elle avec un clac sonore. Elle me réveilla dans le noir en me donnant une petite secousse de l'extrémité de son orteil.

— Tu crois que je ne vois pas que tu es enceinte ?

Mon cœur fit un bond dans sa coquille. Enceinte. Le mot flotta dans l'espace entre nous, indésirable. J'aurais souhaité qu'il glisse sous la porte et s'en aille dans la rue entrer dans le corps de quelqu'un qui en avait envie. Quantités de femmes rêvaient de procréer, mais ni Renata ni moi n'étions de celles-là.

— Non ! m'exclamai-je, avec moins de conviction que je ne le souhaitais.

— Nie la vérité tant que tu veux, mais je vais t'offrir une assurance-maladie avant que ce bébé arrive à son terme et que je te retrouve en train d'accoucher devant la boutique.

Je ne bougeai pas. Renata me poussa encore un peu du bout du pied, à l'endroit où mon abdomen – je m'en rendis compte brusquement – commençait à s'arrondir.

— Lève-toi et viens t'asseoir. Vu la montagne de papiers que tu as à signer, tu en as pour l'après-midi.

Je sortis du frigo et passai devant la pile de paperasse sur le plan de travail. Une fois dehors, je me pliai en deux au-dessus du caniveau avant de me mettre à courir. Renata m'appela, criant mon nom, de plus en plus fort. Je ne me retournai pas.

Une fois devant le drugstore au coin de la 17e et de Potrero Street, épuisée, à bout de souffle, je m'assis au bord du trottoir, toujours en proie à de terribles nausées. Une vieille dame chargée d'un cabas plein s'arrêta et, posant sa main sur mon épaule, me demanda si je me sentais bien. Je donnai une grande claque sur le dos de sa main. Elle lâcha ses commissions. Des gens accoururent. Dans la pagaille qui s'ensuivit, je me faufilai dans le magasin. J'achetai un lot de trois tests de grossesse et pris le chemin de la chambre bleue, la légère boîte en carton lestant mon sac à dos comme une tonne de plomb.

Natalia dormait encore, la porte de sa chambre grande ouverte. Elle avait cessé de la fermer dès que j'avais disparu, des mois plus tôt. Je tirai tout doucement le battant et m'enfermai dans la salle de bains.

J'imprégnai les trois bâtonnets et les alignai au bord du lavabo. Il fallait patienter trois minutes, ce ne fut pas nécessaire.

Un à un, je les jetai par la fenêtre. Après avoir rebondi, ils atterrirent sur les graviers du toit plat en contrebas. Le résultat était encore visible. Je m'assis sur le rabat des toilettes et me pris la tête dans les mains. Je ne voulais pas que Natalia le sache. C'était déjà assez flippant que Renata soit au courant. Si Maman Ruby l'apprenait, elle s'installerait avec moi dans la chambre bleue, me nourrirait d'œufs frits nuit et jour, et poserait ses mains sur mon ventre toutes les cinq minutes.

Je grimpai sur le comptoir de la cuisine. Natalia et ses musiciens descendaient parfois sur le toit. Pour ma part, je n'avais encore jamais essayé. Même avec mon tour de taille élargi, je réussis à passer par la fenêtre.

A quatre pattes au milieu d'une constellation de mégots éparpillés autour d'un cadavre de bouteille de vodka, je ramassai les trois bâtonnets et les fourrai dans ma poche. Je me relevai lentement. Sous l'effet combiné de l'effort et de l'altitude, la tête me tournait.

La vue me stupéfia, aussi bien parce que je ne l'avais jamais remarquée qu'à cause du panorama qui s'offrait à mes yeux. C'était un toit long – il couvrait un pâté de maisons entier – cerné d'un muret en ciment. Au-delà se déployait la ville, depuis le centre jusqu'au Bay Bridge et plus loin Berkeley, comme dans un livre d'images, avec sur les autoroutes la mouvante enfilade des feux de position, semblable à un trait vaporeux de pigments rouges. Je m'assis sur le muret, respirant toute cette beauté et oubliant, provisoirement, que mon existence, une fois de plus, était sur le point de basculer.

Je me palpai du cou au nombril. Mon corps ne m'appartenait plus. Il servait de domicile à un autre. Je ne l'avais pas voulu, mais je n'avais pas le choix : le bébé allait grandir en moi. Je n'avorterais pas. Je ne pouvais pas me rendre dans une clinique, me déshabiller et me tenir nue devant un inconnu. L'idée de l'anesthésie, de cette perte de conscience qui livrerait mon corps aux actions d'un médecin, me semblait un affront inconcevable. Je mettrais au monde le bébé, et ensuite je verrais bien ce que j'en ferais.

Un bébé. Je me répétai sans cesse ce mot, m'attendant à éprouver une émotion, mais rien. Dans mon impuissance, j'avais néanmoins une conviction, une seule : Grant ne le saurait jamais ! La lueur d'excitation dans ses yeux, la vision qu'il aurait aussitôt de la famille que nous formerions, c'était plus que je n'en pouvais supporter. Je me figurai la scène dans tous ses détails : la table de pique-nique, et moi attendant que Grant soit assis pour laisser sortir les mots étranglés qui allaient tout changer pour nous. Je pleurais avant même de prononcer celui de « bébé ». Il le voulait. Je lisais dans ses yeux son amour débordant pour l'enfant à naître, et mes larmes étaient la preuve que je n'étais pas faite pour être mère. La perspective de savoir que je le décevrais (même si je ne savais pas quand ni comment) m'empêchait de partager sa joie, me rendait imperméable à sa tendresse.

Il fallait que je le quitte, vite, sur la pointe des pieds, avant qu'il découvre la raison de mon départ. Il allait souffrir, mais pas autant que s'il devait me voir boucler mes valises en emportant avec moi son enfant, loin de lui, pour toujours. La vie qu'il souhaitait avec moi n'était pas possible.

Il valait mieux pour lui qu'il ne sache jamais à quel point nous étions devenus proches.

20

A quatre heures de l'après-midi, Elizabeth était encore au lit. Assise à la table de la cuisine, je mangeais du beurre de cacahouète en trempant mon pouce dans le pot. J'avais caressé l'idée de lui préparer à manger, un bouillon de poulet ou du chili, quelque chose dont le fumet était irrésistible. Mais voilà, je ne savais faire que des tartes aux mûres, à la pêche, ou des mousses au chocolat. Et un dessert en guise de repas ne me paraissait pas convenable, surtout un jour comme celui-ci, où nous n'avions rien du tout à fêter.

J'étais en train de ranger le beurre de cacahouète quand des coups frappés à la porte d'entrée me firent sursauter. Je n'avais pas besoin de regarder par la fenêtre pour savoir qui se trouvait sur le seuil. Je connaissais bien ces coups pour les avoir trop souvent entendus. Meredith. Elle se mit à cogner plus fort. Elle n'allait pas tarder à pousser la porte, qui n'était pas fermée à clé. Je me cachai au fond du placard. La porte qui claqua traversa les ténèbres comme une onde de choc. Les haricots et le riz bruissèrent dans leurs boîtes sur les étagères.

— Elizabeth ? appela Meredith. Victoria ?

Elle traversa la salle de séjour puis entra dans la cuisine. J'entendis ses pas tourner autour de la table et s'arrêter devant l'évier et la fenêtre. Je retins mon souffle, l'imaginant en train de fouiller du regard le vignoble, à l'affût du moindre mouvement. Il n'y en avait aucun. Comme chaque été, Carlos avait emmené Perla faire du camping. Finalement, elle monta l'escalier.

— Elizabeth ? dit-elle très fort. Elizabeth ? répéta-t-elle en baissant nettement le ton. Ça va ?

Je montai à pas de loup et m'immobilisai sur le palier, me recroquevillant dans l'encoignure.

— Je me repose, répondit Elizabeth d'une voix calme. J'avais juste besoin d'un peu de repos.

— Un peu de repos ? s'étonna Meredith.

Quelque chose dans l'intonation d'Elizabeth avait visiblement déplu à Meredith dont l'inquiétude vira à l'irritation tandis qu'elle s'exclamait :

— Il est quatre heures de l'après-midi ! Vous ne vous êtes pas rendue à la convocation du tribunal. Avec la juge, on s'est regardées en chiens de faïence en se demandant où vous et Victoria... D'ailleurs, où est-elle ?

— Elle se trouvait ici il y a une minute, indiqua Elizabeth, faiblement.

Une minute ! Des heures, oui ! Je dus me retenir de hurler. Trois bonnes heures s'étaient écoulées depuis que j'avais quitté son chevet, convaincue que nous n'irions pas au tribunal.

— Vous avez regardé dans la cuisine ? ajouta Elizabeth.

La voix de Meredith me parut plus proche quand elle répondit :

— J'ai regardé. Mais je vais vérifier une nouvelle fois.

Je me levai et amorçai la descente de l'escalier. Trop tard.

— Victoria ! Viens ici tout de suite.

Je suivis Meredith dans ma chambre. J'avais ôté ma robe un peu plus tôt, pour enfiler un tee-shirt et un short, et je l'avais posée sur mon bureau. Meredith s'assit et se mit à passer les doigts sur les fleurs en velours. Je lui arrachai la robe des mains, la roulai en boule et la jetai sous mon lit.

— Qu'est-ce qui se passe ? demanda Meredith du même ton accusateur qu'elle avait employé à l'égard d'Elizabeth.

Je me contentai de hausser les épaules.

— Ne crois pas que tu vas t'en tirer en restant muette. Tout se passe bien. Elizabeth t'adore, tu es heureuse… et personne ne se présente au jugement d'adoption. Qu'est-ce que tu as encore fait ?

— J'ai rien fait ! m'écriai-je.

Pour la première fois de ma vie, c'était vrai. Seulement Meredith n'avait aucune raison de me croire.

— Elizabeth est fatiguée, tu l'as entendue, continuai-je. Laisse-nous tranquilles.

Je me couchai dans mon lit, tirant la couette sur ma tête et me tournant vers le mur.

Avec un gros soupir d'impatience, Meredith se leva.

— De deux choses l'une : soit tu as fait une bêtise, soit Elizabeth n'est pas apte à être mère. Quoi qu'il en soit, je ne pense plus que ce soit le bon placement pour toi.

— Ce n'est pas à vous de décider ce qui est bon ou pas pour Victoria, énonça Elizabeth avec douceur.

Je me dressai sur mon séant pour la regarder. Elle ne tenait debout que parce qu'elle s'appuyait au chambranle de la porte, drapée dans sa robe de chambre rose pâle, les cheveux lâchés, en désordre sur les épaules.

— Justement si, c'est à moi de décider, rétorqua Meredith en se rapprochant d'elle.

Elle n'était ni plus grande ni plus forte qu'Elizabeth, pourtant elle avait l'air de la surplomber de toute sa hauteur. Il me traversa l'esprit qu'Elizabeth avait peut-être peur.

— Cela ne l'aurait plus été si vous vous étiez présentée ce matin à onze heures au tribunal, ajouta-t-elle. J'étais prête, croyez-moi, à vous céder mon autorité sur cette enfant. Mais apparemment cela ne devait pas se passer ainsi. Qu'est-ce qu'elle a fait ?

— Elle n'a rien fait.

Ne voyant pas le visage de Meredith, je ne pouvais savoir si elle la croyait ou non.

— Si Victoria n'a rien fait, je vais être obligée de faire un rapport écrit. Vous recevrez un avertissement pour omission de présentation au tribunal et présomption de négligence criminelle. A-t-elle mangé aujourd'hui ?

Je levai mon tee-shirt pour montrer les traces de beurre de cacahouète sur mon ventre, mais ni l'une ni l'autre ne me regardèrent.

— Je ne sais pas, avoua Elizabeth.

— C'est bien ce que je pensais. Nous allons terminer cette conversation dans le séjour. Victoria n'a pas besoin d'entendre ce que nous avons à nous dire.

Je n'avais pas envie de descendre et tenter d'écouter. J'aurais voulu que tout redevienne comme la veille, alors que je croyais Elizabeth prête à m'adopter. D'une roulade, je passai de l'autre côté du lit et plongeai en avant pour attraper ma robe en boule. Je la pris sous la couette avec moi, la serrai contre mon cœur et frottai mon visage contre le velours. La robe sentait encore le magasin, le bois neuf et le produit pour nettoyer les vitres. Je me rappelai la pression des bras d'Elizabeth sous mes aisselles, celle de ses mains sur ma poitrine, son expression lorsque nos regards s'étaient croisés dans la glace.

D'en bas montaient des bribes de voix querelleuses, celle de Meredith, surtout. « C'est vous ou personne... » ; « Dire que vous voulez mieux pour elle, c'est n'importe quoi ! Une excuse, oui ! » Elizabeth aurait pourtant dû savoir qu'elle était tout ce que je voulais. Et qu'il en serait toujours ainsi. Recroquevillée sous la couette dans la fournaise de ce jour d'été, je suffoquais.

On m'avait donné une chance, une dernière chance, et d'une façon ou d'une autre, sans le vouloir, j'avais tout gâché. J'attendis que Meredith remonte et articule ces paroles que je ne pensais jamais entendre :

— Elizabeth a signé une décharge. Fais ta valise.

21

Le dimanche matin, je mangeai des biscottes et attendis que la nausée disparaisse. Elle persista. Je montai dans ma voiture et traversai la ville en m'arrêtant trois fois pour vomir dans le caniveau. Alors que j'étais penchée sur les grilles des bouches d'égout, la croissance démographique mondiale me parut un phénomène au-delà des limites de ma compréhension.

Grant n'était pas chez lui comme je l'avais prévu. Il était sûrement debout à l'arrière de son pick-up en train de distribuer des fleurs coupées à une longue file de gens du coin. Je ne m'étais absentée que trois jours, ce qui n'était pas long pour moi… pour nous. Je l'imaginais se dépêchant de boucler sa journée pour rentrer préparer le dîner extravagant qu'il avait en tête. Il ne penserait pas une seconde que je puisse manquer le repas dominical. Au moins je l'avais prévenu, me dis-je en tournant le double de clé rouillé dans la porte. Ce n'était pas ma faute s'il avait oublié.

L'oreille aux aguets, je rassemblai mes affaires en toute hâte. Je raflai tout ce qui était à moi et pas mal de choses qui ne l'étaient pas, notamment le grand sac de marin de Grant dont la toile kaki se camouflerait bien sous la bruyère. Je le bourrai de vêtements, de livres, d'une torche à piles, de trois couvertures et de toutes les victuailles qu'il avait dans ses placards. Avant de fermer le zip, j'y ajoutai un couteau, un ouvre-boîte et l'argent liquide qu'il cachait dans le congélateur.

Après avoir entassé toutes mes possessions à l'arrière de la voiture, je retournai chercher la boîte à photos bleue, le dictionnaire d'Elizabeth et le guide des fleurs sauvages. Je les empilai sur le siège du passager et calai le tout avec la ceinture de sécurité. Ensuite, je remontai au premier étage, descendis la boîte orange de Grant de son rayonnage, l'ouvris et feuilletai les images, envisageant de les emporter. C'était mon œuvre ; toutes ces fiches m'appartenaient. Pourtant l'idée d'avoir un double en lieu sûr me rassurait, d'autant que les prochains mois de ma vie promettaient d'être tout sauf paisibles. Si quelque chose arrivait à ma boîte bleue, je pourrais toujours revenir chercher l'orange.

Je posai la boîte au milieu de la pièce et tirai de mon sac à dos un petit bout de papier carré. Il était plié en deux afin que je puisse le mettre sur la boîte comme un marque-place pour repas de fête. J'y avais collé une rose blanche, découpée dans une des brochures qui traînaient dans la chambre bleue, si précisément que rien ne dépassait des bords de la corolle. Sous la rose, à la place de la légende, j'avais écrit à l'encre indélébile :

Rose est une rose est une rose.

Grant comprendrait, à défaut d'accepter, que c'était fini.

III
La mousse

1

Je retournerais dans la chambre bleue ; je donnerais le jour au bébé entre ses murs ruisselants d'eau. Cela, je le savais comme je savais, sans preuve ni doute, que Grant me cherchait. Il ne connaissait pas mon adresse, mais il avait en main assez d'éléments pour la découvrir. Tant qu'il n'avait pas renoncé, je devais me tenir loin. Des mois, un an peut-être. J'étais disposée à attendre.

Guérie de ma frayeur des adolescents éméchés, je réemménageai dans mon jardin de McKinley Square. Armée d'un couteau et de mon expérience sexuelle. Ils ne pourraient rien tenter de me faire qui n'ait déjà été fait et, devant mon reflet dans la glace de la station-service, je me disais que de toute façon personne ne serait intéressé. Engourdie par les changements qui se produisaient dans mon corps et dans ma vie, j'en oubliais le problème de la douche et négligeais de changer mes vêtements. Je finissais par avoir l'air de ce que j'étais.

Renata me manquait, le travail aussi, mais il n'était pas question que je retourne à Bloom. C'était le premier endroit où Grant irait me chercher. Je me cachai sous la bruyère qui en mon absence avait grandi et proliféré. Les semences pouvaient rester enfouies dans le sol pendant des mois, sinon des dizaines d'années, avant de germer et de donner une vie nouvelle. Elle m'était si familière, cette plante... Je me recroquevillais sous ses branches avec le sac en toile kaki. Le reste, je le laissai dans ma voiture, que je changeais chaque jour de rue. Grant la reconnaîtrait à tous les coups, même sans la plaque d'immatriculation que j'avais dévissée, même si je cachais la boîte bleue sous mes affaires. Je veillai par conséquent à la garer loin de Potrero Hill, à Bernal Heights ou à Glen Park, parfois jusqu'à Hunter's Point. Cela faisait déjà des semaines que je campais dans le jardin, quand je me rendis compte que je pouvais tout aussi bien dormir dans la voiture. Sauf que je n'en avais pas envie. L'odeur de la terre, amplifiée par l'humidité d'un trop-plein d'arrosages, pénétrait mes rêves et calmait mes cauchemars.

À la mi-août, du sommet de la cage à poules de l'aire de jeux de McKinley Square sur laquelle j'étais perchée, j'aperçus Grant. Il remontait Vermont Street, les yeux sur les immeubles modernes et les vieilles bâtisses victoriennes. A un moment donné, il s'arrêta pour échanger quelques mots avec un peintre en équilibre sur un échafaudage de guingois. Du pinceau quelques gouttes de peinture turquoise tombèrent sur la bâche à côté de la chaussure de Grant. Il se baissa pour poser le doigt sur la peinture fraîche, puis en se redressant, lança un commentaire au peintre, lequel haussa les épaules. Grant était à trois rues de moi, je n'entendais pas ce qu'il disait, mais je voyais bien qu'il n'était pas essoufflé, même après avoir gravi la côte abrupte.

Je me jetai dans les buissons, fermai mon sac et le tirai plus que ne le transportai de l'autre côté de la rue. Au début de ce second séjour à McKinley Square, j'avais raconté au propriétaire du magasin que je fuyais des parents qui me battaient. Je lui avais demandé de me cacher si jamais mon frère venait à rôder dans les parages. Le propriétaire avait refusé, mais comme je faisais toutes mes courses chez lui, alors qu'il n'avait pratiquement pas de clients, j'étais convaincue qu'il me protégerait.

Me voyant entrer en courant avec mon pesant fardeau, il ouvrit aussitôt la porte dans son dos. Je contournai le comptoir et grimpai un escalier qui menait à un petit appartement meublé avec parcimonie. A quatre pattes, je m'approchai de la fenêtre qui donnait sur la rue. Le parquet sentait l'huile de citron, son bois contre mes tibias était lisse comme de la soie et les murs peints en jaune vif. Grant n'inspecterait pas deux fois l'immeuble.

Accroupie sous la fenêtre en rotonde, je hissai mes yeux à la hauteur du bas des carreaux. Grant avait déjà gravi les escaliers du parc et était passé devant les balançoires dont les planches oscillaient dans la brise. A l'instant où il se retourna, je plongeai en avant. Lorsque je me redressai, il se tenait au bord de la pelouse, à l'endroit où l'herbe épaisse disparaissait sous les fourrés du sous-bois. Il appuya la semelle de sa chaussure contre le tronc d'un séquoia avant de traverser le doux tapis de paillage naturel pour s'agenouiller devant le buisson de verveine blanche. Je retins mon souffle tandis que Grant inspectait la pente, de crainte qu'il ne remarque le creux dans la bruyère, avec en dessous la forme de mon corps, et celle de mon ventre rond.

Sans examiner la bruyère, il se tourna de nouveau vers la verveine et courba la tête. J'étais trop loin pour distinguer la délicate corolle de pétales dans laquelle il enfonçait son nez, trop loin pour entendre ses murmures, et pourtant je savais qu'il priait.

Le front contre la vitre, je sentis la force du désir s'emparer de toutes les fibres de mon corps. Combien me manquaient son odeur suave, végétale, sa cuisine, ses caresses ! La façon dont il plaçait ses paumes carrées en coupe autour de mon visage en me regardant au fond des yeux, et ses mains, ses mains qui dégageaient un parfum de terre, même une fois lavées. Mais je ne pouvais pas courir le rejoindre. Il me ferait des promesses, et moi je répéterais ses paroles parce que je voudrais croire dans la vision qu'il avait de notre avenir. Mais au fil du temps nos mots se révéleraient creux. L'échec était pour nous la seule issue.

Les paupières serrées, je m'arrachai à mon poste de guet. Mes épaules s'affaissèrent, mon ventre calé sur mes cuisses ouvertes. Le soleil me chauffait le dos. Si j'avais su prier, j'aurais prié avec lui. J'aurais prié pour lui. Il était si bon, si loyal. Son amour était si extraordinaire. J'aurais prié pour qu'il renonce, qu'il lâche prise, qu'il recommence de zéro. J'aurais peut-être même prié pour qu'il me pardonne.

Mais voilà, je ne savais pas.

Je restai donc comme j'étais, tassée sur le plancher d'un homme que je ne connaissais pas, attendant que Grant s'en aille, m'oublie, rentre chez lui.

2

— Six mois, dit Elizabeth.

Je suivis des yeux la voiture de Meredith qui s'éloignait. Après huit semaines de visites hebdomadaires, elle s'était enfin décidée à fixer la date d'une nouvelle audience. Six mois encore à attendre.

Elizabeth glissa une tranche supplémentaire de bacon dans le sandwich qu'elle posa devant moi. Je mordis dedans et la remerciai d'un hochement de tête. Au bout du compte, elle n'avait pas signé de décharge, pourtant elle n'était plus tout à fait la même. A présent, elle était nerveuse et paraissait avoir honte d'avoir fait échouer la procédure d'adoption.

— Le temps va passer vite, m'assura-t-elle, entre les vendanges et les vacances, et tout...

J'approuvai de la tête et m'essuyai les yeux en retenant un sanglot. Depuis notre rendez-vous manqué au tribunal, je me repassais les événements de l'année écoulée comme un film, talonnée par le besoin de mettre le doigt sur ce que j'avais fait de mal. La liste était longue : couper la branche de cactus, taper sur la tête du conducteur de bus et faire (plus d'une fois) des déclarations haineuses... Pourtant Elizabeth semblait m'avoir pardonné mes crises les plus violentes. Mieux, j'avais l'impression qu'elle me comprenait. Au point que j'en arrivais à la conclusion que son subit changement d'attitude avait été provoqué par mon attachement grandissant pour elle, ou bien mes pleurs. Sentant les larmes venir, je serrai les paupières et enfouis mon visage dans mes mains.

— Je suis tellement désolée, ajouta Elizabeth d'une voix égale.

C'était la centième fois qu'elle répétait cette phrase, et je la croyais. Ce dont je doutais en revanche, c'était qu'elle ait toujours envie de devenir ma mère. J'étais capable de voir la différence entre la pitié et l'amour. D'après les bribes de conversation que j'avais attrapées au vol, Meredith avait été claire : Elizabeth était ma dernière chance. Seul le sens du devoir, pensais-je, l'avait retenue de me renvoyer. Je terminai mon sandwich et frottai mes mains sur mon jean.

— Si tu as fini, attends-moi sur le tracteur. Je nettoie un peu ici, et je te rejoins...

Adossée à l'énorme roue, je contemplai les vignes. L'année s'annonçait bonne pour le raisin. Elizabeth et moi avions éclairci les grappes et fertilisé le sol, juste comme il fallait. Les grains restants étaient charnus et commençaient à mûrir. J'avais passé l'automne à son côté, à composer des rédactions sur les quatre saisons, la terre, la culture de la vigne, et à mémoriser les guides des fleurs et les familles botaniques. Le soir, comme l'automne précédent, je l'accompagnais dans sa tournée de dégustation.

Je vérifiai l'heure à ma montre. Nous avions devant nous une longue soirée à goûter des grains, et j'avais hâte de m'y mettre. Mais Elizabeth ne vint pas, ni au bout de cinq minutes ni au bout de dix. Je me résolus à rentrer, avec l'intention de boire un verre de lait en regardant Elizabeth terminer de nettoyer la cuisine.

Sur le porche, j'entendis sa voix, mi-furieuse, mi-suppliante. Elle était au téléphone. Voilà pourquoi elle m'avait envoyée l'attendre à l'extérieur, me dis-je, comprenant du même coup que l'échec de mon adoption n'était pas ma faute. C'était celle de Catherine ! Si elle s'était manifestée, si elle avait répondu, en paroles ou en fleurs, si elle n'avait pas laissé sa sœur aussi seule, tout aurait été différent. Elizabeth serait sortie de son lit, elle aurait noué les rubans de ma robe, nous aurait conduites au tribunal, avec Grant et Catherine dans notre sillage. Soudain, ivre de colère, je me ruai dans la cuisine.

— Celle-là, je la déteste !

Elizabeth plaqua sa main contre le micro. D'un bond, je fus devant elle et lui arrachai le combiné.

— Tu as gâché ma vie ! hurlai-je dans le téléphone avant de raccrocher d'un geste rageur.

Le combiné rebondit sur son socle, heurta le plancher et resta suspendu à quelques centimètres du sol. Elizabeth, le visage dans les mains, posa les coudes sur le plan de travail. Apparemment, mon comportement ne l'étonnait ni ne l'offensait. Elle ne paraissait pas non plus très bavarde.

— Victoria, tu es en colère, finit-elle par me dire. C'est tout à fait normal. Mais tu ne dois pas en vouloir à Catherine. C'est moi qui ai tout gâché. Tout est de ma faute. Je suis ta mère… tu ne sais donc pas à quoi sert une mère ?

Elle m'adressa un petit sourire triste et ironique.

Je serrai les poings de rage et me balançai d'avant en arrière dans un effort surhumain pour ne pas la frapper.

Car, malgré ma fureur, je savais au fond de moi que par-dessus tout, je souhaitais rester avec elle.

— Non, répondis-je. T'es pas ma mère. Tu l'aurais été, si Catherine n'avait pas tout fichu en l'air !

Je m'élançais vers l'escalier quand un éclat de lumière attira mon regard vers la fenêtre. Un pick-up remontait à vive allure l'allée devant la maison. J'eus le temps de voir Grant de profil, penché sur le volant. Il freina dans un grincement de pneus et un jet de graviers s'écrasa pile devant le porche.

Je montai en courant et m'aplatis contre le mur du palier. Sans frapper ni attendre qu'Elizabeth vienne ouvrir, il s'écria, essoufflé :

— Tu dois arrêter ça !

J'entendis les pas d'Elizabeth. Je me la figurais debout devant lui, leurs corps séparés seulement par le grillage de la moustiquaire.

— Je n'ai aucune intention d'arrêter. Elle finira bien par accepter mon pardon. C'est obligatoire.

— Non. Tu ne la connais plus.

— Comment, que veux-tu dire ?

— Juste ça. Tu ne la connais plus.

— Je ne comprends pas, murmura Elizabeth, d'une voix à peine audible au milieu d'un bruit sourd de martèlement.

Grant tapait du pied sur le porche, ou bien du poing contre le grillage. Un son qui exprimait la nervosité, l'impatience.

— Je suis seulement venu te dire d'arrêter de téléphoner… Je t'en prie.

Silence.

— Tu ne peux pas m'ordonner de l'oublier. C'est ma sœur.

— Peut-être.

— Peut-être ? répéta Elizabeth, haussant soudain le ton.

J'imaginais son visage empourpré. Elizabeth s'était-elle trompée d'interlocutrice ? Grant était-il même son neveu ?

— C'est-à-dire, elle n'est plus la sœur que tu as connue. Je t'en prie, crois-moi.

— Les gens changent. L'amour est immuable. La famille est immuable.

Un deuxième temps de silence. J'aurais bien voulu voir leurs expressions, curieuse de savoir s'ils étaient en colère, ou indifférents, ou au bord des larmes.

— Si, répliqua finalement Grant, l'amour change.

J'entendis un bruit de pas s'éloigner : il partait. Lorsqu'il reprit la parole, sa voix sonnait comme si elle venait de très loin :

— Elle est en train de remplir des pots de confiture de liquide inflammable. Elle les aligne au bord dc la fenêtre de la cuisine. Elle dit qu'elle va incendier tes vignes.

— Non.

Elizabeth ne semblait ni choquée ni effrayée, seulement incrédule.

— Elle ne le fera jamais, ajouta-t-elle. Je me fiche qu'elle ait changé en quinze ans. Elle ne fera jamais une chose pareille. Elle aime ces vignes autant que moi.

Un claquement de portière puis, de nouveau, la voix de Grant :

— Je voulais juste t'avertir.

Le moteur se mit en route, un bourdonnement très doux, mais le véhicule ne bougea pas. Grant et Elizabeth devaient se mesurer du regard, chacun cherchant la vérité dans les yeux de l'autre.

— Grant ? Ne pars pas. Reste manger un morceau, tu es le bienvenu ici.

Un grincement de roues tournant sur le gravier.

— Non ! Je n'aurais pas dû venir, et je ne reviendrai pas. Elle ne saura jamais que je suis venu.

3

J'attendis un deuxième mois, puis un troisième, pour être sûre, glissant le montant des loyers sous la porte de Natalia. Vers la fin octobre, les nausées se calmèrent. Elles ne reprenaient que lorsque je n'avais pas assez mangé, ce qui était rare. J'avais largement de quoi me nourrir. Les économies de Grant et les miennes auraient suffi à assurer ma subsistance jusqu'à la fin de ma grossesse, mais je savais que je n'aurais pas à patienter aussi longtemps.

Lorsque les arbres commencèrent à perdre leurs feuilles, jc sus que Grant avait renoncé. Je l'imaginais à la fenêtre de son château d'eau. Il avait rangé les poètes romantiques dans un carton et recouvert la boîte orange d'un tissu opaque. Les gestes délibérés d'un homme avec un lourd passé à oublier. Et bientôt, me disais-je, il n'en resterait plus rien. Il y avait beaucoup de femmes sur le marché aux fleurs, plus belles, plus exotiques et plus sexy que je ne le serais jamais. S'il n'en avait pas déjà trouvé une, cela ne saurait tarder. Sauf que je me rappelais sa silhouette, la capuche rabattue sur le front. Pas une seule fois je n'avais vu Grant suivre des yeux une passante.

Le jour où je sentis le premier coup de pied du bébé, je me réinstallai dans la chambre bleue. Je traînai mon sac de marin de l'autre côté de la ville pour prendre ma voiture et roulai jusque chez Natalia. Il me fallut effectuer trois voyages pour monter toutes mes affaires. La porte de Natalia était ouverte. Je me penchai sur son lit et la regardai dormir. Elle s'était refait une couleur. Le rose avait déteint en larges traînées sur le blanc de l'oreiller. Elle sentait le vin doux et le clou de girofle. Je fus obligée de la secouer pour la réveiller.

— Il est venu ?

Natalia plia le bras et, mettant son coude en visière devant ses yeux, soupira :

— Ouais, il y a quelques semaines.

— Qu'est-ce que tu lui as dit ?

— Que tu étais partie.

— C'était vrai.

— Oui. Tu étais où ?

Je passai outre à sa question.

— Tu lui as dit que je continuais à payer mon loyer ?

Elle se dressa sur son séant et fit non de la tête.

— Je n'étais pas certaine que l'argent venait de toi.

Elle posa la main sur mon ventre. Ces dernières semaines, j'étais passée du stade de « grosse » à « manifestement enceinte ».

— Renata m'a mise au courant, ajouta-t-elle.

Le bébé donna un nouveau coup de pied me labourant le foie, le cœur, la rate. Prise d'un haut-le-cœur, je me ruai dans la cuisine pour vomir dans l'évier. Puis, étendue par terre, je me laissai submerger par les vagues de nausées qui allaient et venaient selon le rythme des mouvements du bébé. Moi qui pensais être débarrassée de ce symptôme de début de grossesse, tout comme je pensais avoir surmonté l'envie de vomir dès que quelqu'un me touchait... L'une des deux suppositions était fausse.

Renata l'avait dit à Natalia. Tout m'incitait à croire qu'elle l'avait aussi appris à Grant. Je me hissai jusqu'au plan de travail pour rendre tripes et boyaux une seconde fois.

Un nouvel écriteau était affiché à la porte de Bloom : horaires d'ouverture raccourcis et désormais fermeture le dimanche. A mon arrivée en début d'après-midi, la devanture était plongée dans le noir et la porte verrouillée, alors que la boutique aurait en principe dû être ouverte. Je frappai. Renata n'apparaissant pas, je tambourinai. J'avais la clé dans ma poche, mais je préférais ne pas m'en servir. Je finis par m'asseoir sur le seuil.

Quinze minutes plus tard, Renata approcha, avec un burrito emmailloté dans du papier argent à la main. La réverbération du soleil sur l'aluminium projetait sur les murs une tache lumineuse qui se déplaçait au rythme de ses pas. Je me mis debout et fis tout pour éviter de la regarder. Quand elle se tint devant moi, j'étudiai mes pieds, que je voyais encore tout juste sous l'arrondi de mon ventre.

— Tu lui as dit ? articulai-je.

— Il n'est pas au courant ?

Le choc qui perçait dans sa voix ainsi que son ton accusateur me firent un tel effet que je me mis à reculer et perdis l'équilibre. Renata me retint par les épaules. Je levai les yeux. Son regard recelait plus de bonté que ses paroles.

Du menton, elle indiqua mon ventre.

— C'est pour quand ?

Je haussai les épaules. Je n'en avais aucune idée, et peu m'importait. Le bébé naîtrait le moment venu. Je refusais de voir un médecin et d'accoucher à l'hôpital. Renata sembla le comprendre sans que j'aie besoin de le lui préciser.

— Ma mère t'aidera. Gratuitement. Elle estime que c'est sa mission sur terre.

J'entendais d'ici Maman Ruby, avec son accent à couper au couteau et je sentais ses mains baladeuses. Je refusai d'un signe de tête.

— Alors, qu'est-ce que tu attends de moi ? me demanda Renata, dont la frustration perçait dans la façon dont elle scandait ses syllabes.

— Je veux travailler. Et je ne veux pas que tu dises à Grant que je suis de retour ni que j'attends un enfant.

— Il mérite de le savoir, soupira-t-elle.

— Je sais.

Grant méritait beaucoup de choses, toutes mieux que moi.

— Tu ne lui diras rien ? insistai-je.

— Non, mais je ne mentirai pas non plus. Tu ne peux pas travailler pour moi, pas quand Grant me demande chaque samedi si tu es de retour. Je n'ai jamais fait une bonne menteuse, et je n'ai pas envie de m'y mettre à mon âge.

Je m'assis au bord du trottoir, Renata m'imita. Je glissai deux doigts sous le bracelet de ma montre pour prendre mon pouls. Il était à peine perceptible. Il m'était impossible de trouver un autre job. Même avant que je sois enceinte, la chose avait été improbable, alors, à plus forte raison maintenant. Mes économies ne dureraient pas éternellement. Un jour ou l'autre, je n'aurais plus les moyens de me nourrir et encore moins d'acheter tout ce qui fait qu'un enfant a la réputation d'être ruineux.

— Qu'est-ce que je vais devenir, alors ? m'écriai-je, mon désespoir se muant en colère.

— Adresse-toi à Grant, répliqua Renata, sans ciller.

Je me levai pour partir.

— Attends une minute, me dit-elle.

Elle ouvrit la boutique et sortit du tiroir-caisse une enveloppe rouge cachetée, à mon nom, plus une liasse de billets de vingt dollars. Me rejoignant dehors, elle me tendit l'argent en déclarant :

— Ton dernier mois de salaire.

Je m'abstins de compter, mais je voyais bien qu'il y avait là une somme supérieure à ce que j'avais gagné. Quand je l'eus glissé dans mon sac à dos, elle me donna l'enveloppe et son burrito.

— Des protéines. C'est ce que dit toujours ma mère. C'est bon pour le cerveau du bébé. Ou ses os, je ne sais plus…

Je la remerciai et commençai à descendre la colline.

— Si tu as besoin de quoi que ce soit, tu sais où me trouver ! cria-t-elle dans mon dos.

Je passai le reste de la journée dans la chambre bleue, à me débattre contre la nausée tandis que le bébé, lui, s'ébattait dans mon ventre. Assise en tailleur devant l'enveloppe rouge posée sur la fourrure blanche telle une tache de sang, je n'arrivais pas à décider si je devais l'ouvrir ou la glisser sous la moquette et ne plus y penser.

Au bout du compte, je me dis que j'avais envie de savoir. Cela me serait pénible de lire ce que Grant m'avait écrit, mais encore davantage de mener ma grossesse à son terme en ignorant s'il avait deviné la raison de ma disparition.

Seulement, l'enveloppe ne contenait pas ce à quoi je m'attendais. C'était un faire-part de mariage : celui de Bethany et Ray, le premier week-end de novembre, à Ocean Beach... dans moins de deux semaines ! Bethany avait ajouté au dos du carton d'invitation qu'elle se réjouissait de ma présence, et me demandait si je serais disposée, en plus, à me charger des arrangements floraux. Sa priorité était la permanence, et en second venait la passion. L'inverse des fleurs de cerisier, songeai-je, en me rappelant avec un serrement de cœur l'après-midi dans l'atelier de Catherine, un moment à marquer d'une pierre blanche. Je pensai au chèvrefeuille, *dévouement*. La vigueur de cette liane naturelle évoquait un lien solide dans la durée, une permanence que je n'avais jamais connue, mais que je souhaitais à Bethany.

Elle avait inscrit son numéro de téléphone en me demandant de l'appeler fin août – une date depuis longtemps passée. Elle avait sans doute engagé une autre fleuriste, mais je ne perdais rien à essayer. Cela pourrait bien s'avérer ma seule source de revenus pendant le long hiver oisif qui s'annonçait.

Décrochant à la deuxième sonnerie, Bethany eut un hoquet de surprise en reconnaissant ma voix.

— Victoria ! s'exclama-t-elle. J'avais fait une croix sur vos services ! J'ai trouvé une autre fleuriste qui devra maintenant se contenter de l'acompte que je lui ai versé.

Ray et elle pouvaient me rencontrer dès le lendemain. Je lui communiquai tous les renseignements nécessaires pour arriver en voiture jusque chez moi.

— J'espère que vous resterez pour le mariage, ajouta-t-elle avant de raccrocher. Vous savez que votre bouquet est ce qui a allumé la flamme de notre union.

— Je serai là, lui affirmai-je.

Et j'avais l'intention d'apporter aussi avec moi des cartes de visite professionnelles.

Natalia accepta que je reçoive Bethany et Ray dans la salle de répétition. Le lendemain matin, dans un marché aux puces d'un quartier sud de San Francisco, je fis l'emplette d'une table de bridge et de trois chaises pliantes. A condition d'arrimer le hayon à l'aide d'une corde, tout tenait à l'arrière de ma voiture. En plus des meubles, j'achetai pour un dollar un vase en cristal taillé rose légèrement ébréché et pour trois billets supplémentaires, une nappe en dentelle ourlée d'une bande de plastique rose. J'emballai le vase dans la nappe et rentrai chez moi en prenant soin de n'emprunter que des petites rues.

Avant l'arrivée de Bethany et Ray, j'installai la table de bridge dans la salle vide, la recouvris de la nappe et y posai le vase, plein de fleurs de mon jardin de McKinley Square. A côté du vase, ma boîte bleue. Je vérifiai et revérifiai l'ordre alphabétique en attendant qu'on frappe à la porte.

Lorsque ce fut le cas et que Bethany surgit sur le seuil, je la trouvai plus belle que dans mon souvenir, et Ray plus séduisant que je ne me l'étais imaginé. Ils formaient un couple splendide, songeais-je, en visualisant des branches de chèvrefeuille balayant le sable blanc dans leur sillage.

Bethany ouvrit tout grands ses bras, et je la laissai m'embrasser, mon gros ventre fermement calé entre nous. Baissant les yeux, elle retint un petit cri et posa ses mains dessus. Je me demandai combien de fois j'allais être obligée de subir ce genre d'attouchements au cours des mois à venir, de la part de gens que je connaissais à peine, sinon pas du tout. La grossesse semblait suspendre les règles tacites régissant l'espace vital. La sensation était aussi détestable que celle produite par la présence d'un petit locataire qui prenait ses aises dans mes entrailles.

— Mes félicitations ! s'exclama Bethany en me serrant de nouveau contre elle. C'est pour quand ?

C'était la deuxième fois en deux jours que l'on me posait cette question et j'étais, hélas ! condamnée à l'entendre de plus en plus souvent. Tout bas, je comptai les mois.

— Février, ou mars. Les médecins ne sont pas sûrs.

Bethany me présenta à Ray. Après lui avoir serré la main, je les invitai d'un geste à prendre place autour de la table. Je m'assis en face d'eux, et m'excusai du retard avec lequel je leur avais répondu.

— Nous sommes tellement contents que vous nous ayez rappelés, déclara Bethany en serrant le bras musclé de son compagnon. Ray sait tout…

Je poussai vers le couple la boîte dont le bleu étincelait sous les néons.

— Vous pouvez avoir ce que vous voulez. Presque toutes les fleurs sont disponibles au marché, même celles qui sont hors saison.

Bethany souleva le couvercle, et je me crispai comme si elle m'avait touchée.

Ray choisit la première carte. Par la suite, je devais souvent observer de la gêne chez les hommes confrontés à mon dictionnaire, la lumière fluo jetant une lueur maladive sur leurs traits. Mais Ray n'était pas de ceux-là. Son gabarit était trompeur, il parlait des émotions avec le même naturel que les amies d'Annemarie, sur un ton enjoué et indécis. Ils se focalisèrent sur cette première carte, l'acacia, comme Grant et moi, quoique pour des raisons tout à fait différentes.

— Amour secret, fit-il. Ça me plaît.

— Secret ? Pourquoi secret ? protesta Bethany en esquissant une moue faussement offensée, comme s'il venait de lui dire que leur amour devait rester caché.

— Parce que ce qu'il y a entre nous *est* secret. J'entends mes amis se vanter ou se plaindre de leurs copines ou de leurs femmes, moi, je me tais. Ce qu'il y a entre nous est autre chose. Je tiens à ce que cela reste toujours ainsi. Hors d'atteinte. Secret.

Avec un discret murmure d'approbation, Bethany retourna la carte et examina la photo de la fleur d'acacia, tout en épis d'or duveteux, suspendue à un rameau délicat. Plusieurs acacias poussaient à McKinley Square. Pourvu qu'ils soient en fleur, me disais-je.

— Que pouvez-vous faire avec ça ? s'enquit-elle.

— Cela dépend de ce que vous voulez ajouter comme autres espèces. L'acacia n'est pas une fleur centrale. Je le placerai autour d'un bouquet plus consistant, il cachera à moitié vos mains.

— C'est génial, approuva Bethany en se tournant vers Ray. Quoi d'autre ?

Leur choix finit par se fixer sur des roses moussues fuchsia, du lilas rose pâle, des dahlias crème, du chèvrefeuille et l'acacia doré. Il leur faudrait changer les robes des demoiselles d'honneur, dont la soie bordeaux jurerait avec les coloris des bouquets. Bethany se déclara soulagée à la pensée qu'elle les avait achetées dans un grand magasin et non commandées à une couturière. Les fleurs, c'était ce qui comptait le plus, conclut-elle avec l'approbation de Ray.

Je les informai que je livrerais les fleurs à midi et que je reviendrais à quatorze heures pour la cérémonie.

— Je pourrai ainsi ajuster votre bouquet à la dernière minute.

Bethany m'embrassa de nouveau en disant :

— C'est merveilleux. Je ne sais pas pourquoi, j'ai peur qu'aux premières notes de la marche nuptiale, les roses explosent. Ce serait de si mauvais augure pour mon mariage, et mon bonheur.

— Ne vous inquiétez pas, répliquai-je. Les fleurs, ça n'explose pas, commentai-je en fixant tour à tour mon regard sur les fiancés.

Bethany sourit. Elle avait compris que je faisais allusion à Ray, et non aux fleurs.

— Je sais.

— Cela ne vous dérange pas que j'apporte des cartes de visite ? Je viens d'ouvrir, précisai-je en indiquant d'un regard circulaire les murs blancs.

— Et comment donc ! Apportez vos cartes ! Et amenez aussi un invité, on a oublié de vous le spécifier.

Bethany eut un mouvement du menton en direction de mon ventre auquel elle fit un clin d'œil. Le bébé donna un coup de pied ; ma nausée revint en force.

— J'apporterai les cartes... mais je n'aurai pas d'invité. Merci.

Bethany parut soudain gênée. Ray, en rougissant, la tira vers la porte en bredouillant :

— C'est à nous de vous remercier. C'est vraiment formidable.

Par la porte vitrée, je les suivis des yeux tandis qu'ils remontaient la côte vers leur voiture. Ray tenait Bethany par la taille. J'étais sûre que pour la réconforter, il lui assurait que l'étrange et solitaire jeune femme qui connaissait les secrets des fleurs était heureuse d'avoir un enfant sans père.

C'était faux.

4

J'achetai sur Union Square une robe noire et sur Market Street quatre douzaines d'iris violets. La robe servirait à cacher mes formes et à atténuer le scandale, les iris me tiendraient lieu de cartes de visite. Je découpai de petits carrés de papier lavande dont je poinçonnai le centre d'un trou. D'un côté je calligraphiai en m'inspirant des anglaises d'Elizabeth le mot *Message*. Au dos, je précisai *Victoria Jones, Fleuriste*, dans ma propre écriture. Le numéro de téléphone indiqué était celui de Natalia.

Il restait toutefois une difficulté pour mon commerce, et celle-ci s'avérait plus complexe que prévu. J'avais toujours la carte d'achat de Renata, seulement il n'était pas question que je me rende au marché aux fleurs. Pour la bonne raison que Grant s'y trouvait tous les jours sauf le dimanche. Et je ne pouvais quand même pas me procurer des fleurs le dimanche pour le samedi suivant ! J'avais envisagé de prendre ma voiture et de rouler jusqu'à San Jose ou Santa Rosa, mais quelle ne fut pas ma surprise, et ma déception, quand j'appris que le marché de San Francisco était le seul de toute la Californie du Nord. Les fleuristes passaient des nuits au volant et parcouraient des centaines de kilomètres pour venir y effectuer leurs achats.

J'aurais pu me fournir au détail dans une boutique, mais dès que je calculai le prix de revient, je m'aperçus que mon bénéfice serait proche de zéro, ou pire. De sorte que le vendredi précédant le mariage de Bethany, je me rendis à la Gathering House, gravis les marches en ciment et frappai à la lourde porte.

Elle s'ouvrit sur une jeune fille toute mince aux cheveux d'un blond presque blanc.

— Y aurait-il quelqu'un ici qui cherche un job ? m'enquis-je.

La blonde s'éloigna et ne reparut pas. Le groupe de filles perchées sur le canapé me toisa d'un air soupçonneux.

— Je suis une ancienne pensionnaire, leur dis-je. Je travaille comme fleuriste à présent. J'ai un mariage demain et il me faut de l'aide pour acheter les fleurs.

Plusieurs filles se levèrent pour me rejoindre autour de la table.

En guise de test, je leur posai trois questions à tour de rôle. La première : « As-tu un réveil ? » Un oui de la tête unanime. La deuxième : « Sais-tu comment aller au coin de la Sixième et de Brannan Street en bus ? » Celle-là élimina une petite rousse obèse. Par principe, elle ne prenait jamais l'autobus, me déclara-t-elle. Je la renvoyai d'une pichenette.

Je demandai aux deux candidates encore en lice pourquoi elles avaient besoin de cet argent. La première, une Latino appelée Lilia, se lança aussitôt dans une énumération où le frivole me parut dominer. Elle devait aller chez le coiffeur pour ses mèches, elle n'avait presque plus de lait démaquillant, et aucune paire de chaussures qui allait avec la tenue que son petit ami lui avait offerte. Elle cita son loyer, comme une pensée après coup. J'aimais bien son nom, moins ses réponses.

La troisième avait une frange si longue qu'on ne voyait pas ses yeux. De temps en temps, elle la relevait, mais prenait soin de garder sa main très bas sur son front. Sa réponse, cependant, s'avéra simple et correspondait à ce que j'attendais. Si elle ne payait pas son loyer, elle serait expulsée. Sa voix s'étrangla et elle enfouit son visage dans son col roulé ne laissant dépasser que son bout de nez. J'étais en quête d'une personne assez désespérée pour se lever en entendant son réveil sonner à trois heures et demie du matin. Cette jeune fille ne me décevrait pas. Je lui donnai rendez-vous à l'arrêt du bus de Brannan Street, à une rue du marché aux fleurs, à cinq heures, le lendemain. Je la quittai sans lui demander comment elle s'appelait.

Elle fut en retard. Pas assez pour mettre en péril mon programme, mais suffisamment pour me plonger dans les affres de l'angoisse. Je n'avais pas prévu de solution de rechange, et plutôt que de risquer de croiser Grant, j'aurais laissé Bethany marcher jusqu'à l'autel sans bouquet. Chaque fois que ma pensée volait vers lui, le bébé s'agitait et j'avais mal. La fille finit toutefois par arriver au pas de course, essoufflée, quinze minutes après l'heure convenue. Elle s'était endormie dans le bus et avait raté l'arrêt, mais elle me promit de rattraper le temps perdu. Je lui confiai ma carte de fleuriste, une poignée de billets et une liste de fleurs.

Pendant qu'elle se trouvait à l'intérieur du marché couvert, je surveillai les alentours, de crainte qu'elle ne s'enfuie avec l'argent. Il y avait trop de sorties de secours à mon goût. Une demi-heure plus tard, la fille ressurgit, les bras chargés de fleurs. Elle me les tendit avec la monnaie, puis retourna acheter le second lot. A son retour, nous avons chargé le tout dans ma voiture. Le trajet jusqu'à Potrero Hill fut silencieux.

J'avais recouvert le sol de la salle du bas d'une bâche de chantier. Natalia m'avait permis de l'utiliser comme bon me semblait pendant la journée, du moment que le soir venu je ne gênais pas la répétition de ses musiciens. Les vases que j'avais achetés en solde dans un magasin discount étaient alignés par terre au milieu de la pièce, déjà pleins d'eau, avec, posés à côté, un rouleau de ruban et des épingles.

Je montrai à la fille comment couper les épines, supprimer les feuilles basses, tailler les tiges en biseau. Elle prépara les fleurs pendant que j'entamais les arrangements. Nous avons travaillé jusqu'à ce que j'attrape des crampes aux mollets. J'étais tellement lourde à cause de mon ventre. Je montai l'escalier pour me dégourdir un peu les jambes, et prendre l'acacia et le chèvrefeuille cueillis dans mon jardin. Ils étaient couchés dans le réfrigérateur sur l'étagère du milieu, auprès d'un paquet de petits gâteaux à la cannelle et d'une grosse brique de lait. Je descendis le tout et présentai la boîte de gâteaux à mon assistante.

— Merci, me dit-elle en prenant deux biscuits. Au fait, je m'appelle Marlena, au cas où tu aurais oublié.

Je l'avais oublié. A ma décharge, il n'y avait rien, ou si peu, de mémorable chez Marlena. Tout chez elle était ordinaire. Même son manque de beauté se dissimulait sous des cheveux longs et des vêtements trop larges. Elle secoua la tête et souffla fort en avançant la lèvre inférieure, si bien que sa frange se souleva et s'écarta pour retomber de part et d'autre de ses yeux bruns. Je voyais enfin son visage. Rond, lisse, une peau parfaite.

Elle portait un énorme sweat qui lui tombait presque aux genoux et lui donnait une allure d'enfant perdue. Une fois les gâteaux avalés, sa frange reprit sa place.

— Moi, c'est Victoria.

Je sortis un iris élancé d'un vase et le lui tendis. Elle lut la carte.

— T'as une de ces chances ! Tu as un commerce et tu vas avoir un bébé. Je ne pense pas que beaucoup d'entre nous vont aussi bien réussir que toi.

Je m'abstins de lui parler des mois passés à McKinley Square et de la peur qui m'envahissait chaque fois que je me rappelais que mon petit locataire allait devenir un enfant : une chose hurlante, affamée, vivante !

— Certaines réussiront, d'autres pas, lui répliquai-je. Comme partout.

Je mangeai mon gâteau et me remis au travail. Les heures passèrent vite, ponctuées par des questions ou des compliments de Marlena. Je n'encourageais pas la conversation. J'étais assaillie par les souvenirs de Renata. Ma première visite avec elle au marché aux fleurs, où elle m'avait appris comment acheter, puis plus tard le même jour, assise auprès d'elle autour du plan de travail, le hochement de tête approbateur que me valait chacun des bouquets que je confectionnais.

Après quoi, Marlena m'aida à charger ma voiture et je sortis ma liasse de billets.

— Tu as besoin de combien ?

Marlena avait sa réponse toute prête :

— Soixante dollars. Pour mon loyer, le premier du mois. Comme ça je peux rester un mois de plus.

Je comptai trois billets de vingt, marquai une pause, puis lui en donnai un quatrième.

— Tiens, voilà quatre-vingts. Appelle-moi tous les lundis au numéro inscrit sur la carte. Je te dirai si j'ai du travail pour toi.

— Merci.

J'aurais pu la ramener au foyer – le mariage avait lieu à quelques pâtés de maisons –, mais j'avais trop envie d'être seule. J'attendis qu'elle ait disparu au coin de la rue avant de monter dans ma voiture et de prendre le chemin de la plage.

Le mariage s'avéra une réussite. Les roses moussues dans leur collerettc de chèvrefeuille restèrent confortablement nichés au creux de la main de la mariée. Après la cérémonie, je me plaçai à l'entrée du parking afin de distribuer mes iris aux invités. Personne ne tendit la main pour me toucher le ventre. Je n'assistai pas à la réception.

Comme je n'avais pas parlé à Natalia de mes affaires, je quittais rarement la maison et prenais soin d'être toujours celle qui répondait au téléphone. « Message ! » clamais-je d'un ton à la fois interrogatif et affirmatif. Ce qui me permettait, au cas où il s'agissait d'amis de Natalia, de lui laisser un mot scotché sur la porte de sa chambre. Les clients, eux, déclinaient leur nom et ce qui motivait leur appel. A l'aide d'un questionnaire, je cernais leurs désirs ou les invitais à venir me consulter dans la salle du bas. Les amis de Bethany étaient riches. Personne, pas une seule fois, ne s'enquit du prix d'une fleur. Je demandais plus d'argent quand j'en avais besoin, et moins à mesure que ma clientèle s'agrandissait.

En attendant que le téléphone sonne et que mon carnet de rendez-vous se remplisse, je confectionnai deux dictionnaires supplémentaires. L'idée que des mains étrangères tripotent ma boîte bleue me dérangeait, et puis il en fallait une classée par fleurs, comme celle de Grant. Je ressortis mes négatifs, fis faire de nouveaux tirages et montai les photos sur des fiches blanches ordinaires que je rangeai dans des boîtes à chaussures récupérées. J'en plaçai une sur la table en bas, et confiai la seconde à Marlena en lui recommandant de bien mémoriser chaque fiche. Ma boîte bleue retourna dans ma chambre, bien en sécurité derrière la rangée de verrous.

Je fus sollicitée pour un baptême à Los Altos Hills, pour un anniversaire d'enfant dans un appartement somptueux de California Avenue et pour un enterrement de vie de jeune fille dans le quartier de la Marina, en face de mon épicerie fine préférée. Je récoltai trois fêtes de Noël et un Nouvel An chez Bethany et Ray. Partout où j'allais, j'emportais un seau d'iris dûment étiquetés. En janvier, Marlena avait gagné de quoi payer plusieurs mois de loyer de son propre studio. Quant à moi, j'avais seize mariages programmés pour l'été.

Je n'avais contracté aucune obligation pour mars et je n'étais pas tranquille au sujet de mes engagements de février. Plantée dans des bidons en plastique, de la fraxinelle, *enfantement*, occupait les coins de la chambre bleue. Sans lumière elle ne fleurirait jamais. Je veillais à garder l'ampoule éteinte pour tenter de repousser l'inévitable. Mais le bébé, en dépit de ma terreur, continuait à grandir.

Fin janvier, j'avais pris une telle ampleur, que je fus obligée de reculer le siège de conduite au maximum, et encore, mon ventre n'était qu'à quelques centimètres du volant. Quand le bébé donnait un coup de pied ou de coude, j'avais l'impression qu'il voulait prendre le contrôle de la voiture. Je portais des vêtements masculins, des tee-shirts et des sweats trop grands et trop longs pour moi. Je rabattais l'élastique de mon pantalon souple sous mon ventre. Les gens me prenaient parfois pour une obèse, mais la plupart du temps, j'étais la proie de leurs mains baladeuses sur mon estomac.

Au cours du dernier mois, j'évitais autant que possible de rencontrer les clients et je livrais les fleurs longtemps avant l'arrivée des invités, laissant derrière moi mon seau d'iris. Mon allure devenait extrêmement débraillée et je voyais bien que toutes ces femmes élégantes, même si elles n'en montraient rien, étaient gênées.

Maman Ruby fit des apparitions de plus en plus fréquentes, sous des prétextes cousus de fil blanc. Natalia était trop maigre, me disait-elle. Elle lui avait préparé un gratin de tofu. Ni Natalia, qui n'était pas maigre du tout, ni moi ne l'avons mangé. Le tofu est une des rares choses que je n'ai jamais pu avaler. Dès que Natalia partit pour sa première tournée d'un mois entier – son vivier de fans s'élargissait –, je jetai le gratin avec son lourd plat en pyrex. Seule dans l'appartement, je pris l'habitude d'aller à la fenêtre avant de sortir. Si je voyais Maman Ruby sur le trottoir, je retournais dans la chambre bleue et fermais les six verrous.

Renata, c'était elle, bien sûr, qui avait averti sa mère de ma grossesse, Natalia n'aurait pas prêté le flanc à ces assauts de sollicitude maternelle. Renata, même si elle m'avait renvoyée, se souciait de mon bien-être. D'ailleurs, elle s'en souciait, inexplicablement, depuis que je l'avais rencontrée. Le matin de bonne heure, alors que je travaillais dans la salle du bas, je la voyais passer dans sa camionnette chargée, en route pour sa boutique. Nos regards se croisaient un instant et elle me saluait d'un signe amical de la main. Parfois, je lui rendais son salut, mais elle ne s'arrêtait jamais et je ne faisais pas mine d'aller à sa rencontre.

Pour l'arrivée du bébé, je réunis le strict nécessaire : des couvertures, un biberon, du lait premier âge, des grenouillères et un bonnet. Je ne voyais pas ce qu'il fallait d'autre. Engourdie, lourde, comme paralysée, j'effectuai ces achats sans éprouver ni excitation ni angoisse. Je n'avais pas peur de l'accouchement. Les femmes enfantaient depuis la nuit des temps. Des mères mouraient, des bébés mouraient ; des mères survivaient, des bébés remplissaient leurs poumons d'air. Des mères élevaient des enfants, d'autres les abandonnaient, filles ou garçons, en bonne ou en mauvaise santé. Je ne négligeais aucun cas de figure, et tous me paraissaient intolérables.

Le vingt-cinquième jour du mois de février, je me réveillai trempée. La douleur commença tout de suite après.

Natalia était encore en tournée, ce qui me convenait très bien. Sinon j'aurais dû mordre un oreiller pour étouffer mes cris. C'était un samedi, les immeubles de bureaux voisins étaient aussi vides que l'appartement. J'ouvris grand la bouche dès la première contraction et un râle s'échappa du tréfonds de mes entrailles. Cela ne ressemblait pas à ma voix. Cela ne me ressemblait d'ailleurs pas de souffrir autant. Une fois la contraction passée, je fermai les yeux et m'imaginai flottant sur la houle bleue d'une mer profonde.

Une minute s'écoula avant la reprise de la douleur, plus aiguë. Je roulai sur le côté. Les parois de mon ventre se refermaient comme un étau d'acier autour du bébé afin de l'expulser. J'arrachai à la moquette des poignées de fourrure gluante, et quand j'eus moins mal, je tambourinai rageusement sur les plaques chauves.

Les odeurs de fraxinelle et de terre mouillée semblaient lancer des appels au bébé. Moi, tout ce que je voulais, c'était me lever et partir. Ce ne serait pas pareil sur la surface dure et froide du trottoir, au milieu du tapage de la rue. Le bébé comprendrait que le monde ne lui réservait pas un accueil doux et affectueux. Je marcherais jusqu'à la buvette et commanderais un beignet. Le bébé se défoncerait au nappage chocolat et déciderait de rester « non né ». Assise sur un siège en plastique, j'attendrais, et la douleur finirait par s'en aller, forcément.

Sortant de la chambre bleue à quatre pattes, je tentai de me mettre debout. Impossible. Les contractions, semblables à un puissant courant sous-marin, m'entraînaient vers le fond. Je rampai jusqu'au tabouret poussé contre le comptoir de la cuisine, et le cou calé contre la barre de métal, laissai aller ma tête en avant. Mon cou allait claquer, me dis-je, optimiste. Ma tête allait rouler à terre, tranchée, et tout s'arrêterait. A la contraction suivante, j'ouvris la bouche et mordis la barre de métal.

Lorsque vint l'accalmie, j'eus soif. Me soutenant au mur, je gagnai la salle de bains, m'avachis sur le lavabo, ouvris le robinet et pris de l'eau dans mes mains pour la porter à mes lèvres. Comme j'étais toujours assoiffée, je mis la douche à fond et me hissai dans la baignoire. La bouche grande ouverte, l'eau chaude coula droit dans ma gorge. Me retournant, je la laissai imbiber mes vêtements et ruisseler sur moi. Je restai ainsi, le haut de ma tête appuyé au mur, avec l'impression que l'on m'écrasait le bas du dos, jusqu'à ce que l'eau devienne froide et que je me mette à grelotter.

Sortie de la baignoire, je me penchai sur le lavabo en proférant des jurons d'une voix grave, furieuse. Cet enfant, je le haïssais pour le supplice qu'il m'obligeait à endurer. Les mères doivent secrètement mépriser leur progéniture pour les douleurs inexcusables de l'enfantement. Je sympathisais avec la mienne, aussi sûrement que si nous venions d'être présentées. Je la voyais filant en douce de l'hôpital, le corps coupé en deux, abandonnant un nouveau-né emmailloté, ce petit être qu'elle avait troqué contre la perfection de ses formes, contre une existence ignorant la douleur. La souffrance et le sacrifice étaient impardonnables. Je ne méritais pas d'être pardonnée. Dans la glace, je m'efforçai de reconstituer les traits de celle qui m'avait donné le jour.

La violence de la contraction suivante m'obligea à me plier en deux, le front appuyé au robinet à col de cygne. Lorsque je redressai la tête et me retrouvai devant mon reflet dans le miroir, ce que je vis ne fut pas le visage de ma mère, ma mère telle que je me l'imaginais, mais celui d'Elizabeth. Ses yeux me fixaient de ce regard lointain, farouche et plein d'espoir qu'elle avait au moment des vendanges.

Plus que tout, j'avais envie d'être auprès d'elle.

5

— Elizabeth ! appelai-je d'une voix étranglée, pressante.

La lune se levait derrière la caravane de Perla, dont la forme trapue et rectangulaire étirait son ombre sur la pente du coteau où je me tenais. Me répondant à l'instant, Elizabeth courut dans ma direction, entrant et sortant de l'obscurité jusqu'au moment où elle se retrouva devant moi. Le clair de lune étincelait sur les petits cheveux qui argentaient ses tempes. Son visage, noyé d'ombres, composait un ensemble de lignes et d'angles que rehaussaient deux yeux doux et ronds.

— Goûte ! lui dis-je.

Mon pouls battait dans mes oreilles. Je levai une grappe en l'air, la frottai pour la polir contre mon tee-shirt humide puis la lui présentai.

Elizabeth saisit la grappe sans me quitter des yeux. Sa bouche s'ouvrit et se ferma. Elle mâcha, une fois, cracha les pépins, mâcha, avala, mâcha… Son expression changea. Ses traits crispés s'adoucirent comme si le sucre des grains les lissait. Ses joues se teintèrent d'un rose juvénile. Elle me sourit, et dans le même mouvement me prit entre ses bras puissants. L'accomplissement d'un tel exploit de ma part nous enveloppait dans une bulle de bonheur partagé. Je me blottis contre elle, fière, rayonnante, les pieds immobiles et le cœur lancé à cent à l'heure.

En me tenant à bout de bras, elle plongea les yeux dans les miens en disant :

— Enfin !

Cela faisait près d'une semaine que nous traquions la première grappe mûre. Un brusque réchauffement avait provoqué une augmentation de la teneur en sucre si brutale qu'elle rendait impossible l'évaluation de la maturité sur la totalité des parcelles. Elizabeth, folle d'inquiétude, m'avait envoyée à droite et à gauche comme si j'avais été un prolongement de ses propres papilles. Nous parcourions les rangs, suçant la pulpe, mastiquant la pellicule, crachant les pépins. Elizabeth m'avait donné un bâton pointu. Devant chaque cep dont je dégustais les baies, je devais tracer un O ou un X, ses symboles pour le soleil et l'ombre, suivi d'un rapport sucre/tanins. Je démarrai par le bord de la route : O 71/5, passai derrière les caravanes : X 68/3, puis grimpai le coteau au-dessus de la cave à vins : O 72/6. Elizabeth, qui sillonnait d'autres parcelles, venait de temps à autre mettre ses pas dans les miens, et goûtait un rang sur deux ou trois afin de vérifier la justesse de mes évaluations.

Elle n'aurait pas dû douter de mes capacités, d'ailleurs elle s'en rendait compte maintenant. Elle posa un baiser sur mon front et je me penchai vers elle sur la pointe des pieds. Pour la première fois depuis des mois, je me sentais désirée, aimée. Elizabeth me fit asseoir à côté d'elle sur la pente. La lune se levait dans la nuit silencieuse.

L'approche des vendanges avait estompé l'avertissement de Grant. Nous n'avions pas eu le temps de penser à Catherine et à ses menaces. A présent, alors que nous étions entourées de raisins mûrs, remplies d'amour l'une pour l'autre et pour les vignes, les mots de Grant me revenaient à l'esprit, et je frissonnai.

— Tu te fais du souci ? interrogeai-je.

Elizabeth était calme, songeuse. Avant de me répondre, elle releva ma frange et me caressa la joue.

— A propos de Catherine, oui, mais pas pour les vendanges.

— Pourquoi ?

— Ma sœur ne va pas bien. Grant n'a pas dit grand-chose, mais il avait l'air terrifié. Tu aurais compris si tu avais vu son visage, et si tu avais connu ma mère.

— Pourquoi ?

Je ne voyais pas quel rapport il pouvait y avoir entre leur mère défunte et l'état de santé de Catherine, ni la terreur de Grant.

— Ma mère était une malade mentale. Les dernières années de sa vie, je n'allais même plus la voir. J'avais trop peur. Elle ne se souvenait pas de moi, ou bien me rappelait une bêtise que j'avais faite et m'accusait d'être la cause de son malheur. C'était horrible, mais je n'aurais jamais dû la laisser seule, avec Catherine pour supporter ce fardeau.

— Tu aurais pu faire quoi ?

— J'aurais dû m'occuper d'elle. C'est trop tard, maintenant. Elle est morte il y a près de dix ans. Mais je peux encore m'occuper de ma sœur, même si elle refuse mon aide. J'en ai déjà parlé à Grant. Il trouve que c'est une bonne idée.

— Ah bon.

J'étais bouleversée. Nous avions passé la semaine à déguster douze heures par jour des baies de raisin.

Comment avait-elle réussi à avoir une conversation avec Grant ?

— Il a besoin de nous, Victoria. Catherine aussi. Leur maison est presque aussi grande que la nôtre. Elle nous logera tous facilement.

Je commençai à secouer la tête lentement, puis de plus en plus vite. Mes cheveux fouettaient mes oreilles et mon nez. Elle voulait qu'on emménage chez Catherine. Elle allait me forcer à vivre avec celle qui avait gâché ma vie.

— Non, répliquai-je en faisant un bond de côté pour m'écarter d'elle. T'as qu'à y aller sans moi.

Elle se détourna, laissant mon cri du cœur en suspens entre nous.

6

Je voulais Elizabeth.

Elle me serrerait contre elle comme lorsque nous étions dans les vignes, elle me sécherait les joues et les épaules trempées de sueur avec le mêmc soin, la même douceur qu'elle avait mis à nettoyer mes paumes déchirées par les épines. Je voulais qu'elle m'enveloppe dans de la gaze et me porte dans ses bras jusqu'à la table du petit déjeuner et m'interdise de grimper aux arbres.

Mais elle était inatteignable.

Et même si d'une façon ou d'une autre je parvenais à entrer en contact avec elle, elle ne viendrait pas.

Je vomis dans le lavabo. Je n'eus pas le temps de reprendre ma respiration, écrasée par les contractions comme par un mur d'eau me heurtant de plein fouet. J'allais me noyer. Je pris le téléphone et composai le numéro de Bloom. Je n'étais capable d'articuler que des borborygmes, mais Renata comprit tout de suite. Elle raccrocha d'un coup sec.

Quelques minutes plus tard, elle était dans le séjour. J'étais repartie à quatre pattes m'affaler dans la chambre bleue, les pieds sortant par la porte basse.

— Heureusement que tu m'as téléphoné, déclara Renata.

Je ramenai mes pieds dans la pièce et me roulai en boule sur le côté. Lorsque Renata tenta de passer la tête, je lui fermai la porte au nez.

— Appelle ta mère, lui dis-je. Qu'elle vienne sortir ce bébé de là.

— C'est déjà fait. Elle était justement dans le quartier. On dirait qu'elle a un sixième sens. Elle va arriver d'une minute à l'autre.

Hurlante, je me remis à quatre pattes.

Je ne l'entendis pas venir. Soudain, j'eus conscience de sa présence. Maman Ruby me déshabillait. Ses mains se promenaient partout sur mon corps, au-dedans aussi. Je m'en fichais. Elle allait extraire le bébé. J'étais prête à tout. Si elle avait brandi un couteau pour m'ouvrir le ventre, je me serais contentée de tourner la tête.

Elle me présenta un gobelet en carton avec une paille. Ce que j'aspirai était froid et sucré. Elle m'essuya les coins de la bouche à l'aide d'une serviette.

— S'il te plaît… s'il te plaît… fais ce que tu veux… mais sors-le de là.

— C'est toi qui vas t'en occuper. Tu es la seule qui puisse le faire.

La chambre bleue était en feu. L'eau n'était pas censée être inflammable, pourtant à cet instant, je me noyais et je brûlais en même temps. Impossible de respirer ; impossible de voir. Il n'y avait pas d'air ; il n'y avait pas d'échappatoire.

— S'il te plaît, la suppliai-je d'une voix qui s'étranglait.

Maman Ruby s'accroupit devant moi, les yeux à la hauteur de mes yeux, le front contre mon front. Elle posa mes bras autour de ses épaules et, comme si elle me tirait d'un chaudron bouillant, je m'assis sur mes talons. Sans bouger, elle écouta.

— Le bébé arrive. Tu nous l'amènes. Toi seule en es capable.

A cet instant seulement, je compris ce qu'elle me disait. Je me mis à pleurer, des geignements pétris de remords. Cette fois, je n'y couperais pas. Je ne pouvais pas me détourner, partir sans reconnaître ce que j'avais fait. La seule manière de gagner l'autre rive, c'était d'accepter la souffrance.

Au bout du compte, mon corps capitula. Le bébé se mit à se mouvoir, tout doucement, atrocement doucement, à glisser hors de mon corps et dans les bras tendus de Maman Ruby.

7

Une fille. Née à midi, six heures seulement après que j'avais perdu les eaux. Six heures qui comptaient comme six jours, et si Maman Ruby m'avait dit que cela faisait six ans, je l'aurais crue. J'émergeai de cet accouchement en proie à une paisible euphorie. Un peu plus tard, le sourire qui m'accueillit dans la glace de la salle de bains n'appartenait pas à l'enfant terrible qui rapportait des seaux de chardons cueillis dans les fossés. C'était celui d'une femme, d'une mère.

Maman Ruby m'assura que cela avait été une naissance exemplaire et que mon bébé était parfait. Elle ajouta que j'avais l'étoffe d'une mère parfaite. Elle lui donna un bain pendant que Renata faisait un saut au supermarché acheter des couches. Après quoi, elle déposa le petit paquet chaud dans mes bras. Je m'attendais à ce que le bébé soit endormi. Ses yeux étaient grands ouverts et inspectaient mon visage fatigué, mes cheveux courts, mon teint pâle. Sa figure se tordit, comme s'il souriait de travers, mais dans ce sourire, je lus de la gratitude, du soulagement et une immense confiance. Pour rien au monde, je n'aurais voulu le décevoir.

Maman Ruby souleva mon tee-shirt, prit mon sein au creux de sa paume et y appuya la minuscule figure. Le bébé ouvrit la bouche et se mit à téter.

— Parfait, commenta Maman Ruby qui décidément n'avait que ce mot à la bouche.

Ma fille *était* parfaite. Je l'avais su tout de suite, dès qu'elle était sortie, toute blanche et mouillée, hurlante. Car non contente de posséder les dix doigts et les dix orteils de rigueur, elle savait aussi crier très fort. Elle savait se faire entendre. Elle savait comment vous accrocher. Elle était équipée pour survivre. J'étais émerveillée qu'une pareille perfection ait pu se développer dans un corps aussi défectueux que le mien. Pourtant, quand je la regardais, je voyais que c'est vrai.

— Elle a un nom ? s'enquit Renata à son retour.

— Je ne sais pas, répondis-je en caressant l'oreille duveteuse de mon bébé qui continuait à téter. Je ne *la* connais pas encore.

Mais je ne tarderais pas à la connaître. J'allais la garder, l'élever, l'aimer, même si c'était elle qui devait me guider. En serrant ma fille dans mes bras, alors qu'elle n'était âgée que de quelques heures, j'eus la sensation que tout ce qui jusqu'ici me paraissait hors d'atteinte devenait possible.

Cette sensation perdura exactement une semaine.

Maman Ruby demeura jusqu'à minuit et revint le lendemain matin de bonne heure. Pendant les huit heures que j'avais passées seule avec ma fille, je l'avais écoutée respirer, j'avais compté les battements de son cœur et contemplé son poing minuscule qui sans cesse s'ouvrait et se fermait. J'avais humé sa peau, sa salive ainsi que la matière huileuse et blanche qui en dépit du savonnage de maman Ruby était restée nichée dans les petits plis de ses bras et de ses jambes. En massant chaque centimètre de son corps, mes doigts devinrent gluants.

Maman Ruby m'avait prévenue ; le bébé, épuisé par l'accouchement, allait dormir pendant six heures au moins la première nuit. « C'est le premier cadeau qu'un enfant donne à sa mère, avait-elle ajouté avant de partir. Pas le dernier. Prends-le et dors ! » J'avais essayé, mais j'étais trop émerveillée par l'existence de ma fille, un être qui la veille seulement n'avait pas été au monde, un être dont la vie avait germé à l'intérieur de moi. En la regardant dormir, je compris qu'elle était en sécurité et qu'elle le savait. A cette pensée, j'eus une poussée d'adrénaline. Le lendemain, en entendant Maman Ruby tourner la clé dans la porte d'entrée en bas, je me rendis compte que je n'avais pas fermé l'œil.

Elle hissa sa grosse sacoche dans l'escalier et l'ouvrit devant la porte de la chambre bleue. Le bébé, réveillé, était au sein. Ensuite, maman Ruby écouta son cœur et l'installa sur une espèce de balançoire en tissu pourvue d'un ressort qui servait de balance. Elle s'exclama devant le poids que le bébé avait déjà pris, ce qui était inhabituel, précisa-t-elle, pendant les premières vingt-quatre heures. Ma fille vagit un peu et se mit à téter l'air. Maman Ruby la plaça sur l'autre sein. Du plat de l'index, elle vérifia si elle s'accrochait bien au mamelon.

— Mange, ma grande, lui dit-elle.

C'était un spectacle. Mon bébé qui tétait, les yeux fermés, les tempes battantes. C'était la dernière chose que je me serais crue capable de faire : allaiter ! Maman Ruby était catégorique. C'était ce qu'il y avait de mieux pour nous deux. La petite allait grandir, nos liens se resserreraient, mon corps reprendrait ses formes. Elle était fière de moi, me répétait-elle sans cesse. Toutes les mères n'avaient pas cette patience, ou cette abnégation, mais elle savait que je ne la décevrais pas.

Moi aussi, j'étais fière. Fière d'être en mesure de fournir à ma fille ce dont elle avait besoin. Fière de pouvoir tolérer l'infatigable mouvement de succion des petites gencives, la sensation d'un liquide précieux jailli du fond de moi. Elle téta une heure d'affilée, mais cela m'était égal. J'eus le temps d'étudier son visage, de graver dans ma mémoire le trait droit et court de ses cils, son front lisse, les petits points blancs gros comme des têtes d'épingle qui parsemaient son nez et ses joues. Lorsque ses paupières se soulevaient, j'examinais les prunelles gris foncé, y guettant des éclats de bleu ou de brun. Je me demandais si elle allait ressembler à Grant, ou me ressembler à moi, ou si elle évoquerait un aïeul que je n'avais jamais rencontré. Pour le moment, je ne voyais rien.

Maman Ruby prépara des œufs brouillés tout en me lisant à haute voix un guide du nouveau-né. Elle me donna à manger à la petite cuillère et me soumit à une interrogation orale. Comme je l'écoutais attentivement, j'étais capable de lui répéter chaque phrase mot pour mot. Dès que le bébé s'endormit, elle se tut et, même si je l'en suppliai, refusa de continuer.

— Endors-toi, Victoria, me dit-elle en fermant le livre. La chute des hormones après l'accouchement peut faire voir la vie en noir si on ne dort pas suffisamment.

Elle me tendit ses bras afin que je lui confie le bébé. Même si je me sentais déjà à moitié assoupie, j'étais réticente. Je craignais les effets irréversibles d'une séparation. Le plaisir que j'éprouvais au contact de ma fille était quelque chose de neuf et de fragile. En la laissant, j'avais peur de ne plus pouvoir la supporter plus tard, lorsque je la retrouverais.

Maman Ruby, ne comprenant par la raison de mes scrupules, m'enleva le bébé sans hésitation. Je m'endormis presque aussitôt.

Maman Ruby ne fut pas la seule visiteuse au cours de cette première semaine. Le lendemain de la naissance, Renata monta, non sans mal, et en deux voyages, un matelas en plumes et un couffin dans la chambre bleue. Elle revint ensuite chaque jour avec un déjeuner pour nous deux. Allongéc sur mon nouveau matelas, la porte à demi ouverte, le bébé endormi, la joue contre mon sein nu, je mangeais des pâtes ou des sandwichs en me servant uniquement de mes mains. Renata se tenait perchée sur un tabouret. Nous ne parlions guère. Ni elle ni moi n'étions capables de communiquer alors que j'étais nue. Mais à mesure que le temps passait, notre mutisme nous parut de plus en plus confortable. Ma fille tétait, dormait, tétait... Tant qu'elle était couchée contre moi, peau contre peau, elle était comblée.

Le mardi, alors que Renata et moi déjeunions dans le silence habituel, Marlena frappa à la porte en bas. J'avais cessé de répondre au téléphone. Nous avions à fleurir un dîner d'anniversaire de mariage le lendemain matin. Renata lui ouvrit. Marlena fut enchantée par le bébé. Elle le tint dans ses bras, le berça, le calma avec un naturel qui provoqua chez Renata des mimiques de stupéfaction. Je priai cette dernière de prendre de l'argent dans mon sac à dos et de le donner à Marlena : il faudrait bien qu'elle se charge seule des arrangements floraux pour l'anniversaire de mariage.

— Non, décréta Renata. Garde-la ici avec toi. Je m'occupe des fleurs.

Elle sortit les billets et mon agenda, où j'avais écrit la liste des achats à effectuer et l'adresse du restaurant où je devais livrer la commande. Elle regarda si j'avais d'autres engagements à venir. Je n'avais rien avant trente jours.

— Je reviendrai demain avec le déjeuner, m'avertit-elle. Et je te montrerai les centres de table. Tu me diras si ça va.

Elle se tourna vers Marlena et, presque timidement, lui serra la main.

— Je suis Renata, lui dit-elle. Reste aussi longtemps que tu pourras aujourd'hui et reviens demain. Je te paierai les heures à ton tarif.

— Juste pour bercer le bébé ? s'étonna Marlena.

Renata confirma d'un signe de tête.

— D'accord, promit Marlena. Merci.

Elle se retourna tout doucement, comme au ralenti. Le bébé soupira dans son sommeil.

— Merci, dis-je à Renata. Une petite sieste ne serait pas du luxe.

Je n'avais pas dormi correctement depuis des jours, constamment aux aguets, même assoupie. Apparemment, j'avais quand même hérité du gène de l'instinct maternel, songeais-je en me remémorant les paroles de Renata dans la voiture avant notre premier repas ensemble.

Renata s'approcha du matelas où j'étais allongée, le bras à moitié sorti par l'ouverture de la porte basse. Elle se pencha, mais bien embarrassée pour me faire un câlin, se contenta de me tapoter la main du bout du pied. Je lui pinçai les orteils. Elle me sourit.

— A demain !

— D'accord.

Je l'entendis descendre l'escalier. Le chambranle métallique cliqueta quand elle sortit.

— Elle s'appelle comment ? s'enquit Marlena en embrassant le front de ma fille.

Quand elle s'assit sur un tabouret, le bébé fit mine de se réveiller. Elle se remit debout et arpenta le séjour de long en large en roulant doucement des hanches.

— Je ne sais pas, lui répondis-je. Je réfléchis.

En fait, je n'y avais pas du tout pensé. Pourtant c'était indispensable. La tétée et les changes du bébé ne me laissaient le temps pour rien d'autre, au physique comme au mental. Marlena se dirigea vers la cuisine, le bébé enfouissant son nez dans son chemisier, sa joue rose appuyée contre son épaule. Elle se mit aux fourneaux. Sans avoir l'air de rien. Moi, j'étais bien incapable de faire la cuisine, et encore moins avec un bébé sur l'épaule.

— Tu as appris où ? lui lançai-je.

— La cuisine ?

— Oui… et les bébés.

— Ma dernière mère d'accueil était nounou. Elle m'a gardée seulement parce que je faisais mes études par correspondance et l'aidais avec les petits. Je m'en fichais. C'était mieux que le lycée.

— Tu as fait tes études à la maison ? m'exclamai-je, soudain transportée devant la liste qu'Elizabeth avait collée à la porte du réfrigérateur.

Je consultai ma montre, pensive.

— Les dernières années. C'était à cause de mon retard. Ils se sont dit que ce serait plus facile pour moi de rattraper. Au final, j'ai pris encore plus de retard. A dix-huit ans, j'ai laissé tomber l'école et j'ai emménagé à la Gathering House.

— Moi aussi, j'ai fait mes études à la maison.

Il était une heure de l'après-midi. A cette heure, Elizabeth venait d'essuyer la vaisselle et était en train de la ranger en m'interrogeant sur la table de huit ou de neuf.

Quelque chose grésilla sur la cuisinière. Marlena ajouta du sel. J'étais sidérée qu'elle trouve quelque chose à cuire dans mes placards vides. Le bébé se réveilla. Elle le changea d'épaule, le tenant de manière à voir ce qu'il faisait. Elle marmonnait des paroles très douces, prière ou poème, je n'aurais su le dire. Il ferma les yeux.

— Tu es plus douée avec les bébés qu'avec les fleurs.

— J'apprends, répliqua Marlena, sans se vexer.

— Moi aussi.

Pendant qu'elle émincait quelque chose, le bébé dodelina de la tête.

— Tu devrais dormir, me conseilla-t-elle. Elle est calme. Bientôt elle aura de nouveau faim.

— Bon. Réveille-moi si tu as besoin de moi.

— Compte sur moi.

Marlena reporta son attention vers la cuisinière.

Je fermai les yeux. La berceuse que chantait Marlena me parvenait par l'entrebâillement de la porte. Elle me parut familière. Dans un demi-sommeil, je m'interrogeai : quelqu'un me l'aurait-il chantée quand j'étais bébé, quelqu'un qui ne m'aimait pas, quelqu'un qui m'aurait « rendue » ?

Le samedi matin, une semaine après la naissance, Maman Ruby arriva avec son lot de questions désormais coutumières sur mes saignements, mes douleurs, mon appétit. Elle vérifia que j'avais bien mangé la veille au soir et écouta le cœur du bébé avant de le poser sur la balance en toile.

— Deux cent vingt-huit grammes supplémentaires, annonça-t-elle. Bravo !

Elle démaillota le bébé et pendant qu'elle le changeait, le cordon ombilical, que je n'avais jamais touché et que j'évitais même de regarder, tomba.

— Je te félicite, mon ange, murmura maman Ruby tout près du visage ensommeillé de ma fille.

Sans ouvrir les yeux, le bébé cambra le dos et leva ses petits bras.

Elle lui nettoya le nombril avec un liquide venant d'un flacon dépourvu d'étiquette. Une fois le bébé tout propre et rhabillé, elle me le remit dans les bras.

— Pas d'infection, tète normalement, dort et prend du poids. Tu as de l'aide ?

— Renata m'apporte à manger. Et Marlena a passé quelques jours ici.

— Parfait !

Elle remit dans sa grosse sacoche ses livres, ses couvertures, ses serviettes, ses flacons et ses tubes.

— Tu pars ? m'enquis-je, stupéfaite.

Je m'étais habituée à ce qu'elle me tienne compagnie toute la matinée.

— Tu n'as plus besoin de moi, Victoria, me dit-elle en s'asseyant sur le canapé et en m'attirant contre elle de façon à ce que mon nez se retrouve collé à son sein. Regarde-toi. Tu es une maman à présent. Crois-moi, il y a des femmes qui ont beaucoup plus besoin de moi que toi.

J'opinai contre sa poitrine et m'abstins de protester.

Elle se leva et se livra à une dernière vérification dans l'appartement. Son regard s'arrêta sur les boîtes de lait maternisé que j'avais achetées avant la naissance.

— Je vais les donner, déclara-t-elle en les enfonçant dans sa sacoche déjà bourrée. Tu n'en auras pas besoin. Je reviendrai samedi prochain, puis les deux samedis suivants, juste pour peser la petite. Appelle-moi si tu as le moindre problème.

J'opinai une seconde fois et la suivis des yeux tandis qu'elle descendait l'escalier d'un pas léger. Elle ne m'avait pas laissé son numéro de téléphone.

« Tu es une mère », me répétai-je. Si j'espérais me rassurer, je m'étais trompée. Je sentis frémir en moi quelque chose de familier qui prenait sa source au tréfonds de mon corps et remontait en tourbillonnant dans l'espace caverneux où il y a peu logeait le bébé.

La panique.

Je m'obligeai à respirer calmement et repoussai le maelström de toutes mes forces.

8

Je regrettais mon ultimatum.

« Ta sœur ou moi, choisis ! » Voilà en somme ce que je lui avais dit. Et en n'essayant pas de me retenir, Elizabeth m'avait signifié son choix.

Je passai la nuit et une partie de la matinée à comploter. Je n'avais qu'un désir : rester avec Elizabeth. Et je ne voyais pas quel moyen employer pour la convaincre. Pas question de geindre. « Tu m'as regardée ? » m'avait-elle rétorqué, les yeux pétillants, quand je l'avais un jour suppliée de me laisser manger la pâte à gâteau. Pas question de me cacher : elle me retrouverait, comme toujours. Je ne pouvais pas non plus m'attacher aux montants de son lit : elle couperait les cordes.

Il n'y avait qu'une solution : la pousser à se retourner contre sa sœur. Il fallait lui montrer Catherine sous son vrai jour : une créature égoïste, haïssable, qui ne méritait pas qu'on s'occupe d'elle.

Tout à coup, la lumière se fit : je savais ce qu'il me restait à faire. Mon cœur se mit à cogner très fort dans ma poitrine tandis que mon projet mûrissait dans mon esprit et que je cherchais les obstacles susceptibles de m'arrêter. Il n'y en avait pas. Catherine qui avait si bien réussi à faire capoter mon adoption me fournissait les munitions qui allaient me permettre de garder Elizabeth pour moi toute seule. J'allais emporter le combat qu'elle avait provoqué sans le vouloir, avant même qu'elle se rende compte qu'il y en avait un.

Lentement, je me levai. J'ôtai ma chemise de nuit pour enfiler mon jean et mon tee-shirt. Dans la salle de bains, je me frictionnai le visage à l'eau froide et au savon plus vigoureusement que d'habitude, traçant des rainures avec mes ongles sur la mousse. Dans le miroir, je cherchai des signes de peur, d'anxiété ou d'appréhension. Mon regard était inexpressif, mon menton déterminé. Il n'y avait qu'un moyen d'obtenir ce que je voulais. Et ce moyen ne pouvait être que persuasif.

Elizabeth faisait la vaisselle. Un bol de porridge froid attendait sur la table.

— Les équipes sont déjà là, déclara Elizabeth avec un mouvement de tête en direction du coteau où nous nous tenions la veille au soir. Si tu ne veux pas que je parte sans toi, prends vite ton petit déjeuner et mets tes chaussures.

Elle se retourna vers l'évier.

— Je viens pas, répliquai-je.

Dans le brusque affaissement de ses épaules, je discernai de la déception, mais pas d'étonnement.

J'ouvris la porte du garde-manger et décrochai un cabas en toile.

Malgré l'heure matinale, il faisait chaud sur le porche. Je pris la direction de la route. Elizabeth, une fois encore, ne tenta pas de me rattraper. J'aurais préféré qu'il fasse plus frais et regrettais de ne pas avoir emporté davantage de vivres. J'avais l'intention d'attendre dans le fossé, toute la nuit s'il le fallait, le moment propice : forcément, Grant finirait bien par sortir et partir au volant du pick-up…

Et alors, je me glisserais comme une ombre dans la maison afin de me procurer le nécessaire.

9

Renata ne vint pas le dimanche. Ni d'ailleurs Marlena. Je restai à donner le sein au bébé et à dormir dans la chambre bleue le plus clair de la journée, du moins c'est ce que je croyais jusqu'au moment où émergeant pour satisfaire un besoin élémentaire, je m'aperçus qu'il n'était que dix heures du matin.

Appuyée au tabouret, j'hésitai longuement entre prendre une douche et manger quelque chose. Le bébé dormait dans la chambre bleue. J'avais faim, mais les relents de lait caillé et d'huile aux noyaux d'abricot qui montaient de ma personne avaient de quoi me faire perdre l'appétit. J'optai pour la douche.

Je tournai machinalement la clé dans la porte de la salle de bains, me déshabillai et me plaçai sous le flot d'eau brûlante. Les yeux fermés, je profitai de ces quelques instants bénis de solitude. Mais je n'avais pas plus tôt pris le savon, qu'un hurlement strident traversa l'épaisseur de la cloison. Je continuai à me savonner. « Une petite minute, me disais-je. Laisse-moi me laver et j'arrive. Tiens bon ! »

Pour ça, le bébé tenait bon. Ses cris allaient crescendo, entrecoupés de quelques secondes de hoquets désespérés. Je me fis un shampoing à toute allure en laissant l'eau couler dans mes oreilles, dans l'espoir de les boucher. En vain. J'éprouvais une sensation étrange. J'aurais pu descendre l'escalier, sortir dans la rue, traverser la ville… et toujours je l'entendrais. Son cri se transmettait à tous mes sens pas seulement par les ondes sonores. Ma fille avait besoin de moi, un besoin dévorant, un besoin débordant qui envahissait mon propre corps.

Je cédai à ce bruit. Sortant en trombe de la douche avec de la mousse dans les cheveux et de l'eau savonneuse ruisselant sur mes cuisses, je traversai en courant la salle de séjour pour me jeter la tête la première dans la chambre bleue et cueillir le bébé raide comme un piquet, hurlant. Je le pressai contre mon sein mouillé. Il ouvrit la bouche, s'étrangla et téta, puis de nouveau s'étouffa deux ou trois fois avant de se calmer suffisamment pour boire. Pendant ce temps, l'eau continuait à couler dans la baignoire.

Je me laissai glisser contre le mur dans la petite flaque à mes pieds, regrettant de ne pas avoir de serviette propre sous la main. Il n'y en avait pas et il n'y en aurait pas de sitôt. Je n'étais pas Marlena. Je n'étais pas capable de porter ma fille sur une épaule, et sur l'autre un sac de linge sale jusqu'à la laverie en haut de la colline, ni d'insérer des pièces de monnaie dans des machines vibrantes quand une bouche affamée se refermait sur mon sein nu. Si seulement j'avais pensé à faire la lessive avant la naissance !

Si seulement j'avais pensé à tellement d'autres choses ! Maintenant, c'était trop tard. J'aurais dû acheter des couches, des stocks de nourriture, de la layette… J'aurais dû récolter les cartes des traiteurs du quartier et apprendre par cœur au moins un numéro de livraison à domicile. J'aurais dû m'occuper de l'inscrire dans une crèche ou de trouver une nounou, ou les deux. J'aurais dû acheter une pile de guides sur la maternité. J'aurais dû réfléchir au prénom que je souhaitais lui donner.

A présent, j'étais paralysée.

Nous allions toutes les deux nous essuyer avec des serviettes sales, dormir dans des draps sales, porter des vêtements sales. L'idée de faire autre chose que l'allaiter et me nourrir était inenvisageable.

Nous avons survécu lundi, mardi et mercredi seules à l'exception d'une brève visite de Renata – c'était le printemps, les affaires reprenaient et Renata ne m'avait pas remplacée. Marlena me téléphona pour m'annoncer qu'elle partait un mois en Californie du Sud chez des cousins. Elle me promit de rentrer à temps pour tenir nos engagements d'avril. Ensuite, le téléphone resta muet.

Le jeudi, ma fille passa sa journée à boire. Réveillée à six heures du matin pour la première tétée, elle arrêtait toutes les demi-heures de se nourrir pour piquer un somme. Mais si je faisais un tant soit peu mine de la retirer du sein, elle ouvrait les yeux et poussait des cris à me vriller les tympans. Elle refusait de dormir autrement que contre ma peau nue et lorsque la voyant profondément assoupie j'essayais de la poser dans son berceau, elle réclamait à cor et à cri son lait.

Je me résignai à crever de faim, distraite par les bruits printaniers qui entraient par la fenêtre ouverte de la cuisine. Oiseaux, coups de frein, avion, carillon d'école. Je caressais les épaules douces de ma fille endormie et me raisonnais en me disant qu'un estomac creux était un bien modeste sacrifice au regard de la beauté que j'avais sous les yeux. Mais à mesure que le temps passait, la faim me montait au cerveau. Je commençais à avoir des hallucinations, non pas visuelles mais olfactives : des boulettes de viande, une sauce qui mijotait et quelque chose de chocolaté dorant au four.

Au milieu de l'après-midi, j'avais réussi à me convaincre qu'un festin se mitonnait à la cuisine. Je sortis de la chambre bleue comme on sortirait d'une caverne, le bébé toujours accroché à mon sein. En voyant la cuisinière éteinte, pas de casserole sur le feu, et rien dans le four, je fus sur le point de fondre en larmes. Je posai ma fille sur le comptoir et, tout en la tenant d'une main, me mis en quête de nourriture. Tout au fond du placard, je tombai sur deux boîtes de soupe. Le bébé couina et se remit à pleurer. Ses cris affaiblissaient les muscles de mes mains au point qu'il me fut soudain impossible de continuer à tourner l'ouvre-boîte. Je relevai le bord dentelé à l'aide d'une cuillère et bus la soupe froide, d'une traite. Je jetai la boîte de conserve dans l'évier. Surprise par le bruit, ma fille sursauta et cessa un instant de pleurer, ce qui me permit de la remettre au sein. Je la ramenai dans la chambre bleue, ma faim apaisée.

Le vendredi démarra comme le jeudi, sauf que j'avais vingt-quatre heures de fatigue de plus chevillée au corps et aussi faim que l'insatiable petite fille. Je mangeai des cacahouètes au lit pendant la tétée. Maman Ruby m'avait prévenue qu'elle aurait des pics de croissance. Je me consolai à cette pensée. Je n'en avais plus pour très longtemps. Mon lait tarissait, remarquai-je, en glissant un doigt sous le pauvre morceau de chair qui avait jadis été un sein bien rond.

A midi, je la soulevai et constatai qu'elle avait la bouche toute rouge. Quant à mes mamelons, ils étaient secs et crevassés. Elle buvait mon sang avec mon lait. Pas étonnant que je me sente exténuée. Bientôt il ne subsisterait plus rien de moi. Je la posai délicatement sur le lit en priant que pour une fois, une seule fois, elle veuille bien demeurer endormie. Il me restait un plat préparé par Marlena dans le congélateur.

Mais ma fille se réveilla et leva le menton vers mon mamelon meurtri. Je soupirai. Elle ne pouvait quand même pas avoir faim. Néanmoins, je la repris dans mes bras et lui permis de tenter d'extraire encore quelques gouttes.

Elle téta à peine avant de se rendormir, la bouche ouverte. Dès que je la posai, elle ouvrit les yeux et fit des bruits de succion en pinçant ses minuscules lèvres.

Je la remis au sein un peu brusquement.

— Si tu as faim, mange ! lui dis-je, de plus en plus frustrée. Ne t'endors pas !

Avec une petite grimace, elle reprit mon mamelon. Je soupirai, m'en voulant de mon impatience.

— C'est bien, ma grande fille, m'entendis-je prononcer comme Maman Ruby.

Dans ma bouche, les mots sonnaient faux. Je caressai ses cheveux, une touffe noire qui lui cachait l'oreille.

La voyant assoupie, je me levai avec lenteur et me dirigeai vers le couffin. Dans ce nid moelleux, elle allait peut-être se sentir confortable, me disais-je en la faisant descendre centimètre par centimètre à l'intérieur capitonné. Je réussis à la poser, mais dès que je retirai mes bras, elle se remit à hurler.

Penchée au-dessus d'elle, je l'écoutai crier un moment. Il fallait que je mange. Je perdais pied. Mais il y avait ces cris… Une bonne mère ne laissait pas son enfant pleurer. Une bonne mère donnait la priorité à son enfant sur tout le reste. Et plus que tout, je voulais être une bonne mère. Rien que pour racheter mes torts envers les autres.

Je la pris dans mes bras et la promenai un peu. Mes seins avaient besoin de repos. Je fredonnai, la berçai, arpentai la pièce comme Marlena. Ma fille tordait son cou d'un côté et de l'autre, et sa bouche faisait des bruits de succion. Je m'assis sur le canapé et appuyai un coussin rond tout doux contre sa joue. Elle ne fut pas dupe. Elle hurla plus fort en s'étranglant, s'étouffant à moitié et agitant ses petits bras au-dessus de sa tête. Elle ne pouvait quand même pas avoir faim, me répétai-je.

Son visage était presque aussi rouge que le sang qui gouttait à mon sein. Je la couchai dans son couffin.

Je cognai du poing contre le comptoir de la cuisine. C'était moi qui avais besoin de reprendre des forces, pas elle ! Je devais m'occuper de moi-même. Passer une heure le ventre plein et les seins au repos. A l'autre extrémité de la pièce, son visage était devenu cramoisi. Elle ne comprenait pas que mon corps ne lui appartenait pas.

Je passai dans la chambre de Natalia et me postai à la fenêtre. Je n'allais quand même pas céder. Pas après l'avoir allaitée pendant trente-six heures d'affilée. Elle avait bu tout mon lait, c'était certain, et désormais elle voulait pomper un nectar plus précieux, puisé à une source profonde reliée à mon cœur ou à mon système nerveux. Elle ne serait rassasiée qu'après m'avoir entièrement dévorée – fluides, pensées et émotions compris. Je ne serais plus qu'une coquille vide, qu'elle aurait encore faim.

Non ! C'était au-delà de ce que je pouvais supporter. Maman Ruby ne reviendrait pas avant le lendemain et Renata ne se montrait toujours pas. Je me résolus à sortir acheter du lait afin de la nourrir au biberon jusqu'à ce que mes seins guérissent. Je la laisserais dans son couffin, le temps que je coure au supermarché. L'emmener avec moi serait trop risqué. Les gens, en l'entendant hurler comme une âme en peine, m'accuseraient de négligence. On me l'enlèverait.

Saisissant mon portefeuille, je dévalai l'escalier sans me laisser la possibilité de revenir sur ma décision. Je gravis la colline au galop et la descendis de même, ne m'arrêtant ni pour les voitures ni pour les piétons. Je fonçai droit devant moi. Comme je n'étais pas complètement remise de l'accouchement, j'avais horriblement mal et il me semblait qu'on me coupait en deux. Le feu d'un tison brûlant s'enfonçait entre mes jambes et remontait le long de mon épine dorsale jusqu'à ma nuque. Je courais quand même. Je serais de retour avant même que ma fille s'aperçoive de mon absence. Je la prendrais contre moi et lui présenterais la tétine. Et, après ces journées entières d'allaitement, elle serait enfin repue.

Au coin de la 17e et de Potrero Street, le feu passa au vert. Obligée d'attendre, le souffle court, j'observai les voitures et les passants qui se hâtaient dans tous les sens. Un automobiliste klaxonna en jurant comme un charretier, un ado sur un vélo Schwinn chantait à tue-tête, un chien tenu en laisse grognait en montrant les dents à un pigeon téméraire. Je n'entendais plus ma fille. Même si j'étais à plusieurs rues de la maison, cela me sidéra. Il était donc si facile de se séparer. J'étais sous le choc.

Mon cœur recouvra son rythme habituel. Je restai plantée là à regarder le feu passer au rouge, puis au vert, puis de nouveau au rouge. Le monde continuait sa ronde affairée, sans se soucier du bébé hurlant à quelques immeubles de là, du bébé à qui j'avais donné le jour et dont les cris ne m'atteignaient plus. Le quartier était tel qu'il avait été une semaine plus tôt, ou deux, à croire que rien n'avait changé. Alors que ma vie était sens dessus dessous, personne ne s'en souciait et là, dans la rue, sur le trottoir, alors que j'étais éloignée du point névralgique de mon existence, ma panique paraissait dérisoire. Ma fille allait très bien. Elle était bien nourrie et pouvait attendre.

Je traversai sans me presser. J'achetai six boîtes de lait premier âge, un mélange de fruits secs, un carton de jus d'orange et un sandwich à la dinde. Sur le chemin du retour, j'engloutis des poignées entières d'amandes et de raisins de Corinthe. Mes seins se remplirent et se mirent à fuir. Je lui permettrais de téter une dernière fois, me dis-je, saisie d'un élan de tendresse.

L'appartement était si silencieux et vide que l'espace d'un instant, je me crus de retour d'une livraison, montant l'escalier dans l'intention de prendre une douche ou de faire la sieste. J'eus beau marcher le plus doucement possible, ma fille se réveilla et se remit à pleurer.

Sur le canapé, elle tenta de téter à travers le coton détrempé de mon tee-shirt. Je le remontai. Alors qu'elle prenait possession de mon sein, ses mains ridées se refermèrent sur mon doigt, comme si mon mamelon dans sa bouche n'était pas une preuve suffisante de mon retour. Pendant qu'elle tétait, je mangeai mon sandwich. Un bout de dinde tomba sur sa tempe qui s'élevait et s'abaissait au rythme de sa succion frénétique. Je me penchai, terminant mon sandwich au-dessus d'elle et l'embrassant en même temps. Elle ouvrit les yeux et me regarda. Là où je m'attendais à voir luire une lueur de colère ou de peur, je ne vis que la douceur du soulagement.

Je me jurai de ne plus la laisser.

10

Il faisait nuit quand je retournai chez Elizabeth.

D'après la lueur tamisée à la fenêtre, je l'imaginais assise à mon bureau devant de gros livres ouverts. A attendre. Je n'avais pas été là pour le dîner. Elle avait dû s'inquiéter. Après avoir caché le lourd sac en toile sous les marches du perron, j'ouvris la moustiquaire dans un grincement.

— Victoria ? appela Elizabeth d'en haut.

— C'est moi. Je suis rentrée.

11

Maman Ruby revint le samedi, comme elle l'avait promis. Elle s'assit par terre devant la chambre bleue. Je détournai la tête. Le poids de ma faute me tourmentait. Maman Ruby avait sûrement tout deviné. Une femme qui prenait le chemin d'un domicile où une malheureuse était en train d'accoucher avant même d'être appelée à son chevet devait pressentir quand un bébé était en danger. Je m'attendais à subir ses reproches.

— Passe-moi ta fille, Victoria, me dit-elle, confirmant mes craintes. Allons, passe-la-moi.

Je glissai mon auriculaire entre mon mamelon et les gencives du bébé, comme elle me l'avait appris. Les lèvres cessèrent leur mouvement de succion. Je les frottai doucement avec le gras du pouce afin de nettoyer le sang séché avec peu de succès. Puis, sans me retourner, je lui passai le paquet par-dessus mon épaule.

— Oh, la grande fille ! s'exclama maman Ruby. Tu m'as manqué.

J'attendais le moment où la porte d'entrée allait se refermer derrière elle, avec ma fille dans ses bras, tandis qu'elle l'éloignait de moi. Quel ne fut pas mon étonnement quand j'entendis seulement le bruit du ressort de la balance.

— Trois cent quarante grammes supplémentaires ! Mais tu es en train de manger ta mère toute crue !

— Plus ou moins, murmurai-je au mur qui absorba mes paroles.

— Sors donc de ton trou, Victoria ! Je vais te masser les pieds ou te faire un sandwich au fromage. Tu dois être claquée à force de porter cet enfant.

Je ne bougeai pas d'un pouce : ces bonnes paroles n'étaient pas méritées.

Maman Ruby passa le bras par la porte de la chambre bleue afin de me caresser le front.

— Ne m'oblige pas à venir te chercher. Tu sais que j'en suis capable.

Sans aucun doute. Le lait que j'avais acheté était à mes pieds, encore dans le sac, telle une pièce à conviction accablante. D'un coup de pied, je l'envoyai dans un coin, roulai sur moi-même et sortis les jambes. Maman Ruby allait lire en moi à livre ouvert. Sur le canapé, elle ne regarda même pas mon visage. Elle souleva mon tee-shirt et enduisit mes bouts de sein crevassés d'une crème sortant d'un tube lavande. Une impression de fraîcheur endormit la douleur.

— Garde ça, me dit maman Ruby en posant le tube au creux de ma paume.

Elle me prit le menton et plongea son regard dans le mien, dans mes yeux noyés de culpabilité.

— Tu dors bien ?

Je me remémorai la nuit précédente. Après avoir terminé mon sandwich, je m'étais rallongée dans la chambre bleue et ma fille s'était raccrochée au sein en fermant les yeux. Elle avait ainsi bu et dormi sans trêve. Et moi j'avais accepté ce supplice comme un châtiment. Je n'avais pas fermé l'œil.

— Oui, mentis-je. Pas trop mal.

— Parfait. Ta fille est superbe. Je suis fière de toi.

Je me tournai vers la fenêtre, muette.

— Tu as faim ? reprit-elle. Est-ce que tu as suffisamment d'aide ? Tu veux que je te prépare quelque chose avant de partir ?

J'étais affamée, mais comme je n'aurais pas supporté une gentillesse de plus, je fis non de la tête.

Maman Ruby me rendit le bébé et rangea la balance.

— Très bien, dit-elle en me dévisageant comme si elle tentait de déchiffrer une énigme.

Je me tournai sur le côté, je ne voulais pas qu'elle me voie.

Elle se leva. Et moi je bondis sur mes pieds, soudain moins terrifiée qu'elle découvre mon méfait que par l'idée qu'elle me quitte sans savoir ce que j'avais fait, sans essayer au moins de couper court à mes intentions. Mais Maman Ruby se contenta de me sourire et d'embrasser ma joue.

Les mots me brûlaient les lèvres, j'aurais voulu tout avouer et la supplier de me pardonner. Tout ce que je parvins à articuler fut :

— C'est dur.

Un chuchotement que j'adressai à son dos tandis qu'elle descendait l'escalier.

— Je sais, ma chérie, me répliqua-t-elle sans se retourner. Mais tu y arrives. Tu as en toi toutes les qualités d'une bonne mère.

Eh bien, non, je ne les ai pas, me dis-je amèrement. Je me retins de lui hurler que je n'avais jamais aimé personne et de lui demander comment une femme incapable de donner de l'amour pouvait devenir une mère, à plus forte raison une *bonne* mère. Pourtant je savais que c'était faux. J'avais aimé, et plus d'une fois. Mais voilà, je n'avais pas su identifier mon émotion avant d'avoir tout fait pour la détruire.

Maman Ruby s'arrêta au bas de l'escalier et leva son visage vers moi. Vue d'en haut, elle me parut soudain petite, ignorante, tout à fait indigne de ma confiance. Une vieille peau qui s'immisçait dans la vie des autres, rien de plus. Avec la soudaineté d'une lampe qui s'allume, je redevins l'enfant en colère de toujours. Je n'avais plus qu'une envie : qu'elle s'en aille.

— Et le nom ? entonna-t-elle. Cette grande fille n'a toujours pas de prénom ?

— Non.

— L'inspiration va te venir.

— Non. Elle ne viendra pas.

Mais Maman Ruby était déjà dans la rue.

Après son départ, je couchai la petite fille dans son couffin et par on ne sait quel miracle, elle dormit paisiblement le plus clair de l'après-midi. Je m'offris une longue douche brûlante. Mon corps était devenu le réceptacle d'un désespoir presque tangible. J'avais des sensations d'engourdissement, des fourmillements. Je me frictionnai avec vigueur comme s'il était possible de m'en débarrasser et de les voir disparaître emportés par l'eau qui s'écoulait dans la bonde. En sortant de la baignoire, j'avais la peau toute rose et couverte de taches rouges. Ma détresse avait migré vers des régions plus profondes, plus tranquilles. Fermant mes oreilles à son bourdonnement tenace, je fis celle qui avait retrouvé la forme. Enfilant un pantalon souple et un sweat, j'appliquai un peu de pommade du tube lavande sur les plaques de chair à vif sur mes bras et mes jambes.

Je m'assis par terre avec un verre de jus d'orange et contemplai ma fille dans son couffin. Je projetais de lui donner le sein dès son réveil, puis de sortir la promener. Je descendrais le couffin dans la rue. Un peu d'air frais nous ferait le plus grand bien à toutes les deux. Je la transporterais peut-être jusqu'à McKinley Square pour l'initier au langage des fleurs. Elle ne pourrait pas me répondre, mais elle comprendrait. Ses yeux, quand elle les ouvrait, avaient ce regard-là : ils voyaient tout. Des prunelles sans fond, mystérieuses, à croire qu'elle gardait des liens avec le lieu d'où elle venait.

Plus le bébé dormait longtemps, plus mon désespoir s'estompait, au point de me laisser croire que je l'avais surmonté. Mon escapade au supermarché n'avait pas, après tout, causé autant de dommages que je l'avais craint. J'étais peut-être capable, comme le prétendait Maman Ruby, d'assumer ma tâche de mère. Pourtant il ne fallait pas que je me fasse d'illusions, je ne pouvais pas changer radicalement de vie après dix-neuf ans. Il y aurait forcément des rechutes. De hargneuse et solitaire, je n'allais pas me métamorphoser d'un jour à l'autre en une maman affectueuse et aimante.

Allongée sur le sol, je respirais l'odeur de paille humide du couffin. J'avais envie de dormir. Soudain, le souffle régulier de ma fille céda la place à un bruit familier.

Je me penchai sur le berceau. Elle posa sur moi ses yeux écarquillés, sa bouche miniature cherchant sa nourriture. Je m'en voulus de ne pas avoir su profiter du moment de repos qu'elle m'avait accordé pour dormir. Une telle aubaine ne se représenterait sans doute pas avant plusieurs jours ! Je la pris dans mes bras. Mes yeux s'humidifièrent. Lorsque ses petites gencives se refermèrent sur mon sein, les larmes roulèrent sur mes joues. Je les chassai du revers de la main. L'impitoyable succion tira mon désespoir de sa tanière. Il me semblait qu'une force inconnue soufflait dans une conque, produisant une basse continue.

Le bébé téta pendant une éternité. Alternant les seins, je consultai ma montre. Cela faisait une bonne heure, et elle n'avait pas terminé. Mon soupir se mua en gémissement tandis qu'elle s'accrochait de nouveau.

Lorsqu'elle s'endormit enfin, je tentai de lui soutirer mon mamelon encore dans l'étau de ses lèvres, mais dès que je glissai dessous mon petit doigt, elle souleva à moitié ses paupières lourdes de fatigue et se mit à grogner.

— J'en ai marre ! J'ai besoin d'un break ! soupirai-je.

Je la couchai sur le canapé et m'étirai. Ses grognements se transformèrent en couinements. Je soupirai. Je savais ce qu'elle voulait. Cela aurait dû être si simple. Peut-être cela l'était-il pour les autres mères, pas pour moi. Voilà des heures, des jours, des semaines que je ne vivais que pour elle. Il était essentiel que je m'accorde quelques moments pour moi. Alors que je pénétrais dans la cuisine, sa voix enfla. Le son me tira en arrière comme si j'étais encordée.

Je m'assis et la repris dans mes bras.

— Encore cinq minutes, et je te laisse. Tu en as eu assez.

Une fois dans le couffin, elle se mit à hurler comme si je m'apprêtais à la lâcher dans le courant d'une rivière.

— Qu'est-ce que tu veux, à la fin ? articulai-je, mon exaspération relevée d'une note de colère.

Je tentai de remuer le couffin comme Marlena, mais ma fille bascula d'un bord à l'autre et cria plus fort.

— Tu ne peux pas avoir faim, suppliai-je dans son oreille en espérant que ma voix lui soit audible à travers la sienne.

Tournant la tête, elle essaya de téter mon nez. S'échappa alors de moi un vagissement hystérique, qu'un observateur extérieur aurait sans doute, à tort, pris pour un gloussement de rire.

— Très bien, tiens !

Je soulevai mon tee-shirt et le plaquai contre mon sein, de sorte qu'elle eut du mal à ouvrir la bouche. Mais elle finit par téter.

— C'est la dernière fois, alors profites-en ! m'entendis-je la menacer.

Sans la lâcher, je me retirai à quatre pattes dans la chambre bleue et renversai le sac de courses. Les six boîtes de lait roulèrent au sol. J'en attrapai une. Le bébé perdit le mamelon et reprit ses hurlements à fendre l'âme.

— Je suis là, lui dis-je en sortant de la chambre bleue et en le posant sur le comptoir de la cuisine.

Mes paroles ne nous furent, ni à l'une ni à l'autre, d'aucun réconfort. Ma fille gigota sur le comptoir pendant que je versais le contenu d'une boîte dans un biberon. J'approchai la tétine de sa bouche. Comme elle ne l'ouvrait pas, je la titillai avec mes doigts puis glissai la tétine de force. Elle eut un haut-le-cœur.

Je m'enjoignis au calme. Assise sur le canapé, je l'installai au creux de mon épaule et déposai un baiser entre ses sourcils. Au moment où elle tenta de s'accrocher à mon nez, je lui refilai la tétine. Elle suça une fois puis se détourna, le lait dégoulinant sur son menton. Hurlements.

— Alors, c'est que tu n'as pas faim, décrétai-je en posant le biberon d'un coup sec.

Un jet de lait jaillit de la tétine. Je répétai dans le vide :

— Si tu n'en veux pas, c'est que tu n'as pas faim.

Je la recouchai doucement dans son couffin, décidée à la laisser pleurer quelques minutes, histoire qu'elle me prenne au sérieux. Ensuite, il faudrait bien qu'elle accepte le biberon.

Mais non. Je recommençai l'opération. Cinq minutes. Dix. J'essayai en la tenant dans mes bras. J'essayai en la gardant dans son couffin. J'essayai allongées toutes les deux sur mon matelas. Rien ne marchait. Je fermai la porte. Elle hurla dans les ténèbres de la chambre bleue. Seule.

Je m'étendis par terre. Mes paupières se fermèrent d'elles-mêmes. Les cris se firent lointains, désagréables, mais supportables. Par moments, j'oubliais d'où ils venaient et me demandais pourquoi j'avais voulu les faire taire. Ils glissaient sur moi. La fatigue m'enveloppait d'un brouillard impénétrable.

Quand les cris cessèrent, je me réveillai. J'avais tué mon enfant ! Il faisait nuit. Combien de temps était-il passé ? Le manque de nourriture et de lumière pendant quelques heures pouvait-il provoquer la mort d'un nouveau-né ? Je savais si peu de choses sur les enfants, sur les êtres humains. La vie m'avait fait une mauvaise blague en m'abandonnant seule avec un bébé. J'ouvris la porte de la chambre bleue. Avant même que je puisse vérifier son pouls, ma fille s'était mise à pleurer.

Je palpitais d'émotion, tout à la fois soulagée et déçue, puis, tout de suite, je me sentis morte de honte. Tenant ma fille tout contre moi, je couvris sa petite tête de baisers en une vaine tentative pour cacher mon désespoir. Je lui collai la tétine dans la bouche. Il fallait qu'elle apprenne à boire au biberon. J'étais incapable de l'allaiter plus longtemps. Et si je voulais la garder, je devais me débrouiller pour être une mère à la hauteur. Cette fois, elle essaya de téter mais énervée par la faim, elle n'avait pas la force de garder dans sa bouche la tétine en caoutchouc rigide et inerte.

Celle-ci devait être défectueuse. C'était la seule explication, sinon pourquoi mon bébé refuserait-il si obstinément de boire ? J'avais choisi la moins chère parmi des centaines de modèles proposés. Je jetai le biberon dans la cuisine, où il rebondit d'abord sur le mur puis par terre. Ma fille se mit à pleurer.

Je la couchai dans son couffin. Mes seins gonflés gouttaient sur la moquette tachée, mais cette fois, c'était fini. J'avais trop donné. J'allais lui préparer un autre biberon. Et tout allait s'arranger.

Je descendis les marches deux à deux, ses cris enflant à mesure que la distance entre nous s'agrandissait. Une fois sur le trottoir, je courus plus vite que je ne l'avais jamais fait. Traversant les rues sans regarder, je me dirigeai vers le même endroit que la veille. Sauf qu'arrivée à Vermont Street, plutôt que de tourner à droite, je filai à gauche. Sans même y penser, je me retrouvai devant l'escalier de McKinley Square. Mes pieds comme des boulets sur la pelouse fraîchement tondue, je me laissai tomber dans la verveine blanche puis me glissai dans mon antre sous la bruyère. Je fermai les yeux : je m'accordai cinq minutes. Juste cinq minutes. Après quoi, je retournerais chez moi et je ferais face. Me couvrant la tête de mon bras, je tâtonnai à la recherche de ma couverture en laine marron. Elle n'était pas là. Le sommeil ne tarda pas à me gagner. Je m'assoupis, à l'abri, bercée, réconfortée. Il n'y avait plus rien que la nuit, la solitude et les pétales blancs de la verveine qui priaient pour moi et l'enfant dont je repoussais jusqu'au souvenir.

12

— Tu m'as manqué aujourd'hui, me dit Elizabeth au moment où j'entrai dans la pièce.

Elle ne chercha pas à savoir où j'étais allée et je ne lui offris aucune explication. Je me mis au lit, la tête sous les couvertures et me couchai sur le côté, dos au bureau où elle se tenait assise.

— Je t'aime, Victoria, ajouta-t-elle. J'espère que tu le sais.

La première fois qu'elle avait prononcé ces mots, je l'avais crue. A présent, ils glissaient sur mon cœur comme de l'eau coulant sur une pierre. Quand elle se leva, la chaise du bureau racla le bois du parquet. Je sentis le matelas s'affaisser sous son poids. Elle posa une main sur mon épaule.

— Qu'est-ce qu'elle a fait ? m'entendis-je lui demander à brûle-pourpoint.

Sa surprise se traduisit par un léger sursaut. Elle resta un moment silencieuse. Finalement, elle s'allongea auprès de moi, sur le dos.

— Autrefois, j'ai été amoureuse d'un homme. C'était il y a très longtemps. Un Anglais. Il était en stage chez un vigneron important, pas très loin de chez nous. Je n'avais jamais été aussi heureuse. Mais voilà... Catherine, ma sœur, ma meilleure amie, me l'a volé.

Elizabeth se tourna et passa un bras autour de moi. Je me raidis mais ne protestai pas : j'attendais la suite.

— Un an plus tard, Grant est né. Pendant des années, je n'ai pas pu poser les yeux sur lui sans me rappeler son père. Je revivais en esprit tout ce que j'avais perdu. Mais son père était parti. Je ne sais même pas s'il a jamais su que Catherine attendait un enfant. Elle a élevé Grant toute seule.

Elizabeth se rapprocha. Ses genoux vinrent se nicher derrière les miens. Lorsqu'elle reprit la parole, sa voix était à peine audible à travers les couvertures.

— J'ai eu la possibilité de lui pardonner, murmura-t-elle. Un jour, Grant était encore tout bébé, Catherine est venue me voir au marché. Elle s'est excusée en pleurant et m'a avoué que je lui manquais terriblement. Nous aurions pu nous retrouver toutes les deux. Je l'ai repoussée. Je n'aurais jamais dû. Je lui ai dit des choses affreuses. Je n'en dors toujours pas la nuit.

« C'était mérité », me souffla une petite voix intérieure. Catherine avait mérité chaque parole tombée de la bouche d'Elizabeth. A l'idée que cette dernière allait emménager chez cette traîtresse, j'avais les poumons qui se gonflaient d'une rage presque incontrôlable.

Le silence se prolongea. Elizabeth, que je sentais toute crispée contre moi, n'avait rien à ajouter. Son récit était terminé. Au bout d'un moment, alors que je la croyais endormie, elle se leva et sortit sur la pointe des pieds. Il y eut des bruits dans la salle de bains – robinet, chasse d'eau –, puis la porte de sa chambre se ferma. Je me glissai hors de mon lit.

Je me coulai dehors par la porte de la cuisine. Le sac en toile se trouvait toujours sous l'escalier. Malgré son poids, je le serrai contre ma poitrine. Les bocaux à confiture tintèrent.

Mettant le plan à exécution, je me dirigeai sans hésiter vers la route. C'était une nuit sans lune, mais la lumière des étoiles suffisait à éclairer mes pas. Dans le coin nord-est de la propriété, entre la dalle du marché et la grande route, les vignes étaient poussiéreuses et sèches. A l'automne, leurs raisins restaient verts bien plus longtemps que ceux des autres parcelles.

Je dévissai le couvercle du premier bocal. Un peu de liquide inflammable déborda et tournoya au bord du verre. Je le vidai doucement sur un pied de vigne en prenant soin de tenir le récipient à bout de bras, afin de ne pas mouiller mes orteils nus. J'ouvris le deuxième bocal et passai au plant suivant. Comme le sac tardait à se vider, j'accélérai le mouvement et jetai le liquide à la volée. Une fois le rang parcouru, je revins sur mes pas et ramassai les pots vides.

Sur la dernière marche du porche, à l'endroit même où Elizabeth et moi avions confectionné une guirlande de camomille, j'alignai les bocaux les uns à côté des autres avant de retourner à la cuisine chercher des allumettes.

Je me dirigeai de nouveau vers la route. Je ne retrouvai pas tout de suite le rang que j'avais arrosé. Une poignée d'allumettes à la main, je les grattai toutes en même temps contre la partie rugueuse de la boîte. Une s'alluma, les autres s'enflammèrent d'un seul coup. Je tenais à bout de bras une étoile scintillante dorée. Lorsque les flammes touchèrent l'extrémité de mes doigts, la chaleur devint brûlure et je lâchai tout.

Au début, rien ne se passa. Puis il y eut un ronflement, comme un torrent suivi d'une série de petites explosions. Ensuite je sentis la chaleur. Je pris mes jambes à mon cou pour rentrer, comme je l'avais prévu, à la maison, afin de chercher un seau d'eau. Le feu se révéla plus rapide. En regardant par-dessus mon épaule, je vis les flammes s'éloigner de moi suivant une piste invisible à travers les broussailles et les vignes. Moi qui croyais que seuls brûleraient les troncs des pieds arrosés et que j'aurais amplement le temps de revenir éteindre l'incendie… Le feu ne m'avait pas attendue.

Je montai les marches quatre à quatre et me ruai dans la cuisine. Remettant les allumettes à leur place, j'appelai Elizabeth en hurlant. Elle se leva dans la seconde. Je l'entendis marcher dans sa chambre au-dessus de ma tête. Elle criait mon nom.

— Je suis en bas ! vociférai-je devant l'évier, occupée à remplir une casserole au robinet ouvert à fond.

La plomberie de la vieille maison protesta. L'eau coulait par saccades.

La casserole pleine dans les bras, je traversais la cuisine quand je vis Elizabeth descendre l'escalier. Nous nous sommes toutes les deux tournées en même temps vers la lumière.

Le ciel était violet. Les étoiles avaient disparu. L'incendie atteignit le fossé au bord de la route : quatre cents mètres de chardons desséchés s'embrasèrent en un clin d'œil. Un mur de flammes qui sembla grimper jusqu'au firmament. Elizabeth et moi étions coupées du reste du monde.

Pareil au courant électrique, le feu se propagea dans les rangs d'une extrémité à l'autre du vignoble.

13

Je m'éveillai avec le soleil. J'avais des courbatures partout et je sentais sur ma joue l'empreinte de la forêt. J'avais dormi quoi ? Six heures, sept ? Je me dressai tant bien que mal sur mon séant, m'arrachant du même coup au creux que mon corps avait laissé sous la bruyère.

La ville émergeait de la nuit. Bourdonnements de moteur, grincements de freins, pépiements d'oiseaux. En contrebas, une écolière descendit d'un bus, seule, un bouquet à la main. Je ne voyais pas de quelles fleurs il était composé.

J'aurais tant voulu être à sa place, de nouveau une petite fille. Pas celle qui portait des chardons. Celle qui préférait une poignée de crocus, *allégresse juvénile*, d'aubépine, *espoir*, ou de delphiniums, *frivolité*. Tout à coup, j'eus follement envie de retrouver Elizabeth, quelque part au nord de la baie de San Francisco. De lui demander pardon. Je la supplierais… Si seulement je pouvais recommencer de zéro, orienter ma vie sur des rails qui ne me mèneraient pas à ce réveil dans un jardin public alors que ma fille était couchée seule, loin de moi, dans un appartement vide. Toutes ces infimes décisions qui avaient jalonné ma voie, j'aurais voulu les effacer, toute cette haine, ces reproches, cette violence.

Si seulement il m'était possible de déjeuner avec la fillette de dix ans en colère que j'avais été afin de l'avertir, et surtout de lui offrir les fleurs qui la mettraient sur une autre route.

Hélas ! il n'y avait pas de retour en arrière possible. Ici et maintenant, c'étaient ces bois au milieu de la ville et ma fille, toute petite, qui m'attendait. Cette pensée me glaça d'effroi. Qu'allais-je trouver à mon retour à l'appartement ? Criait-elle toujours ? Ou bien sa solitude et sa faim étaient-elles montées comme la marée et avaient inondé ses petits poumons ?

Je manquais à tous mes devoirs. Moins de trois semaines après l'avoir mise au monde, je trahissais la promesse que je nous avais faite. Pas seulement une fois, mais deux, amorçant ainsi un cercle infernal de serments et de trahisons. Mères et filles, ou la confiance mal placée.

14

Mes bras se mirent à trembler si fort que de l'eau de la casserole gicla sur Elizabeth. Comme si elle sortait d'un rêve, elle sursauta et se jeta sur le téléphone de la cuisine pendant que je dévalais les marches du porche, envoyant valser par-dessus bord les bocaux à confiture vides.

J'avais à peine assez d'eau dans mon récipient pour sauver une seule vigne. Vu les flammes, je ne me faisais pas d'illusions. Pourtant il fallait que j'essaye. La chaleur embrasait l'atmosphère. Toute une vie de travail allait disparaître. Il ne resterait plus à Elizabeth que des champs de terre brûlée. Je devais à tout prix éteindre l'incendie. Sinon, je ne pourrais plus jamais la regarder en face.

Je jetai l'eau sur un rang qui flambait. Je n'entendis même pas un grésillement. Pas une seule flamme ne vacilla. De près, le rugissement du feu était assourdissant. Il flottait dans l'air une odeur sucrée qui me rappelait les pommes caramélisées d'Elizabeth. Et tout à coup, je me rendis compte qu'elle provenait des grappes de raisin, les baies parfaitement mûres qui se consumaient.

Elizabeth m'appela du porche. Je me retournai. Ses yeux perdus reflétaient les couleurs de l'incendie. Elle avait une main sur la bouche, l'autre sur le cœur. L'énormité de ma bêtise me pénétra comme la fumée épaisse que je respirais à pleins poumons. Peu importait que je n'aie pas voulu pareille catastrophe. Peu importait que mon geste ait eu pour unique objectif de rester avec elle, parce que je l'aimais. Il fallait coûte que coûte que j'éteigne le feu. Sinon, je perdais tout.

Sans réfléchir, j'arrachai ma chemise de nuit pour étouffer les flammes. Le mince tissu de coton, éclaboussé d'essence à briquet, explosa entre mes mains. Elizabeth accourut. Elle me hurla de reculer. Comme j'agitais toujours ma chemise autour de ma tête, les flammèches qui fusaient l'obligèrent à se baisser vivement.

— Tu es folle ou quoi ? cria-t-elle. Rentre tout de suite à la maison !

Je me rapprochai au contraire du feu. Seule la chaleur intense m'arrêta. Une des flammèches atterrit dans mes cheveux qui grésillèrent. Elizabeth me donna une claque sur la tête. J'avais l'impression de la mériter.

— Je vais l'éteindre ! Laisse-moi ! la suppliai-je.

— Avec quoi ? Tes mains nues ? Les pompiers ne vont pas tarder. Tu vas te faire tuer à rester plantée là comme une idiote.

Je refusais toujours de reculer. Les flammes se rapprochaient de moi.

— Victoria !

Elizabeth avait cessé de crier. Ses yeux étaient redevenus humains. Je dus tendre l'oreille pour entendre ce qu'elle me disait tant le feu grondait fort.

— Il n'est pas question que je perde ma fille en plus de mes vignes le même jour !

Elle me saisit par les épaules et me secoua.

— Tu m'entends ? se remit-elle à hurler. Il n'en est pas question !

Je réussis à me dégager, mais elle me rattrapa par le bras et me traîna vers la maison. Plus je me débattais, plus elle tirait, au point qu'elle me déboîta l'épaule. Elle poussa un petit cri et me lâcha. Je me laissai tomber par terre, les genoux remontés contre ma poitrine nue. Le feu se refermait autour de moi comme une couverture brûlante. Je perçus le bruit lointain de la porte de la caravane qui claquait. En me hurlant de me lever, Elizabeth me tira par les chevilles et me donna des coups de pied dans les côtes. Quand elle essaya de me soulever, je la mordis en crachant comme une bête fauve.

Finalement, elle me laissa tranquille.

15

A mon retour, ma fille était réveillée dans son couffin. Ses grands yeux étaient rivés sur le plafond, les paupières papillonnantes. Elle nc cria même pas en me voyant. J'ouvris une autre boîte de lait pour remplacer celui dans le biberon. Penchée sur le couffin, je posai la tétine au bord de ses lèvres. Elle se contenta d'ouvrir la bouche, sans téter. Je pinçai le caoutchouc. Une goutte roula sur sa langue. Elle déglutit deux fois avant de s'endormir.

Après une douche, je transportai un bol de céréales sur le toit. Ensuite, chaque fois que je passais à côté du couffin, je me penchais pour scruter son petit visage. Si elle ouvrait les yeux, je lui collais la tétine contre la bouche. Elle apprit ainsi à prendre le biberon, lentement, calmement, sans la férocité sauvage avec laquelle elle s'accrochait à mes seins. Il lui fallut une journée entière pour terminer une boîte de lait premier âge. Elle ne pleura pas une seule fois. Elle ne couina même pas.

Avant de me coucher, je changeai sa couche, mais ne la sortis pas de son couffin. Elle avait l'air contente. Je craignais de troubler son calme. Si elle criait, la panique risquait de me reprendre. Je posai son berceau sur le canapé et m'assis près d'elle sous le clair de lune. Je lui présentai un nouveau biberon. Ses lèvres s'arrondirent en un O parfait autour de la tétine d'ambre jaune. De minuscules bulles couraient sur toute la longueur de la bouteille tandis que le mélange d'eau, de fer, de calcium et de protéines était aspiré par des trous microscopiques. Ses yeux étaient immenses, jamais je ne les avais vus aussi grands. Deux cercles concentriques et de petits triangles blancs braqués sur moi. Quand elle eut terminé, le mamelon en caoutchouc glissa de sa bouche et elle leva ses petits doigts vers mon visage. Je rapprochai mon nez et plongeai mon regard dans le sien. Elle ouvrit et ferma les poings dans l'espace vide entre nous. Elle serrait fort.

Soudain, je sentis une larme couler sur mon menton. Elle roula sur sa joue ronde jusqu'à la commissure de ses lèvres rouges qui se pincèrent de surprise. Je ris, et mes larmes redoublèrent. Le pardon sans limite que je lisais dans ses yeux, cet amour inconditionnel me terrifiaient. Au même titre que Grant, ma fille méritait beaucoup mieux que ce que je pouvais lui apporter. J'aurais voulu qu'elle porte de l'aubépine, qu'elle ait le rire facile et ne sache pas ce qu'était d'avoir peur d'aimer. Hélas ! je n'étais pas en mesure de lui donner tout cela, car comment transmettre ce que l'on ne possède pas ? Pour l'instant, elle était parfaite. Mais à terme, ma toxicité finirait par corrompre cette perfection. Suintant de mon corps, absorbée goulûment. J'avais fait du mal à toutes les personnes qui m'avaient approchée. Je devais coûte que coûte la protéger contre sa propre mère : moi.

J'allais l'emmener chez Grant.

Lui saurait préserver sa bonté et lui enseigner tout ce qu'elle avait besoin de savoir. Renata avait raison.

Grant méritait de connaître sa fille. Il était digne de son exquise douceur, de sa beauté, de sa confiance aveugle.

Quand je me redressai, les yeux du bébé étaient fermés. Laissant le couffin sur le canapé, je m'enfermai dans la chambre bleue.

Cette nuit-là, dans mon logis de béton, à des rues et des rues d'un quelconque jardin, je respirais des odeurs de mousses, de feuilles mortes et de terre mouillée.

Au matin, je me dépêchai de lui donner son biberon puis installai le couffin dans la voiture. Elle ne ferma pas l'œil de tout le trajet à travers la ville. Elle avait fait sa nuit, du moins n'avait-elle pas pleuré. Quant à moi, j'avais dormi d'un sommeil sans rêve mais je m'étais réveillée, avec la vivacité inquiète de ceux qui sont exténués. Mes seins étaient douloureux, j'étais moulue et j'avais des bouffées de chaleur malgré la fraîcheur de la matinée. Je baissai toutes les vitres. Le vent qui s'engouffra dans l'habitacle fit grimacer le bébé.

Je pris la première bretelle de sortie après le pont. Je n'avais pas le temps de me rendre jusqu'à un parc naturel, mais peu importait. Le printemps avait été pluvieux. J'allais trouver ce que je cherchais dans n'importe quel sous-bois un peu touffu. Je m'arrêtai sur une aire de repos qui offrait un point de vue panoramique sur la baie et le Golden Gate Bridge au rouge sombre étincelant sous le soleil matinal. Sur le parking, des randonneurs enfilaient des bottes et remplissaient d'eau des bouteilles en plastique aux teintes criardes.

Munie du couffin que je portais par ses anses tressées, je descendis le sentier qui ne cessait de fourcher, choisissant systématiquement la voie la plus ombragée.

Je frissonnai de froid sous les arbres. Comme les randonneurs ralentissaient parfois à ma hauteur pour admirer le bébé, je quittai carrément le chemin pour m'engager sur une piste barrée précédée d'un écriteau : *Reboisement. Interdit au public*. J'enjambai la chaîne et disparus dans une futaie de séquoias.

Ma fille ne broncha pas lorsque je la couchai par terre, la tonsure à l'arrière de sa tête en contact avec le moelleux matelas d'aiguilles de pin. Ses yeux bleutés se promenèrent sur le faîte des arbres géants, les rais de lumière, les quartiers de ciel gris, et peut-être même au-delà. Car elle en était capable, je n'en doutais pas.

Sortant le grattoir de la poche arrière de mon jean, je m'employai à prélever sur les troncs des immenses conifères des bandes de mousse spongieuse qui se déroulaient en tombant sur le sol comme de longues chevelures. J'en tapissai le fond et les côtés du couffin, en veillant à choisir la plus douce pour accueillir sa petite tête.

Elle ne se réveilla pas lorsque je la ramassai pour la poser tendrement dans son panier de mousse.

Amour maternel. Je ne pouvais pas lui en donner plus.

Un jour, elle comprendrait, du moins l'espérais-je.

Le double de clé était toujours caché à l'intérieur de l'arrosoir rouillé sous l'auvent du porche. Je posai le couffin dans la cuisine au pied de l'escalier hélicoïdal, d'où le bébé pouvait contempler la figure géométrique dans l'espace sur deux étages. Cette vue sembla lui plaire. Pendant qu'il s'adonnait à cette contemplation silencieuse, j'allumai un brûleur sur la cuisinière et remplis la bouilloire au robinet. Cela faisait un an que je ne m'étais pas préparé de la tisane dans cette maison et aucun objet n'avait changé de place.

En attendant que l'eau arrive à ébullition, je m'assis à la table. Le bébé se tenait si tranquille, que je l'en aurais presque oublié pour m'imaginer en train de faire une surprise à Grant. Il me manquait. Assise dans son château d'eau, avec sous les yeux sa ferme horticole, je ne pouvais le nier. Et bientôt, c'était ma fille qui allait me manquer. Repoussant de toutes mes forces cette pensée, je me concentrai sur la vue des champs de fleurs par la fenêtre.

Elle émit un petit bruit entre soupir et couinement à l'instant où l'eau se mit à bouillir. La vitre s'embua. Je me demandai si je pouvais lui donner de la tisane à la menthe. Cela lui ferait sûrement du bien au ventre. J'avais apporté le biberon, mais oublié les boîtes de lait. Je vidai le liquide gélatineux dans l'évier et remplis le biberon à moitié d'eau bouillante, à moitié d'eau froide du robinet. J'y laissai tomber un sachet de menthe, puis revissai la tétine. Elle plissa le nez de stupéfaction, mais n'en but pas moins sans protester. Comme je n'avais pas coupé le feu sous la bouilloire, une fine vapeur ne tarda pas à nous envelopper. Les mousses brillaient d'un vert plus éclatant dans l'air saturé d'humidité.

Je calai le biberon contre le bord du couffin pour qu'elle puisse continuer à boire pendant que je remplissais une casserole d'eau et allumai un deuxième brûleur. Je voulais créer les meilleures conditions pour que les coussins de mousse durent le plus longtemps possible.

Dans des tourbillons de vapeur, je montai le couffin jusqu'au lit de Grant. Le bébé dormait d'un sommeil si profond, sans bouger, que je m'interrogeai soudain sur mon choix en termes de nutrition. Je posai le couffin au milieu des matelas puis, à demi allongée, rapprochai mon visage du sien jusqu'à sentir son haleine sur ma lèvre supérieure.

Je restai ainsi – nez contre nez, nos souffles mêlés – jusqu'à ce que la position du soleil frôlant dangereusement le zénith signale l'arrivée imminente de Grant. Les yeux fermés, je redressai la tête. Ma fille émit ce petit bruit de succion qui indiquait la fin de la tétée, et aussitôt la douleur se réveilla dans mes seins. Je tirai un petit carré de mousse sur le rebord du couffin et lui en frottai la joue, le menton, avant de le nicher dans le pli qui, le jour où elle aurait assez de forces pour tenir sa tête, deviendrait son cou. La mousse se soulevait au rythme de son cœur.

Je descendis enfin l'escalier. La casserole sur le feu était presque vide. Je la remplis à ras bord, la remis sur le brûleur et sortis sans faire de bruit.

Après avoir cahoté sur le chemin de terre battue, je m'engageai sur la route sans un regard en arrière. Ce qui avait commencé comme une douleur diffuse était de plus en plus localisé sur le sein gauche. Si j'avais le malheur de l'effleurer, j'avais l'impression que l'on m'enfonçait un poignard dans la poitrine jusqu'en bas de la colonne vertébrale. Je me mis à transpirer. Les vitres étaient toujours baissées. J'allumai en plus la climatisation. Pourquoi faisait-il si chaud ? Jetant un coup d'œil dans le rétroviseur, je vis le siège vide où il y a peu de temps le bébé dormait dans son couffin. De la terre et un brin de mousse d'un vert intense, c'était tout ce qui restait.

J'allumai la radio et tournai le bouton jusqu'à tomber sur quelque chose de bruyant, tout en cymbales et beuglements. Cela me rappela Natalia et ses musiciens. J'accélérai, traversai le pont à toute allure et fonçai vers ma chambre bleue sans ralentir aux intersections, quelle que soit la couleur des feux de signalisation. J'avais besoin de m'allonger, de dormir... et de ne plus émerger avant une semaine, sinon jamais.

Freinant sec devant l'immeuble, je manquai d'emboutir l'arrière de la voiture de Natalia. Le coffre était ouvert. Des cartons et des valises s'empilaient sur le trottoir. Impossible de savoir si elle arrivait ou repartait. J'espérais pouvoir me glisser à l'intérieur et fermer tous mes verrous sans me faire remarquer.

Je tombai sur Natalia au bas de l'escalier. Elle ne s'écarta pas pour me laisser le passage. En voyant sa tête, je compris que je devais avoir l'air malade.

— Ça va ? me demanda Natalia.

J'opinai en essayant dc passer.

— Tu as les joucs presque aussi rouges que mes cheveux, ajouta-t-elle.

Elle toucha mon front et, comme si elle s'était brûlée, recula vivement la main. J'en profitai pour me faufiler, mais trébuchai et m'effondrai sur la première marche. Sans même tenter de me relever, je montai l'escalier à quatre pattes. Natalia me suivit. Dès que je fus dans la chambre bleue, je fermai la porte.

Natalia frappa.

— Je dois partir, me dit-elle en chuchotant, comme si elle avait peur de quelque chose. Notre tournée a été prolongée. Je serai absente pendant au moins six mois.

Je suis juste passée prendre quelques affaires et te dire que tu peux dormir dans ma chambre, si tu veux.

Je gardai le silence.

— Il faut vraiment que je parte.

— Alors, vas-y ! réussis-je à articuler.

Il y eut un bruit sonore : la chaussure de Natalia contre le battant.

— Je ne veux pas rentrer dans six mois pour retrouver ta charogne !

Elle donna un second coup de pied. Puis je l'entendis descendre l'escalier et claquer la portière de sa voiture. Un vrombissement de moteur. Elle était partie.

Allait-elle prévenir sa mère ? S'était-elle rendu compte que le bébé n'était plus là ? Allait-elle me dénoncer à la police ? Si elle devait appeler quelqu'un, autant que ce soient les flics. Plutôt la prison que de faire face à la déception de Maman Ruby.

Je m'étendis sur le côté, afin de reposer mon sein douloureux, dur comme une balle de caoutchouc, sur le moelleux de mon matelas en plumes. Mon corps qui ne semblait plus m'appartenir était agité de tremblements incontrôlables. J'étais gelée. Après avoir enfilé tous mes sweats les uns par-dessus les autres, je me pelotonnai sous ma couverture marron. Grelottant toujours de froid, je me glissai carrément sous mon matelas. Respirant difficilement, je restai là, dans un brouillard glacé. Quelque part dans mon esprit engourdi, une petite voix me souffla que j'allais m'endormir du sommeil éternel.

De très loin, une sirène perça le silence ouaté. Le bruit se rapprocha. On se bousculait dans la chambre de Natalia. Un faisceau de lumière balaya la fente sous ma porte. L'instant d'après, tout était de nouveau tranquille.

Alors que la chambre plongeait dans les ténèbres, une force colossale enfonça la porte de la chambre bleue. Une foule piétina les marches de l'escalier.

16

J'étais allongée dans une ambulance, attachée à une civière en toile blanche. Pas moyen de me rappeler comment j'avais atterri là ! J'étais en sous-vêtements. Quelqu'un avait posé une chemise de nuit d'hôpital en travers de ma poitrine.

A mon côté, Elizabeth sanglotait.

— Vous êtes sa mère ? demanda une voix.

J'ouvris un œil. Un jeune homme en uniforme bleu marine était assis à la hauteur de ma tête. Une lumière tournoyante qui entrait par la fenêtre éclaboussait par intermittence son visage luisant de sueur.

— Oui, répondit Elizabeth en pleurant. Je veux dire, non, pas encore.

— Elle est sous tutelle du tribunal ?

Elizabeth acquiesça.

— Il faudra le signaler le plus vite possible. Sinon, je m'en chargerai.

Le jeune homme avait l'air désolé. Les sanglots d'Elizabeth redoublèrent. Il lui tendit un lourd téléphone noir, relié à la paroi de l'ambulance par un cordon en spirale comme celui de la cuisine d'Elizabeth. Je fermai les yeux. Nous avons ainsi roulé pendant ce qui me parut des heures, sans qu'Elizabeth cesse un instant de pleurer.

Dès que le véhicule fut à l'arrêt, je sentis des mains attacher la chemise dans mon dos. Les portes à l'arrière s'ouvrirent en grand. Un air froid souffla à l'intérieur. Je soulevai les paupières et vis Meredith. Elle était en pyjama sous son imperméable.

Comme on me descendait de l'ambulance, elle tendit la main pour écarter Elizabeth.

— Je prends la relève.

— Ne me touchez pas ! dit Elizabeth.

— Attendez à la réception.

— Je ne la laisse pas seule, décréta Elizabeth.

— Attendez à la réception ou bien j'appelle les agents de la sécurité.

Sous le choc, Elizabeth se figea au milieu du hall. Meredith me suivit dans une petite salle.

Une infirmière m'examina et dressa l'inventaire de mes blessures. J'avais des brûlures au cuir chevelu et un anneau rouge à la place de l'élastique de ma culotte qui avait fondu sur moi. Mon bras était bizarrement tordu et j'avais des bleus sur le torse et le dos, aux endroits où Elizabeth m'avait rouée de coups de pied. Meredith prit des notes dans un cahier, à mesure que l'infirmière écrivait sur sa fiche.

Elizabeth m'avait fait du mal. Pas comme Meredith le croyait, mais elle m'en avait quand même fait. Les marques étaient indéniables – elles furent dûment photographiées et ajoutées à mon dossier. Personne ne croirait jamais qu'Elizabeth m'avait empêchée de me jeter dans le brasier. Pourtant, c'était la vérité.

Et soudain, je vis dans ces marques que portait mon corps une échappatoire à la douleur dans les yeux d'Elizabeth, une façon de me dérober à la culpabilité, au remords, au vignoble brûlé. Je n'avais pas le courage de faire face au chagrin d'Elizabeth. Je ne l'aurais jamais. Ce n'était pas seulement l'incendie, c'était toute une année de transgressions, parfois mineures, souvent impardonnables. A me materner, elle avait changé. Un an avec moi, et elle était devenue une femme douce, vulnérable. Si je restais avec elle, elle continuerait à souffrir. Elle ne méritait pas ça. Elle ne méritait rien de ce qui lui arrivait.

L'infirmière sortit. Meredith ferma la porte de la salle de consultation. Nous étions seules.

— Elle t'a battue ? s'enquit-elle.

Je me mordis si fort la lèvre qu'elle se fendit. Du sang coula dans ma gorge. Meredith me regardait fixement. Je pris une profonde inspiration et contemplai les petits trous dans les carreaux acoustiques du plafond avant de donner à Meredith la réponse qu'elle attendait.

— Oui.

Elle se contenta d'opiner et sortit à son tour.

Un mot avait suffi, et tout était fini. Elizabeth tenterait peut-être de me rendre visite, mais je refuserais de la voir. Meredith et les infirmières, persuadées qu'elle pouvait être dangereuse, me protégeraient.

Cette nuit-là, je rêvai pour la première fois du feu : Elizabeth émet des plaintes terribles, d'une voix presque inhumaine. Je m'élance vers elle, mais mes orteils restent rivés au sol, à croire que ma chair est en train de fondre. Elle crie, mais ses paroles sont rendues inaudibles par la souffrance. Lorsque je suis carbonisée des pieds à la tête, je comprends qu'elle répète indéfiniment qu'elle m'aime. Ces mots sont encore plus terrifiants que ses plaintes.

Je me réveillai brûlante, baignant dans ma sueur.

17

Je passai trois jours à l'hôpital avant de me remettre de ce qu'ils appelaient « une mastite ». Les secouristes avaient pris ma température : 40,5°. Elle ne baissa qu'au bout de quarante-huit heures d'antibiotiques en intraveineuse. Les médecins discutaient de mon cas au pied de mon lit et d'après les bribes que je saisis au cours des brefs instants où je revenais à la conscience, ils n'avaient jamais vu ça. La mastite est une infection bactérienne du sein qui touche parfois les femmes qui allaitent. C'est douloureux, localisé et cela se traite sans problème. Dans mon cas, l'infection s'était généralisée à mon corps tout entier. La rougeur et l'inflammation ne se cantonnaient pas à mes seins, mais avaient gagné mes bras, mon cou, l'intérieur de mes cuisses. D'après eux, j'étais une malade atypique.

Une fois la fièvre retombée, je fus prise d'un autre mal : le manque. Tout en moi, les seins, les bras, le visage, tout n'aspirait qu'à une chose : ma fille. Les médecins se demandaient ce que faisait une jeune parturiente seule, sans bébé ni visites… Je m'évadai avant qu'ils n'autorisent ma sortie. J'arrachai le cathéter de la perfusion et m'enfuis par un escalier de secours.

Un taxi me déposa chez moi. J'appelai un serrurier pour qu'il change tous mes verrous. Si jamais Natalia rentrait, je lui donnerais les clés. Mais je n'ouvrirais ni à Maman Ruby ni à Renata, l'une et l'autre ayant pris l'habitude d'entrer sans frapper pour venir voir le bébé. Je n'avais pas la force de leur raconter ce que j'avais fait.

L'après-midi même, Maman Ruby se présenta et tambourina si fort aux portes en verre que je crus qu'elles allaient voler en éclats. Je jetai un coup d'œil de la fenêtre de Natalia, puis retournai à la cuisine décrocher le téléphone avant de ramper dans la chambre bleue en verrouillant derrière moi. Le soir, ce fut au tour de Renata qui, non contente de frôler elle aussi le bris de verre, lança un caillou sur la fenêtre du haut. Je ne me manifestai pas. Le lendemain matin, un bruit plus doux me tira d'un réveil profond. Marlena, ce ne pouvait être qu'elle. Le moment était venu de se remettre au travail. Et à elle, j'allais avouer la vérité.

J'ouvris la porte à un jour éblouissant et à une Marlena pétulante qui se rua à l'intérieur en s'exclamant :

— Elle doit être énorme ! Comment elle s'appelle ?

Sans attendre de réponse, elle fonça dans l'escalier. Je la suivis sans me presser. Je la retrouvai tournant en rond dans le séjour vide. Elle posa sur moi un regard interrogateur.

— Je ne sais pas, dis-je, répondant avec retard à sa première question plutôt qu'à celle que je lisais à présent dans ses yeux. Je ne lui ai pas donné de prénom.

Marlena fixait son regard sur mon ventre comme pour me demander : « Où est-elle ? »

Je fondis en larmes. Marlena s'approcha et posa une main tendre sur mon épaule. Je voulais la rassurer. Ma fille était en lieu sûr, là où elle serait aimée, peut-être même heureuse.

Quand je me sentis capable de parler, je lui racontai les faits, simplement. J'avais laissé ma fille avec son père, qui allait l'élever. Je me considérais inapte à être la mère que j'aurais voulu être. Je resterais inconsolable, mais j'avais pris la meilleure décision pour elle.

— S'il te plaît... je préfère qu'on n'en parle plus, conclus-je en traversant le séjour pour ramasser la boîte de mouchoirs en papier et mon agenda.

Après avoir rapidement fait une liste sur une feuille lignée, je pliai celle-ci et la glissai entre les doigts de Marlena avec un petit paquet de dollars.

— Je te vois demain, lui dis-je.

Sans attendre son départ, je retournai dans ma chambre bleue et verrouillai la porte.

Bercée par mes propres paroles de vérité, je ne tardai pas à m'endormir.

Le lendemain matin, ce ne furent pas les discrets grattements à la porte de Marlena qui me réveillèrent, mais les coups frappés par Renata. J'enfouis ma tête sous mon oreiller. Sa voix me parvint toutefois à travers les plumes.

— Je ne bougerai pas d'ici, Victoria ! Je viens de voir Marlena au marché et je sais que tu es là. Si tu ne m'ouvres pas, je resterai ici jusqu'à son arrivée. Elle a la clé.

Impossible de repousser plus longtemps l'inévitable. Je descendis ouvrir la porte en verre que j'entrebâillai.

— Quoi ? grognai-je.

— Je l'ai vue, ce matin, au marché. Je croyais que tu étais partie avec elle, sans dire à aucune de nous où tu allais, et puis voilà, tout à l'heure, je me suis retrouvée avec ta petite fille dans les bras.

Mes yeux se remplirent de larmes. Je haussai les épaules. Que pouvais-je y faire ?

— Tu lui as dit ? insista Renata. Tu lui as donné le bébé ?

— Je ne lui ai rien dit du tout. Et je n'ai pas envie d'en parler... Jamais !

D'un ton adouci, Renata précisa :

— Elle avait l'air contente. Et Grant, fatigué. Mais...

— Je t'en prie, soufflai-je en fermant la porte lentement. Je ne veux pas savoir. C'est trop...

Je donnai un tour de clé. Renata resta plantée de l'autre côté du panneau de verre. Silencieuse. Le battant n'était pas assez épais pour étouffer nos voix, mais de toute façon aucune de nous ne prononça un mot. Renata maintint son regard planté dans le mien. J'espérais qu'elle y percevait mes regrets, ma solitude, mon désespoir. C'était déjà assez dur d'avoir renoncé à ma fille. Ce le serait encore plus si Renata continuait à me tenir au courant de ce qu'elle devenait. Il fallait que Renata comprenne que la seule manière pour moi de survivre à ce que j'avais fait consistait à oublier.

A cet instant ma voiture se gara le long du trottoir, le hayon ouvert laissant dépasser mes fleurs. Marlena commença à décharger, puis s'arrêta et nous regarda tour à tour, Renata et moi.

— Tout va bien ? lança-t-elle.

Renata me fixa intensément. Je me détournai. Alors, sans répondre à Marlena, à pas lents, elle remonta la côte en direction de Bloom, les bras ballants, vaincue.

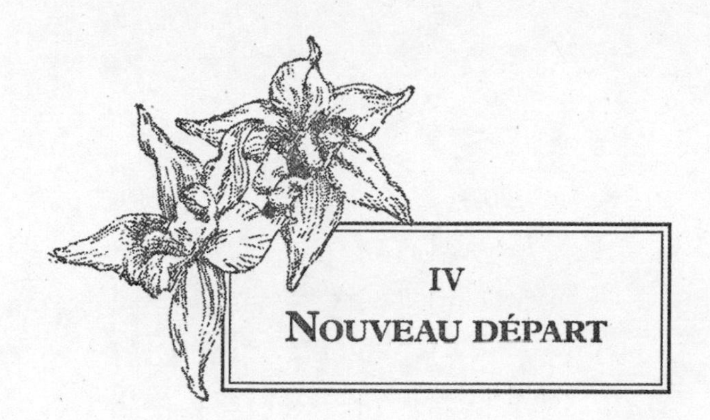

IV
Nouveau départ

1

Mon entreprise, au cours des mois qui suivirent, devint de plus en plus populaire. Le fait que je demande à être payée en liquide, et d'avance, donnait à Message un parfum de marginalité qui fidélisait une certaine clientèle branchée. Je me passais de publicité. Après les premiers seaux d'iris étiquetés, mon numéro de téléphone se propagea plus rapidement que si j'avais acheté un panneau géant clignotant à l'entrée du Bay Bridge. Natalia ne revenant pas de sa tournée, le 1er juin, je bourrai une enveloppe de billets de cent dollars que j'envoyai au propriétaire de l'appartement. Marlena, ma fidèle assistante, organisait le calendrier, répondait au téléphone, notait les commandes et se chargeait des livraisons. Je supervisais les arrangements floraux et, dans la salle vide du rez-de-chaussée, accueillais les clients sur les chaises pliantes du marché aux puces, avec sur la table, entre nous, les boîtes à chaussures ouvertes sous la lumière dure des néons.

Mes consultations prénuptiales connaissaient autant de succès que mes bouquets. Les couples venaient me voir comme si j'étais une voyante ou une prêtresse ; ils me confiaient, souvent pendant des heures, non seulement leurs espoirs concernant leur union, mais aussi les défis qu'il leur faudrait relever. Je prenais en note ce qu'ils me disaient, avec leurs propres mots, sur une mince feuille de papier de riz, que je leur tendais à la fin enroulée et attachée par un ruban. Ils s'y référaient pour choisir les fleurs de leur mariage, ils considéraient aussi que j'avais entrevu leur vie commune à venir. Bethany et Ray étaient heureux en mariage. D'innombrables couples m'envoyaient des cartes postales de leur lune de miel, se servant pour décrire leur relation de mots tels que paix, passion, épanouissement, entre autres qualités inspirées des fleurs.

L'expansion rapide de Message – et le nombre croissant de fleuristes offrant des consultations sur le langage des fleurs aux files d'attente de futures mariées que Marlena et moi éconduisions – provoqua un changement subtil dans l'industrie des fleurs dans la baie de San Francisco. Marlena constata au marché que les pivoines, les œillets et la lavande se languissaient dans leurs seaux, alors que les tulipes, le lilas et les passiflores étaient tous partis avant le lever du soleil. Pour la première fois, les jonquilles restèrent disponibles bien après la saison. A la fin juillet, lorsque quelques mariées culottées se mirent à porter de petits paniers de fraises ou des plumets parfumés de fenouil, il ne vint à personne l'idée de critiquer leur sens de l'esthétique : on s'émerveillait de la simplicité de leurs désirs.

Si cela continuait ainsi, me dis-je, Message finirait par provoquer la diminution de la colère, du chagrin et de la méfiance qui ravageaient notre planète. Les fermiers déracineraient des champs entiers de digitales pourpres pour planter des achillées millefeuilles aux douces grappes roses, jaunes et crème, remède des cœurs brisés. Le prix de la sauge, de la passiflore et de la julienne maritime augmenterait. On planterait des pruniers dans l'unique but de récolter leurs délicates corolles, et les tournesols, démodés à jamais, disparaîtraient de chez les fleuristes et des maisons de campagne. On arracherait le chardon envahissant les terrains vagues et les jardins négligés.

Cet été-là, l'après-midi, dans la serre que j'avais construite sur le toit à l'aide de tubes en PVC et de bâches en plastique, m'occupant des centaines de petits pots alignés sur des étagères grillagées, je tentais de puiser du réconfort dans l'idée qu'à ma manière, je contribuais à faire le bien dans le monde. Je me disais que grâce à Message, quelqu'un, quelque part, allait se sentir moins en colère, moins triste. Les amitiés seraient plus fortes, les mariages plus durables. Mais au fond, je n'y croyais pas. Je ne pouvais tout de même pas me féliciter de quelque altruisme abstrait alors que dans la réalité, dans tous mes contacts avec autrui, je n'avais jamais été qu'une cause de douleur. Elizabeth : incendie volontaire et accusation mensongère. Grant : disparition et abandon d'enfant sans nom.

Eh oui, il y avait ma fille. Ce n'était pas parce que je l'avais abandonnée qu'elle n'était pas présente à chaque instant dans mes pensées. Au lieu d'emménager dans l'ancienne chambre de Natalia, je préférai rester dans la chambre bleue, recroquevillée sur moi-même dans ce réduit où j'avais vécu avec elle. Tous les matins, au réveil, je me rappelais son âge, en mois et en jours. Assise en face de fiancées bavardes, je tentais de me souvenir de ses sourcils à peine dessinés qui s'arquaient comme deux points d'interrogation, de ses minuscules lèvres qui s'ouvraient et se fermaient en cadence. Son absence, dans l'appartement vide, devenait presque tangible. Elle se mêlait aux froissements des bâches de la serre, se glissait sous la porte de la chambre bleue comme un rai de lumière. Je l'entendais téter férocement à travers le tambourinement de la pluie sur le toit plat. Tous les vingt-neuf jours, le clair de lune venait traverser la salle de séjour, formant un carré qui se déplaçait lentement sur le canapé, là où nous nous étions assises toutes les deux le dernier jour. Chaque mois, j'espérais à moitié que les rayons de lune me la ramèneraient. Mais ils se bornaient à éclairer ma solitude. Je m'asseyais dans la lumière pâle et je me remémorais son petit visage en me demandant de quoi elle avait l'air à présent. A des kilomètres de là, je sentais ma fille changer, grandir, se développer. Sans moi. Si seulement j'avais pu assister à sa transformation.

Si je désirais plus que tout la récupérer, il n'était pas question que je me manifeste. Ce désir, c'était du pur égoïsme de ma part. La laisser avec Grant avait représenté le plus grand acte d'amour de toute ma vie. Je ne regrettais rien. Sans moi, ma fille serait en sécurité. Grant l'aimerait comme il m'avait aimée, avec une totale dévotion ct une immense tendresse. C'était tout ce que je pouvais souhaiter pour elle.

Je n'avais qu'un seul regret, et cela n'avait rien à voir avec ma fille. De toutes mes transgressions, dont un grand nombre avaient été violentes et injustes, il n'y en avait qu'une que je déplorais : l'incendie. Une dizaine de bocaux à confiture, une poignée d'allumettes plus une grosse dose d'inconscience avaient provoqué des flammes infernales qui brûlaient encore, longtemps après que le feu eut été éteint. Elles éclairaient le mensonge qui m'avait coupée d'Elizabeth. Elles avaient alimenté toutes les bagarres que j'avais provoquées pendant mes huit années de foyer. Elles étaient la braise de mon manque de confiance en Grant. J'avais refusé de croire qu'il m'aimait ou qu'il continuerait à m'aimer s'il apprenait la vérité.

Grant croyait que c'était sa mère qui avait provoqué l'incendie qui nous avait gâché la vie à tous les deux. Même s'il n'en parlait jamais, je savais qu'il ne lui avait pas pardonné. Pourtant ce n'était pas elle la coupable. C'était ma faute si les vignes avaient pris feu, ma faute si Elizabeth n'était pas allée trouver Catherine, ma faute si Grant avait passé l'année suivante seul à s'occuper de sa mère malade. J'ignorais les détails concernant Catherine, mais je les devinais à voir la manière dont Grant m'avait aimée, avec délicatesse et dans l'isolement. Grant, autant que moi, aurait eu besoin d'Elizabeth.

Maintenant, il était trop tard. Les vignes s'étaient consumées. Grant avait passé toute sa vie (à l'exception de ces six mois avec moi) dans la solitude. J'avais perdu le seul être humain qui ait jamais été une mère pour moi, et je ne pouvais pas revenir en arrière, je ne pouvais sauver ma propre enfance. Et pourtant, une pensée me hantait : j'aspirais à retourner auprès d'Elizabeth. Plus que tout au monde, je voulais être sa fille.

A la mi-août, harassée par la myriade de mariages estivaux et par mes pensées incessantes pour mon enfant, pour Elizabeth et pour Grant, je me retirai dans la chambre bleue. C'était la première fois depuis l'ouverture de Message que je fermais les six verrous. Je dormis pendant des heures, sans me soucier de mes rendez-vous. Marlena les honora à ma place. Lorsqu'elle préparait du thé pour les clients, le sifflement de la bouilloire s'infiltrait dans mes rêves, mais je ne me levais pas. Seuls les verrous m'empêchaient de sauter dans ma voiture, de rouler jusqu'au château d'eau et de monter l'escalier en courant afin de reprendre ma fille. Dans mon imagination, elle reposait toujours dans son panier, sans défense, les yeux rivés au plafond. Mais en réalité, elle avait maintenant six mois, elle pouvait s'asseoir, se saisir d'objets, et peut-être même ramper.

Je restai presque une semaine enfermée dans la chambre bleue. Marlena se garda de me déranger, mais tous les matins, elle me glissait sous la porte une photocopie : notre agenda de septembre, dont les cases noircissaient à vue d'œil. Je m'étais attendue à ce que les affaires ralentissent avec la venue du froid, au contraire, nous étions de plus en plus demandées. L'angoisse provoquée par le surcroît de travail finit par supplanter ma dépression. Prélevant au passage une banane à la corbeille de fruits que Marlena avait remplie, je la rejoignis dans la salle du bas.

Marlena, assise à la table, mâchouillait son stylo. Elle m'accueillit avec un sourire en disant :

— J'allais me rendre à Gathering House et engager une seconde assistante.

— Je suis là. On commence par quoi ?

— Il n'y a rien d'important avant vendredi, précisa-t-elle en jetant un œil au calendrier. Mais ensuite, c'est seize jours de travail d'affilée.

A cette perspective, je poussai un grognement, qui était en réalité une forme de soupir de soulagement. Avec des fleurs plein les mains, j'avais peut-être une chance de survivre à cet automne. Dans quelques mois, peut-être, tout deviendrait plus facile. C'est ce que je m'étais déjà dit et répété, mais cela ne s'était toujours pas concrétisé. C'était plutôt le contraire. Chaque jour qui passait me trouvait plus triste et les conséquences de mon acte me paraissaient plus pesantes. Je fis mine de remonter à l'étage.

— Tu retournes dans ta caverne ? m'interrogea Marlena, manifestement déçue.

— Qu'est-ce que je peux faire d'autre ?

— Je ne sais pas, souffla-t-elle.

Elle marqua une pause. Je me rapprochai d'elle. Elle avait l'air de savoir. Elle avait seulement du mal à trouver les mots.

— Il y a une nouvelle sandwicherie à côté de Bloom, réussit-elle finalement à articuler. Je pensais qu'on pourrait aller déjeuner puis faire une promenade en voiture.

— En voiture ?

— Tu sais, dit-elle le regard tourné vers la vitrine. Pour la voir.

Marlena pensait à ma fille, mais pendant une fraction de seconde, je crus qu'elle parlait d'Elizabeth. Soudain, je sus ce que je voulais faire. Je savais où elle habitait et comment m'y rendre. Certes, il était trop tard pour passer mon enfance chez elle, mais il était encore temps de lui demander pardon.

Marlena, devant mon silence, me regarda fixement, pleine d'espoir.

Je secouai la tête. Je l'avais priée de ne jamais évoquer ma fille devant moi et, jusqu'ici, elle avait respecté mon souhait.

— S'il te plaît… ne fais pas ça, lui murmurai-je.

Sa tête retomba sur sa poitrine et pendant un instant, son cou disparut, comme celui d'un nouveau-né.

— A vendredi, ajoutai-je en gravissant les marches.

Toute la nuit, je m'imaginai sur la route menant chez Elizabeth. La longue allée poussiéreuse, les vignes chargées des lourdes grappes de la fin d'été. Le soleil de l'après-midi découpant l'ombre rectangulaire de la maison blanche dont la peinture s'écaillait. Les marches du perron grinçant sous mes pas. A la table de la cuisine, Elizabeth assise, bras croisés, yeux rivés sur la porte, comme si elle m'attendait.

Cette vision s'évapora à la pensée que tout cela avait peut-être disparu. Non seulement les hectares de vignes, mais aussi la cuisine, le porche, la maison entière. Pendant tous les mois que j'avais passés avec Grant, je ne lui avais jamais demandé quels dommages avait causés l'incendie, et je n'avais jamais poussé sur la route au-delà du portail de la propriété horticole. Je ne voulais pas savoir.

Non, je ne pouvais pas y aller. Je ne supporterais pas de voir tout ça, même pour présenter mes excuses à Elizabeth.

Mais une fois l'idée plantée dans mon esprit, impossible de l'en déloger. Si je m'excusais, peut-être l'oubli viendrait-il... Mes cauchemars cesseraient, je vivrais tranquille bien que solitaire avec la certitude qu'Elizabeth saurait à quel point je regrettais. Recroquevillée dans la pièce bleue, je réfléchis. Il suffirait de lui écrire une lettre. Je connaissais encore l'adresse par cœur. Mais si je notais la mienne au dos de l'enveloppe, Elizabeth viendrait sonner à ma porte... D'un autre côté, sans adresse d'expéditeur, Elizabeth ne serait pas en mesure de me répondre. Et quitte à passer mon temps à guetter par la fenêtre son vieux camion gris, je tenais à connaître sa réponse. A l'écrit, il me serait plus facile de faire face à sa colère et à sa déception. Mes années de culpabilité me paraîtraient peut-être plus légères.

Au lever du soleil, j'avais pris ma décision. J'allais écrire à Elizabeth, en utilisant l'adresse de Bloom. Renata me porterait sa lettre. J'entrouvris la porte de la chambre bleue, cherchant les signes de la présence de Marlena. L'appartement était silencieux. Assise à la table de la salle du bas, comme pour une consultation, je pris une feuille de papier de riz et un stylo-feutre bleu. La main tremblante, je me mis à écrire.

Je notai la date, comme Elizabeth me l'avait appris, dans le coin en haut à droite. Toujours tremblante, je griffonnai son nom. Devais-je ajouter une virgulc ou un point-virgule ? Après une pause, je décidai de mettre les deux. Je relus ce que j'avais écrit. Mon écriture était nerveuse, bien loin de la perfection qu'Elizabeth avait toujours exigée. Je chiffonnai la feuille et la jetai par terre avant de recommencer.

Une heure plus tard, il ne me restait qu'une feuille. Mes échecs, petites balles de papier, jonchaient le sol autour de moi. Celle-ci devrait faire l'affaire. Sous la pression de cette dernière tentative, mes mains tremblaient encore davantage et mon écriture ressemblait à celle d'un jeune enfant qui n'est pas certain de la forme de ses lettres. Elizabeth serait déçue. Mais je continuai néanmoins, lentement, avec application. Finalement, je réussis à tracer cette simple phrase :

C'est moi qui ai allumé l'incendie. Je suis désolée. Je n'ai jamais cessé de l'être.

Je signai de mon nom. La lettre était courte, et j'avais peur qu'Elizabeth pense que j'étais impolie, ou pire, pas sincère. Mais je ne savais pas quoi lui dire d'autre. Je pliai la feuille et la glissai dans une enveloppe. J'y inscrivis l'adresse et y collai un timbre. Ceux que j'avais achetés au printemps précédent étaient ornés d'une jonquille jaune et blanc, *nouveau départ*, sur un fond rouge. Des lettres dorées célébraient le Nouvel An chinois. Elizabeth le remarquerait.

Je me dirigeai à pas rapides vers le coin de la rue, tirai sur la lourde poignée métallique de la boîte aux lettres et vite, pour ne pas me laisser le temps de changer d'avis, y précipitai l'enveloppe.

2

Par un après-midi de septembre, installée dans la salle vide du rez-de-chaussée, je vérifiais machinalement si mes cartes étaient bien en ordre alphabétique avant l'arrivée d'un couple. Son mariage était en avril prochain, mais il avait insisté pour me voir. La mariée voulait que tout soit en harmonie avec le choix des fleurs – la couleur de la table, des chaises, des assiettes… jusqu'aux paroles de la chanson de leur première danse. Pendant l'été, j'avais travaillé avec de nombreuses futures mariées, mais coordonner les fleurs avec de la musique, voilà qui était nouveau, même pour moi. Je n'étais pas très enthousiaste à l'idée de cette entrevue.

Je jetai un coup d'œil à ma montre. Il était seize heures quarante-cinq. Encore quinze minutes. Il était temps de préparer le thé. Je ne buvais qu'un thé extrêmement fort, aux chrysanthèmes, que je me procurais à Chinatown. J'aimais regarder les fleurs séchées ouvrir leurs pétales et flotter dans le liquide sombre. Cela apportait un plus à mes consultations et mes clients s'attendaient à ce que je leur en serve.

Une fois la théière remplie, je bus une tasse avant de redescendre. La future mariée était déjà là, assise à l'extérieur sur le seuil, seule. Elle tournait la tête de droite à gauche. Son dos bien droit trahissait son impatience. Le fiancé était en retard ou lui avait posé un lapin. C'était mauvais signe pour un mariage et les fiancées le savaient. Pour assurer le succès de mon entreprise, avais-je décidé quelques mois plus tôt, je ne devais travailler que pour les couples dont le mariage avait de fortes chances de durer ; j'avais refusé mon aide à plus d'un pour manque de ponctualité ou à cause de l'aigreur de la conversation des futurs mariés au moment de consulter les cartes.

Je posai mon plateau. Les paumes à plat sur la porte vitrée, je m'apprêtais à la pousser, quand je me figeai. Il y eut un bruit de coup de frein. Un pick-up gris passa lentement devant mes yeux. Elizabeth au volant. Le véhicule atteignit le stop au coin de la rue, s'arrêta à l'intersection avant de disparaître sur l'autre versant de la colline. Je tournai les talons et montai à toute allure me réfugier dans l'ancienne chambre de Natalia. A genoux sous la fenêtre, les yeux à la hauteur du bas du carreau, j'attendis qu'il réapparaisse.

Moins de cinq minutes s'écoulèrent. La camionnette avait eu moins de difficultés à dévaler la côte escarpée qu'à la monter. Et une seconde plus tard, je perdis Elizabeth de vue. Je descendis. La mariée se leva.

— Je suis désolée, me dit-elle. Il sera là d'une minute à l'autre.

Cela m'étonnerait, pensai-je. Il y avait dans ses intonations quelque chose de factice, comme si elle avait eu une phrase toute prête pour excuser son fiancé.

— Non, dis-je. Il ne viendra pas.

Etait-ce l'effet du thé aux chrysanthèmes ? Toujours est-il que j'avais soudain envie qu'elle sache la vérité.

Je la vis ouvrir la bouche pour protester, puis la refermer devant l'expression de mon visage.

— Vous refusez de vous occuper de nos fleurs, c'est ça ?

Connaissant d'avance la réponse, elle me tourna le dos. Elle irait frapper chez Renata, c'est ce qu'elles faisaient toutes. Renata était l'unique détentrice d'un dictionnaire identique au mien. J'avais demandé à Marlena de lui en confectionner une copie à l'époque où nous avions commencé à ne plus savoir où donner de la tête. Pas un jour ne se passait sans que je dirige des clientes vers Bloom.

Alors que je gravissais la colline, je vis Renata descendre dans ma direction. Nos trajectoires se rejoignirent à mi-chemin, tout comme celle de Grant et la mienne l'après-midi où il m'avait apporté les jonquilles. Elle tenait une enveloppe mauve. Je la saisis avec des doigts tremblants. M'asseyant au bord du trottoir, je la posai sur mes genoux. Renata s'assit à côté de moi.

— Qui est cette femme ? interrogea-t-elle.

L'enveloppe me brûlait les cuisses, je la soulevai et la posai entre nous, sur l'asphalte, puis je me plongeai dans la contemplation des lignes de ma main, comme pour y lire une réponse à sa question.

— Elizabeth, répondis-je avec un calme surprenant.

Le silence s'installa. Renata ne me questionna pas plus, mais lorsque je levai le regard vers elle, je lui trouvai l'air troublé, comme si je n'avais pas répondu du tout. Je baissai de nouveau les yeux sur mes paumes.

— Elle a voulu devenir ma mère. J'avais dix ans.

Renata fit claquer sa langue. Du bout d'un ongle, elle tenta de déloger un fragment de métal prisonnier du béton.

— Et qu'est-ce que tu as fait ?

Une question à la Meredith, mais venant de Renata, elle semblait motivée par la curiosité plutôt que par l'accusation.

— J'ai provoqué un incendie.

C'était la toute première fois que je prononçais ces mots à voix haute. Une boule se forma dans ma gorge. Je serrai très fort les paupières.

— Ma petite allumeuse de feu, énonça Renata en me passant un bras autour des épaules. Pourquoi est-ce que cela ne m'étonne pas ?

J'étudiai son expression. Elle ne souriait pas, mais son regard était affectueux.

— Pourquoi ? rétorquai-je.

Renata souleva une mèche de mes yeux, l'extrémité de ses doigts frôla mon front. Sa peau était douce. J'appuyai mon oreille contre son épaule, ce qui atténua le son de sa voix lorsqu'elle reprit la parole :

— Tu te souviens du matin où l'on s'est rencontrées ? Je t'ai trouvée sur le seuil de la boutique, tu cherchais du travail, puis tu es revenue quelques heures après me montrer ce que tu savais faire. Tu m'as tendu ces fleurs comme pour t'excuser, même si tu n'avais rien à te reprocher. Je n'avais jamais vu un bouquet aussi parfait. J'ai tout de suite compris que tu n'avais pas confiance en toi, que tu te croyais dotée de défauts impardonnables.

Je me rappelais très bien ce matin-là. J'avais peur qu'elle me perce à jour, qu'elle devine que j'étais à la rue, qu'elle devine la vérité sur tout.

— Alors, pourquoi tu m'as engagée ? m'enquis-je.

Renata me caressa la joue du dos de la main, me prit par le menton et fit pivoter ma tête de manière à pouvoir plonger son regard dans le mien.

— Tu penses vraiment être la seule au monde à avoir des défauts impardonnables ? Tu penses être la seule à avoir souffert au point de ne plus savoir qui tu es ?

Elle me fixa intensément. Lorsqu'elle se détourna, je sus qu'elle comprenait : elle comprenait que je croyais être unique en mon genre.

— J'aurais pu engager quelqu'un d'autre. Quelqu'un avec moins de défauts, peut-être, ou qui savait mieux les cacher. Mais personne n'aurait eu le talent que tu as avec les fleurs, Victoria. Tu possèdes un véritable don. Lorsque tu composes un bouquet, tu es transfigurée. Tes traits se détendent. Tes yeux brillent. Tes doigts manipulent les fleurs avec une telle délicatesse qu'on est à cent lieues de soupçonner chez toi la moindre violence. Je n'oublierai jamais le jour où je t'ai aperçue pour la première fois. En te regardant t'occuper des arrangements de tournesols dans la réserve, j'avais l'impression de me trouver en face d'une tout autre jeune fille.

Je connaissais cette fille. Je l'avais aperçue dans le miroir de l'armoire, auprès d'Elizabeth, après avoir vécu presque un an chez elle. Peut-être cette petite fille avait-elle survécu en moi, conservée telle une fleur séchée, fragile et douce.

Renata ramassa l'enveloppe et l'agita.

— Alors, je l'ouvre ?

3

Au moment du verdict, je soufflai sur la blancheur cotonneuse des boutons que j'avais alignés sur la table. Ils se répandirent sur le sol de la salle d'audience. Elizabeth se leva.

Les fleurs avaient été disposées sur mon siège avant mon arrivée. Les gypsophiles, *amour éternel*, se reflétaient sur le dessus de la table vernie, petites billes douces flottant sur le bois veiné. Elles étaient raides et sèches au toucher, comme si Elizabeth les avait achetées le jour de la première audience, qui avait été suivie de tant d'autres. Appelées aussi « brouillard vivace », elles ne flétrissaient ni ne pourrissaient. Elles devenaient seulement plus friables. Il n'y avait donc pour Elizabeth aucune raison d'en acheter des fraîches.

Alors qu'elle comparaissait devant la juge, rejetant les uns après les autres tous les chefs d'accusation dont on l'accablait, je brisai les tiges brunes afin d'obtenir de minuscules brindilles que je tressai au centre de la table, comme un nid d'oiseau. Il y eut une pause, puis un silence s'installa dans la salle. La voix d'Elizabeth résonna dans ma tête : « Je souhaite que Victoria soit placée de nouveau sous ma tutelle, immédiatement. » Je n'osai pas relever la tête, de crainte que mon regard ne trahisse la force de mon désir. Mais lorsque la juge reprit la parole, elle se contenta de prier Elizabeth de retourner à sa place. Sa requête, apparemment, ne méritait même pas de réponse. Elizabeth obtempéra.

Meredith était assise entre Elizabeth et moi, à une longue table, et nous étions flanquées de nos avocats respectifs. Le mien était un petit homme trapu qui, engoncé dans son costume, se penchait en avant comme pour mieux entendre ce que disait la juge et tirait sur son col de chemise. Son carnet de notes était vierge. D'ailleurs, il n'avait pas de stylo. Il consulta furtivement sa montre sous la table : il semblait pressé de partir.

Moi aussi. J'en avais assez. Ecoutant d'une oreille distraite Meredith et la juge débattre de mon bien-être, je jouais avec mon tas de petites tiges brisées. Après le nid, je formai un petit poisson, puis une couronne et un cœur tordu. Assembler ces brindilles m'empêchait de penser à la proximité d'Elizabeth, si près de moi. Une maison de l'enfance avec suivi psychologique, décréta la juge, selon les disponibilités. Meredith écrivit la décision dans mon dossier puis se dirigea vers le parquet, une épaisse liasse de papiers à la main. La juge recommanda à Meredith de m'inscrire dès maintenant sur la liste d'attente d'un foyer de transit, puis signa la feuille qui se trouvait en haut de la pile. A ma majorité, dans huit ans, je serais toujours seule. C'est en tout cas ce que la recommandation du magistrat suggérait.

La juge s'éclaircit la gorge. Meredith retourna s'asseoir. Dans le silence qui suivit, je compris que la juge attendait que je relève la tête, mais je m'y refusais. Je perçai le cœur de branchage de mon doigt, écartant les brindilles jusqu'à apercevoir le reflet de mon visage sur le bois verni. Je fus stupéfaite de voir combien j'avais l'air vieille et combien la colère crispait mes traits. Je gardai quand même la tête baissée.

— Victoria, intervint finalement la juge. Est-ce que tu as quelque chose à dire ?

Je restai silencieuse. A côté de mon avocat, la procureur pianotait sur le bois de la table de ses ongles manucurés, petites plaques ovales rouges serties dans la peau ridée de ses doigts. Elle m'avait demandé de témoigner contre Elizabeth lors d'un procès devant la cour de justice, mais j'avais refusé.

Je me levai lentement. De mes poches, je tirai des poignées d'œillets rouges arrachés à un bouquet dans la supérette de l'hôpital. Plus de deux mois après la nuit de l'incendie, j'y séjournais toujours. J'avais été transférée du service des brûlés au service psychiatrique, en attendant que Meredith puisse me placer quelque part.

Je me glissai sous la table et traversai la salle du tribunal.

— Pense un peu aux répercussions de ton refus de témoigner, me dit la juge alors que je me tenais devant elle. Il ne s'agit pas seulement de te défendre, ou de faire appliquer la loi. Il s'agit de protéger les autres enfants.

Les adultes présents estimaient Elizabeth coupable de maltraitance. J'éclatai presque de rire tant cette idée était absurde. Mais je savais que si je commençais à rire, alors je me mettrais à pleurer, et si je me mettais à pleurer, j'ignorais si je serais capable de m'arrêter.

J'empilai devant elle mes poignées d'œillets rouges. *Mon cœur se brise*. C'était la première fois que j'offrais des fleurs à une personne qui en ignorait la signification. Ce cadeau semblait provocateur et étrangement puissant. Lorsque je me retournai, je vis Elizabeth. Elle seule comprenait. Nos corps se faisaient face et dans ce bref instant, sans bruit, une onde aussi brûlante que le feu qui nous avait séparées passa entre nous.

Je pris la fuite. La juge fit retomber son maillet ; Meredith me rappela. Je poussai toutes grandes les portes de la salle d'audience, dévalai six étages d'escaliers et me ruai dehors par une sortie de secours. Sidérée par la lumière éblouissante de l'après-midi, je m'immobilisai. Peu importait dans quelle direction je courrais, Meredith me rattraperait. Elle me reconduirait à l'hôpital, elle me placerait dans un foyer ou m'enfermerait dans une maison de correction. Pendant les huit années à venir, je devrais voguer de lieu en lieu, dc placement en placement, chaque fois qu'elle viendrait me chercher. Puis, le jour de mes dix-huit ans, je serais émancipée et je me retrouverais seule, seule, seule…

Je frissonnai. Par ce jour froid de décembre, le beau ciel bleu se révélait trompeur. Je m'allongeai par terre et collai ma joue contre l'asphalte tiède.

Je voulais rentrer à la maison.

4

Dix ans s'étaient écoulés, et Elizabeth voulait encore de moi.

Sa lettre, pliée en un petit carré que j'avais glissé dans mon soutien-gorge, resta ce soir-là nichée contre ma peau alors que je travaillais au coude-à-coude avec Marlena. *Je t'ai laissée tomber,* m'écrivait Elizabeth. *Moi aussi, je n'ai jamais cessé de regretter ce qui s'est passé.* Puis, au bas de la lettre, juste au-dessus de son nom, elle avait ajouté : *S'il te plaît, je t'en prie, rentre à la maison.* Deux ou trois fois par heure, je la dépliais pour la relire, jusqu'à mémoriser non seulement les mots exacts, mais jusqu'à la forme précise des lettres. Marlena ne posa aucune question. En revanche elle mit les bouchées doubles pour compenser mon manque de concentration.

J'étais résolue à aller rendre visite à Elizabeth. Une décision que j'avais prise dès que j'avais lu la lettre, assise sur le trottoir à côté de Renata. En me levant, j'avais eu l'intention de prendre ma voiture, et de traverser le pont et la campagne qui me séparaient du vignoble. Mais en voyant par la baie vitrée Marlena au travail, j'étais retournée dans la salle composer un bouquet, puis un autre et encore un autre… Plusieurs heures s'étaient ainsi écoulées. Nous avions un anniversaire de mariage le lendemain, suivi de deux mariages.

L'automne se révélait en effet aussi surchargé que l'été. Nous étions très demandées par des mariées exigeantes et superstitieuses qui préféraient se faire passer la bague au doigt par un dimanche frileux plutôt que de faire appel à un autre fleuriste. Celles-là n'étaient pas mes préférées. Pas assez riches pour emporter les enchères d'un mariage estival et organiser avec élégance des noces somptueuses, elles l'étaient quand même assez pour fréquenter les mêmes cercles que les plus aisées et souffrir d'avoir sans cesse à se comparer à elles. Ces mariées d'automne manquaient de confiance en elles et leurs futurs maris étaient trop indulgents. Le mois précédent, nous avions été appelées pour des consultations de dernière minute par trois de ces pauvres envieuses qui avaient changé tout ce que nous avions prévu, nous forçant à tout recommencer la veille de la cérémonie.

Ce n'était pas seulement notre planning surchargé qui me maintenait à l'œuvre. Mon bonheur à la pensée qu'Elizabeth voulait encore de moi avait émoussé non seulement la douleur accumulée ces dix dernières années, mais aussi l'envie qui me tenaillait de retrouver ma fille. Tant que je ne l'aurais pas vue, la promesse de sa lettre resterait intacte. Si j'allais frapper à sa porte, elle s'ouvrirait peut-être sur une personne tout autre que l'Elizabeth de mon souvenir. Plus âgée, sans aucun doute, mais peut-être aussi plus triste et pleine de rancœur. Je n'étais pas disposée à courir ce risque.

Je passai une mauvaise nuit, à lutter contre l'impulsion de courir vers Elizabeth. Le lendemain matin, je me sentais plus calme. Je décidai de patienter une ou deux semaines avant de prendre le chemin du vignoble et de découvrir ce qui m'attendait là-bas.

J'avais déjà pris ma douche et m'étais habillée lorsque le téléphone sonna. Caroline. J'attendais son appel. Au cours de la consultation, elle avait montré qu'elle ne savait pas ce qu'elle espérait d'une fleuriste ni, d'ailleurs, d'une relation amoureuse, fondant en larmes chaque fois que je lui demandais quelque chose de plus compliqué que son nom ou la date de son mariage. J'aurais dû l'éconduire, mais son fiancé, Mark, m'était sympathique. J'aimais bien sa façon de la taquiner, plus encourageante que désobligeante.

Je décrochai à la première sonnerie. Alors que je tentais de déterminer si je devais lui dire de venir ou lui mentir en prétendant être débordée, je me dirigeai vers la fenêtre et l'aperçus, assise au bord du trottoir d'en face. Elle leva la tête vers moi, Mark à côté d'elle. Ses poings étaient serrés mais elle déplia lentement une main pour me saluer. J'ouvris la fenêtre et raccrochai le combiné.

— OK. Laissez-moi une minute, leur criai-je, comme Natalia le jour où j'avais frappé à sa porte.

Et tout comme Natalia, je pris mon temps. Je me préparai une tasse de thé, des œufs pochés et des toasts. Si l'on devait changer la composition des bouquets, et je savais que c'était le cas, il me faudrait sans doute travailler pendant vingt heures d'affilée. Je mangeai tranquillement et bus ensuite deux grands verres de lait avant de descendre les escaliers.

Caroline me serra dans ses bras. Elle devait avoir dans les trente ans, mais avec ses deux longues tresses de petite fille modèle, elle paraissait beaucoup plus jeune. Lorsqu'elle s'assit en face de moi, je notai que ses yeux bleus étaient pleins de larmes.

— Le mariage a lieu demain, me déclara-t-elle comme si j'avais oublié ce détail. Et je crains que tout ne soit à repenser.

En étouffant un sanglot, elle se frappa la poitrine. Mark lui tapota le dos. Elle rit et émit un petit hoquet.

— Elle essaie de ne pas pleurer, m'expliqua-t-il. Sinon elle aura les yeux rouges sur les photos.

Caroline gloussa. Une larme roula sur sa joue. Elle l'essuya d'un ongle manucuré et embrassa Mark.

— Il ne comprend pas à quel point c'est important. Il n'a jamais rencontré Alejandra et Luis. Alors, il ignore ce qui s'est passé lors de leur lune de miel.

J'opinai, comme si je me souvenais de ce couple et des arrangements que j'avais confectionnés pour son mariage.

— Alors, qu'est-ce que je peux faire pour vous ? énonçai-je, aussi patiemment que possible.

— Vous connaissez la question classique : si vous deviez sélectionner cinq aliments à manger pour le reste de votre vie, ce serait quoi ?

Je fis mine que oui, quoiqu'on ne m'ait jamais posé cette question.

— Eh bien, cette question m'obsède, reprit-elle. Choisir les fleurs pour un mariage, c'est comme choisir les cinq qualités que vous voulez avoir dans une relation amoureuse *pour le reste de votre vie* ! Comment est-ce possible ?

— A l'entendre, on croirait que le mariage est une maladie mortelle, plaisanta Mark.

— Vous voyez ce que je veux dire, insista-t-elle en baissant les yeux sur ses mains.

Je n'écoutais qu'à moitié leur conversation, en pensant aux cinq aliments que je choisirais. Les beignets, c'était certain. Est-ce que je devais spécifier quelle sorte ou est-ce que cela englobait tous les types de beignets ? Je me décidai pour la seconde option avec une préférence pour ceux au sirop d'érable.

Caroline et Mark hésitaient entre les roses rouges et des tulipes, en d'autres termes entre l'*amour véritable* et la *déclaration d'amour*.

— Mais si tu m'aimes, et que tu ne me le dis pas, comment est-ce que je pourrais le savoir ? souffla-t-elle.

— Oh, tu le sauras, lui assura Mark en haussant les sourcils et en passant délicatement sa main le long de sa jambe, du genou à la taille.

Je me tournai vers la baie vitrée. Des beignets, du poulet rôti, du cheese-cake et de la soupe au potiron, très chaude. Encore un. Cela devrait être un fruit ou un légume afin de survivre plus d'un an sous ce régime imaginaire, mais aucun d'entre eux ne me semblait assez bon pour que je désire en manger tous les jours. Je tapotai des doigts sur la table en levant les yeux vers le ciel exceptionnellement bleu.

Tout à coup, l'aliment parfait me vint à l'esprit, et je pris conscience d'une urgence : je devais partir immédiatement voir Elizabeth. Les raisins étaient mûrs. J'avais fait le compte des journées chaudes d'automne : douze d'affilée. Le soleil formait dans la pièce sombre de minces traits de lumière où dansait la poussière. Je savais que les baies étaient prêtes pour la vendange et qu'Elizabeth ne le savait pas encore. J'ignore d'où me venait cette science. On dit parfois qu'une mère et sa fille, autrefois connectées par le cordon ombilical, possèdent un sixième sens permettant à chacune d'être avertie si l'autre est malade ou en danger. Je me levai. Caroline et Mark discutaient à présent du choix entre héliotropes et géraniums sauvages. Je ne savais pas qui avait remporté le débat entre les roses et les tulipes.

— Pourquoi vous limitez-vous ainsi ? demandai-je, un peu plus brutalement que je ne l'aurais voulu. Je ne vous ai jamais imposé une limite dans la variété des fleurs de votre bouquet.

— Mais un bouquet de mariée comprenant cinquante fleurs différentes, ça ne s'est jamais fait ! se récria-t-elle.

— Eh bien, lancez la mode !

Caroline me semblait assez le genre à aimer lancer des modes. Je sortis mon cahier à spirales et un stylo.

— Parcourez les cartes de la boîte et écrivez les qualités que vous désirez au sein de votre relation. On rassemblera tout ce qu'on peut à la dernière minute. Seulement renoncez à assortir les fleurs aux robes de vos demoiselles d'honneur.

— Leurs robes sont bleu-gris. Ça ira avec tout, m'informa Caroline, l'air contrite, comme si elle avait songé à tout en prévision de cet instant.

J'étais déjà au milieu de l'escalier. Il fallait que je téléphone à Marlena. Elle prendrait la commande sans moi, rapidement et de manière professionnelle. Ses arrangements n'étaient pas parfaits, loin de là – elle avait fait peu de progrès – mais elle connaissait par cœur les fleurs et leurs messages cachés. Elle ne confondrait pas les géraniums à feuilles rondes avec les géraniums à feuilles découpées. La réputation de Message reposait sur le contenu du bouquet, non sur sa qualité artistique, et en ce qui concernait la précision dans le choix des fleurs, Marlena savait ce qu'elle faisait.

Elle répondit dès la première sonnerie. Je savais qu'elle attendait mon appel.

— Tu peux venir tout de suite, lui dis-je sans préambule.

Marlena poussa un grognement. Je raccrochai sans lui préciser que je ne serais pas là à son arrivée et que Caroline et Mark étaient en train de composer le bouquet le plus complexe de toute l'histoire des mariages de San Francisco. Pourquoi la stresser d'avance ?

J'attrapai mes clés au passage et dévalai l'escalier.

— Marlena sera là d'une minute à l'autre ! lançai-je à Caroline et Mark en sortant.

Je suivis les routes de campagne si souvent parcourues avec Grant, ou seule, ou bien avec ma fille, lors de ma dernière visite à la ferme. Je dépassai celle-ci, mettant ma main en visière sur le côté de ma tête afin de ne pas voir les champs de fleurs, la maison, le château d'eau. J'avais rassemblé tout mon courage pour me rendre chez Elizabeth, mais je ne pouvais me résoudre à apercevoir ma fille et Grant le même jour.

Je me garai en face de l'entrée du vignoble. Un bus scolaire passa, suivi d'un break marron plein à craquer. Lorsque la route fut dégagée, je descendis de voiture dans la campagne silencieuse. Les yeux rivés sur le vignoble, adossée à mon véhicule, je cherchai les traces des dommages que j'avais causés. Les vignes avaient été replantées, la terre brûlée avait été retournée et les cendres avaient été ratissées depuis longtemps. Même les chardons proliféraient de nouveau dans le fossé, aussi hauts et secs que le jour où j'avais allumé l'incendie. Seul l'aspect des vignes laissait transparaître leur histoire. Au sud-ouest, elles étaient deux fois moins épaisses que de l'autre côté de l'allée. Les plus jeunes pieds portaient des feuilles d'un vert plus brillant et manifestement un plus grand nombre de fruits. Je me demandai si la qualité de leurs baies avait atteint la perfection exigée par Elizabeth.

Je traversai la route. La maison était toujours la même, bien que la rangée de cabanes à outils ait disparu, probablement consumée par les flammes. La caravane de Carlos n'était plus là non plus. Le métal n'avait pas pu fondre, il avait sans doute trouvé un autre emploi et déménagé, et Elizabeth s'était débarrassée de l'objet encombrant. Privée de ses dépendances, la maison ressemblait davantage à un hôtel champêtre qu'à une exploitation agricole. Le blanc immaculé de sa façade était rehaussé par la présence sous le porche de deux chaises à bascule rouges. A travers les rideaux de dentelle de la fenêtre de la cuisine, je distinguai de la lumière.

Au bas des marches, je marquai une halte. Un bruit doux porté par le vent, suivi d'un petit floc, m'indiqua qu'Elizabeth se trouvait au jardin. Le dos collé au mur en bois, j'amorçai un tour de la maison. Soudain, je vis là, à quelques mètres de moi, Elizabeth agenouillée, pieds nus sur la terre battue. Elle me tournait le dos. De la boue s'était incrustée dans les plis à l'arrière de ses chevilles, et lorsqu'elle se pencha en avant, je vis que la plante de ses pieds était propre et rose.

— Encore ? s'exclama-t-elle en élevant un cercle de métal qu'elle tenait par une poignée en bois usé.

Je me détachai un peu du mur afin d'obtenir une meilleure vue d'ensemble. Au milieu du chemin, près des roses, était disposée une bassine en fer-blanc à moitié pleine d'une eau savonneuse aux tourbillons colorés. Agrippé d'une main au bord de la bassine, un bébé aux immenses yeux ronds tentait de son autre main d'attraper le cercle de métal. Une petite fille. Assise sur le sol, vêtue en tout et pour tout d'une couche, elle balançait d'un mouvement ondoyant son ventre rond en équilibre instable sur son derrière. Elizabeth passa sa main libre dans son dos afin de l'aider à rester droite et, profitant de ce moment de distraction, la petite réussit à s'emparer de la bague encore pleine de savon, l'enfourna dans sa bouche et entreprit de s'y faire les dents.

— Désolée, mon ange, dit Elizabeth en tirant sans succès sur la poignée de bois. C'est une baguette pour faire des bulles, pas un hochet.

Comme la petite mordait l'objet de plus belle, Elizabeth lui chatouilla le ventre jusqu'à ce qu'elle se mette à rire en ouvrant grand la bouche. Elizabeth récupéra son bien, essuya les restes de savon sur les joues de ma fille à l'aide du pouce.

— Maintenant, regarde, ajouta Elizabeth.

Elle plongea l'objet dans le liquide et souffla à travers le cercle. Une pluie de bulles tomba sur l'enfant, laissant des cercles mouillés sur ses épaules et son front.

Ses cheveux avaient poussé. Des boucles brunes couvraient ses oreilles et sa nuque. Elle avait la peau moins blanche, sans doute à cause de nombreuses heures passées en plein air, et deux dents étaient apparues là où il y a quelques mois je pouvais passer mon doigt sur sa gencive lisse. Je ne l'aurais peut-être pas reconnue sans ses yeux, ses grands yeux bleu-gris, et son regard profond qui se tourna alors vers moi, chargé de questions, comme il l'avait fait le matin où je l'avais laissée sur son lit de mousse.

Repartant sans bruit à reculons, je me retournai soudain et m'élançai en courant vers la route.

5

Tapie au milieu de plantes vieilles de plusieurs décennies, j'inspectai les quelques rares fleurs. Grant avait taillé les rosiers. A un centimètre au-dessous de chaque extrémité coupée, un gros bourgeon rouge émergeait de la tige, là où une fleur s'épanouirait bientôt. Comme chaque année, Grant aurait des roses pour Thanksgiving.

Au bout de vingt-cinq ans de solitude, Grant avait renoué avec Elizabeth. Comme en transe, je m'étais rendue tout droit à la ferme. J'avais abandonné ma voiture au bord de la route et entrepris d'escalader le portail étant donné que j'avais jeté la clé depuis longtemps. Sans frapper à la porte du château d'eau, je m'étais réfugiée dans la roseraie. L'image du sourire timide de ma fille flottait derrière mes paupières. Son bonheur, tourbillonnant comme l'eau savonneuse de la bassine, m'emplissait de joie. Elle était avec Elizabeth et elle était heureuse ! Le naturel avec lequel elles avaient partagé cet instant m'incitait à penser qu'elle vivait en permanence au vignoble, et la solitude de Grant m'atterrait autant que la gaieté de ma fille m'avait enchantée.

Une heure passa. Toujours en proie au vertige que m'avait procuré la vision inattendue de mon enfant avec

Elizabeth, j'entendis les bottes de Grant approcher derrière moi. Mon cœur se mit cogner, aussi fort que le jour où, à une année-lumière, je l'avais rencontré au marché aux fleurs. Je serrai mes genoux contre ma poitrine dans le vain espoir d'étouffer le bruit de ses battements. Grant aligna ses bottes aux miennes et s'assit à côté de moi, épaule contre épaule. Il glissa derrière mon oreille quelque chose que je retirai aussitôt. Une rose blanche. Je la tins levée vers le soleil et son ombre tomba sur nous. Le silence se prolongea.

Finalement, je m'écartai et me tournai vers lui : cela faisait plus d'un an que je ne l'avais pas vu. Il avait vieilli bien plus que ne l'autorisait son âge. De fines rides sillonnaient son front si grave, mais il dégageait toujours la même odeur de terre. Je revins vers lui jusqu'à ce que nos épaules se touchent de nouveau.

— Comment est-elle ?

— Magnifique, dit-il d'une voix calme, réfléchie. Elle est plutôt timide au premier abord. Mais une fois à l'aise, elle vous attrape les oreilles avec ses petites mains dodues. Je ne connais rien de plus délicieux.

Il se tut un instant pour saisir un pétale de ma rose et le porter à ses lèvres.

— Elle aime les fleurs aussi. Elle les cueille, elle les respire… elle les mangerait si on ne la surveillait pas de près.

— Vraiment ? m'étonnai-je. Elle les aime autant que nous ?

— Oui. Si tu voyais son sourire lorsque j'énumère les noms des orchidées dans la serre : oncidium, dendrobium, bulbophyllum et epidendrum, tout en lui caressant la joue avec chaque fleur. Je ne serais pas surpris si son premier mot était « orchidacée ».

Je m'imaginais sa petite figure ronde, aux joues toutes roses à cause de la chaleur sous la serre, se nichant contre la poitrine de Grant pour éviter d'être chatouillée par les pétales.

— J'essaie aussi de lui enseigner la science qui régit les plantes, ajouta Grant en esquissant un sourire plein de souvenirs. Mais jusqu'ici ça ne marche pas fort. Elle s'endort chaque fois que je commence à lui raconter l'histoire de la famille des bétulacées ou que je lui explique comment la mousse pousse sans racines.

La mousse pousse sans racines ? Je restai sans voix. Moi qui avais consacré tant de temps à l'étude de la botanique, dire que ce simple fait – le seul, me semblait-il, dont j'aie vraiment besoin – m'avait échappé !

— Comment s'appelle-t-elle ?

— IIazcl.

Noisetier. *Réconciliation.* Grant tira sur la racine tenace d'une digitaire. Il évitait mon regard.

— Je pensais que peut-être, un jour, ellc tc ramènerait à moi.

Pour le moment, en effet, elle nous avait réunis. La digitaire céda. Les doigts de Grant creusèrent la terre autour de la mauvaise herbe desséchée à la recherche d'une autre racine.

— Tu m'en veux ? lui demandai-je.

Grant demeura silencieux. Une seconde racine céda. Il arracha la plante complète et enroula la longue tige d'herbe autour de son index épais.

— Je devrais, finit-il par me répondre.

Il se tut à nouveau et jeta un regard circulaire à sa propriété.

— J'ai répété dans ma tête ce que j'avais à te dire je ne sais combien de fois depuis que j'ai trouvé Hazel. Tu mérites de l'entendre.

— Je sais. Je t'écoute.

Il esquiva mon regard. Il ne parvenait pas à prononcer les phrases soigneusement préparées. Il avait tous les droits d'être furieux, mais il ne l'était pas, et ne voulait pas me faire souffrir. Il n'avait pas ça en lui.

Après plusieurs longues minutes, Grant soupira.

— Tu as fait ce que tu avais à faire. Moi, j'ai agi de même.

Il venait de me confirmer que ma fille vivait au vignoble. Grant l'avait donnée à Elizabeth.

— Tu as faim ? s'enquit-il soudain en se tournant vers moi.

— C'est toi qui cuisines ?

Comme je me dirigeais machinalement vers le château d'eau, Grant me prit par la main pour me guider jusqu'au perron de la maison principale. Quelle ne fut pas ma surprise quand je la trouvai repeinte, ses fenêtres remplacées.

La table était déjà mise dans la salle à manger. A chaque extrémité un napperon, une serviette en tissu, des couverts en argent étincelants et une assiette de porcelaine fine, bordée de fleurs bleues impossibles à identifier. Grant remplit d'eau à mon intention un verre en cristal, puis disparut derrière la porte battante de la cuisine. Il revint avec un gros poulet rôti disposé sur un plateau en argent.

— Tu cuisines autant que ça quand tu es seul ? m'étonnai-je.

— Parfois. Quand je n'arrive pas à m'empêcher de penser à toi. Aujourd'hui, c'est pour toi que j'ai cuisiné. Lorsque je t'ai vue passer la barrière, j'ai allumé le four.

Il découpa délicatement les pilons, les plaça dans mon assiette et détacha les blancs. Après quoi, il s'éclipsa de nouveau dans la cuisine dont il rapporta une saucière et un long plat garni de légumes rôtis aux couleurs appétissantes : betteraves, pommes de terres et poivrons. Pendant qu'il me servait, je dévorai mon premier pilon. Je posai l'os nettoyé dans une mare de sauce. Grant s'assit en face de moi.

Les questions se bousculaient dans mon esprit. J'aurais voulu savoir tout ce qui s'était passé depuis le moment où il avait découvert l'enfant dans le couffin tapissé de mousse. Qu'avait-il ressenti en croisant pour la première fois le regard de sa fille ? Amour ? Angoisse ? Comment avait-elle abouti chez Elizabeth ?

Au lieu de l'interroger, je dévorai le poulet, à croire que je n'avais rien avalé depuis le dernier repas qu'il nous avait préparé. Après avoir englouti les deux pilons et les ailes, je m'attaquai au blanc. Le goût de la viande se mêlait au souvenir de ses baisers d'après dîner, à la façon dont il me touchait, uniquement à ma demande, dans l'atelier et à tous les étages du château d'eau. Je les avais abandonnés, lui et ses caresses, lui et sa cuisine, et rien, non rien, ne pourrait jamais prendre leur place. Lorsque je relevai la tête, il était en train de me regarder manger, comme autrefois, et je vis dans ses yeux que lui non plus n'avait pas pu me remplacer.

Il ne resta bientôt sur le plateau que la carcasse. Je jetai un coup d'œil à l'assiette de Grant. Avait-il seulement avalé quelque chose ? Je n'avais quand même pas mangé la volaille entière, si ? Quand il me proposa de me montrer la chambre de Hazel, je constatai que je pouvais à peine bouger. Grant dut me porter à moitié dans l'escalier. Il ouvrit la porte du fond tout au bout d'un long couloir et m'aida à m'asseoir sur un lit. Je m'allongeai. Grant glissa un coussin sous ma nuque. Sur un rayonnage, derrière une chaise à bascule, il prit un album photo relié de cuir rose.

— C'est Elizabeth qui l'a fait pour elle, dit-il en l'ouvrant à la première page.

La fleur de noisetier me sauta aux yeux. C'était le dessin de Catherine, tiré de son dossier, plastifié et collé à l'aide de coins dorés. Au-dessous, Elizabeth avait tracé de sa belle écriture le nom de ma fille, Hazel Jones-Hastings, ainsi que la date de sa naissance, le 1er mars, ce qui était totalement faux. Grant tourna la page.

Sur la photo encadrée de blanc, Hazel était couchée dans son lit de mousse, exactement comme je l'avais laissée. Au souvenir de mon amour pour elle à ce moment précis – un amour démesuré, paralysant – mon cœur se serra et des larmes me piquèrent les yeux. Sur la page suivante, dans un porte-bébé, Hazel appuyait sa tête coiffée d'un bonnet blanc à bords souples sur la poitrine de Grant. Elle dormait. Il y avait deux ou trois photos pour chaque mois. Son premier sourire, sa première dent, sa première nourriture solide… Chaque étape avait été amoureusement documentée.

Je refermai l'album et le tendis à Grant. Il y avait là tout ce que je voulais savoir.

— C'est sa chambre ? m'enquis-je.

— Lorsqu'elle vient me rendre visite. Les samedis après-midi en général, ou après le marché du dimanche.

En rangeant l'album sur son étagère, il passa la main sur les barreaux d'un petit lit d'enfant. Lorsqu'il s'étendit à côté de moi, je sentis la chaleur de son corps à l'endroit où il touchait mon bras.

J'inspectai la chambre. Les dessins de fleurs de Catherine, format 30 cm x 30 cm, étaient accrochés aux murs, cernés de maries-louises blanches et de cadres peints en rose assortis aux meubles : un petit lit à barreaux, une chaise à bascule, une table de nuit et une bibliothèque, le tout orné de marguerites blanches peintes au pochoir.

— La maison est superbe. Tu y as beaucoup travaillé en un an.

— Un an et demi, précisa-t-il. J'ai commencé juste après t'avoir montré le studio de ma mère. Pendant les après-midi où tu travaillais tard, je me dépêchais de rentrer pour arracher le papier peint et rénover le sol. Je voulais te faire une surprise. J'espérais que l'on pourrait vivre ici tous les deux.

J'étais partie sans dire au revoir, sans dire à Grant quc j'étais enceinte. Et pendant tout ce temps, il m'avait construit une maison, sans savoir si je reviendrais.

— Je te demande pardon, murmurai-je.

Dans le silence qui suivit, je me remémorai les premiers mois de ma grossesse, où je dormais à nouveau dans McKinley Square, en proie à la nausée, sale et débraillée. Un souvenir troublant. Etait-ce à cause de l'état de choc que j'avais perdu toute mesure, au point de ne plus penser à ma propre sécurité ?

— Moi aussi, je te demande pardon, dit Grant.

Je m'écartai de lui pour le regarder dans les yeux : nous étions dans la chambre de notre fille et elle était vide.

— Tu la lui as donnée ?

Ce n'était pas un reproche – pour une fois, le ton de ma voix correspondait à ce que je souhaitais exprimer. J'étais curieuse, voilà tout, et je brûlais de connaître sa réponse.

— Je ne voulais pas. Je l'ai aimée dès que j'ai posé les yeux sur elle. Je l'aimais tellement que, tout le mois de mars, c'est à peine si j'ai mangé et dormi. J'en oubliais de m'occuper de mes fleurs…

Ces paroles me laissèrent rêveuse : Grant avait vécu la même chose que moi !

Se retournant, il poursuivit en s'adressant au sommet de ma tête.

— Je voulais à tout prix qu'elle soit heureuse. Pourtant je multipliais les erreurs. Je lui donnais trop à manger, j'oubliais de la changer, je la laissais trop longtemps au soleil quand je jardinais. Elle ne pleurait jamais, mais moi, je me sentais tellement coupable que je n'arrivais plus à dormir. J'avais l'impression de ne pas être à la hauteur, ni d'elle ni de toi. Jamais je ne parviendrais à être le père que je voulais être, pas seul, pas sans toi. Et puis j'avais peur, même lorsque je l'ai appelée Hazel, que tu ne reviennes jamais.

Grant passa sa main dans mes cheveux. Il appuya sa joue contre mon crâne. Sa barbe naissante me chatouilla.

— Je l'ai emmenée chez Elizabeth. Je ne voyais pas ce que je pouvais faire d'autre. Lorsque je me suis présenté à sa porte avec le bébé dans son couffin, elle s'est mise à pleurer et nous a fait entrer dans la cuisine. Je n'ai pas quitté sa maison pendant deux semaines et lorsque je suis enfin parti, j'ai laissé l'enfant derrière moi. C'est dans les bras d'Elizabeth que Hazel a souri pour la première fois. Je n'ai pas eu le cœur de les séparer.

Grant m'enveloppa de ses bras et pencha la tête vers mon oreille.

— Peut-être était-ce juste une excuse pour l'abandonner, murmura-t-il. Je n'y arrivais pas.

Je glissai mon bras sous son torse. Lorsqu'il me serra contre lui, je lui rendis son étreinte.

— Je sais, chuchotai-je.

Moi non plus, je n'y étais pas arrivée : il avait deviné sans que je le lui dise. Nous sommes restés cramponnés l'un à l'autre comme deux noyés à la dérive, longtemps, sans échanger un mot, respirant à peine.

— Tu as parlé de moi à Elizabeth ?

— Elle voulait tout savoir, opina Grant. Elle était persuadée que je pourrais lui raconter chaque instant de ta vie depuis le jour où elle t'a vue pour la dernière fois, au tribunal. Elle refusait de comprendre que cela m'était impossible.

Autour de la table de la cuisine, alors qu'un rôti cuisait dans le four et que Hazel était endormie dans ses bras, Grant lui avait avoué ignorer comment j'avais fêté mon seizième anniversaire, si j'avais été au lycée, et quel était mon petit déjeuner préféré, et elle lui avait rétorqué : « Pourquoi tu ne lui as pas demandé ? »

— Tu aurais dû entendre son rire quand je lui ai appris que tu détestais les lys. Il paraît que tu n'es pas non plus une grande amie des cactus.

Je relevai la tête. Il me regarda avec un petit sourire un coin.

— Elle t'a raconté ?

Grant fit oui de la tête. J'abaissai la mienne sur sa poitrine.

— Même pour l'incendie ?

Il acquiesça, son menton soudain pointu contre mon crâne. S'ensuivit un long silence. En fin de compte, je prononçai les mots que j'avais depuis une éternité au bout de la langue :

— Comment pouvais-tu ignorer la vérité ?

Avec un temps de retard, il articula dans un soupir :

— Ma mère est morte.

Cette déclaration me semblant clore la conversation, je n'insistai pas. Mais il finit par ajouter :

— Il est trop tard pour l'interroger. A mon avis, elle était persuadée que c'était elle la pyromane. A l'époque, elle ne me reconnaissait déjà plus. Elle oubliait de manger, refusait ses médicaments. La nuit de l'incendie, je l'ai trouvée à la fenêtre de son atelier. En larmes. Elle a eu une quinte de toux, j'ai cru qu'elle s'étouffait, les poumons pleins de fumée. Je l'ai prise par les épaules. Elle m'a paru si petite. J'avais grandi depuis le dernier câlin. Entre deux sanglots, elle répétait : « Je ne voulais pas ça ! »

J'imaginai sous le ciel violet les silhouettes de Catherine et de Grant s'encadrant à la fenêtre, et la même vague d'angoisse et de désespoir que ce jour-là, dans la chaleur du brasier, me submergea. Catherine avait vécu un moment semblable. Toutes les deux nous avions été victimes de notre compréhension limitée de la réalité.

— Et après ?

— Elle a passé un an à dessiner des jacinthes. Au crayon, au fusain, à l'encre, au pastel… Elle s'est mise à peindre sur tout, aussi bien sur de grandes toiles que sur des papiers de la taille d'un timbre-poste. De longues tiges violettes ornées de centaines de petites fleurs. « Toutes pour moi », disait-elle. Aucune n'était assez belle pour Elizabeth. Pas un jour ne passait sans qu'elle fasse un nouvel essai.

Jacinthe pourpre. *Pardonne-moi*. Je me souvenais des pots de peinture sur l'étagère du haut dans l'atelier.

— Ce fut une bonne année, continua Grant. La meilleure, à vrai dire. Elle prenait ses médicaments, elle s'efforçait de manger. Chaque fois que je passais sous sa fenêtre, sa fenêtre dont les carreaux étaient brisés, elle me criait qu'elle m'aimait. Il m'arrive encore parfois de lever la tête quand je passe par là, comme si je m'attendais à la voir.

Catherine, même accablée par la maladie, n'avait jamais abandonné Grant. Seule et sans aucune aide, elle avait réussi ce dont ni moi ni Grant n'avions été capables : garder et élever un enfant. J'éprouvai soudain à son égard un respect aussi fervent qu'inattendu. Je me tournai vers Grant pour voir s'il partageait mon émotion. Ses yeux brillants de larmes étaient rivés sur les dessins de sa mère.

— Elle t'aimait, prononçai-je.

Il passa le bout de sa langue sur sa lèvre supérieure avant de répliquer :

— Je sais.

Sa voix néanmoins trahissait un certain étonnement, comme s'il venait de prendre conscience de l'amour que Catherine lui portait ou bien de la profondeur de cet amour. Elle avait été loin d'être une mère parfaite. Cela ne l'avait pas empêché, lui, de devenir un homme fort, affectueux et, vu la prospérité de son affaire, capable. Il lui arrivait même parfois de se sentir heureux. On ne pouvait pas accuser Catherine de l'avoir mal éduqué. Je débordais soudain de reconnaissance pour celle qui avait « créé » l'homme que j'aimais.

— Comment est-elle morte ?

— Un jour, elle n'est pas sortie de son lit. Je suis monté voir. Elle ne respirait plus. L'alcool mélangé aux médicaments, d'après les médecins. Elle n'avait pas le droit de boire, mais elle allait souvent se coucher avec une bouteille. Elle n'a pas résisté.

— Je suis désolée.

J'étais sincère. Désolée pour Grant, désolée de n'avoir pas rencontré Catherine, désolée à la pensée que Hazel ne connaîtrait pas sa grand-mère.

J'étreignis une dernière fois Grant et déposai un baiser sur son front.

— Tu as bien pris soin de Hazel, articulai-je d'une voix qui tremblait un peu. Vraiment. Merci.

— Ne t'en va pas. Reste ici, avec moi. Je t'en prie. Je te promets de te faire à manger tous les soirs.

Je me levai et observai les dessins accrochés aux murs : crocus, primevère et marguerite – des fleurs pour une petite fille. Je ne pouvais regarder Grant, ni penser à sa cuisine. Si je croisais encore une fois son regard, il me serait impossible de le quitter. A plus forte raison si des odeurs merveilleuses s'échappaient de son four !

— Il faut que je m'en aille. S'il te plaît, ne me demande pas de rester. J'aime trop ma fille pour perturber sa vie aujourd'hui alors qu'elle est heureuse et aimée.

Grant se leva à son tour, m'enlaça la taille et me serra très fort contre lui.

— Mais elle n'a pas sa mère et rien ne peut la remplacer.

Je soupirai. Il ne cherchait ni à me culpabiliser ni à me forcer la main.

Il disait simplement la vérité.

Grant me suivit dans l'escalier. Puis il passa devant moi pour m'ouvrir la porte. Je me précipitai au-dehors.

— Viens pour Thanksgiving ! me lança-t-il. Il y aura des roses.

Je me dirigeai vers la route à pas lents. Au fond, je n'avais pas envie de partir. Maintenant que j'avais entendu le rire de ma fille et vu Elizabeth une nouvelle fois en mère – elle avait la même voix ferme et douce que dans mon souvenir –, je ne pouvais plus m'enfuir. Monter dans ma voiture, franchir le pont dans l'autre sens, retrouver ma chambre bleue. Ma solitude.

J'attendis que la porte d'entrée se referme. Dès que la clé tourna dans la porte, je gagnai la première serre en vue.

Il me fallait des fleurs.

6

Le bouquet que j'avais confectionné chez Grant ballottait sur mes genoux alors que je parcourais en voiture le court chemin qui me séparait d'Elizabeth.

Je me garai à l'entrée de la propriété et courus le long de la grande allée. Derrière la fenêtre de la cuisine brillait une douce lumière orangée. En cette fin octobre, je m'étais attendue à ce qu'Elizabeth soit déjà en train de goûter les raisins, mais il semblait que ma fille et elle finissaient leur repas. Je me demandais comment elle s'était occupée du vignoble, chargée d'un petit bébé, et si la qualité de la récolte en serait affectée. Je ne pouvais me résoudre à penser qu'elle aurait permis une chose pareille.

Sous le porche, je me penchai pour jeter un coup d'œil par la fenêtre de la cuisine. Hazel était assise à la table, sanglée dans sa chaise haute. Elle avait eu droit à un bain. Ses cheveux humides, qui bouclaient encore plus que tout à l'heure, étaient coiffés avec une raie au milieu et relevés à l'aide d'une pince. Une substance plâtreuse avait giclé sur son bavoir en plastique vert et elle était en train de se lécher les doigts. Elizabeth, qui faisait la vaisselle, me tournait le dos. Lorsque l'eau s'arrêta de couler, je me redressai et fis face à la porte close.

Je plongeai le nez dans mon bouquet. Des fleurs de lin, des myosotis et un rameau de noisetier ; des roses blanches et roses, des hélénies, des pervenches, des primevères et quantité de campanules. Au cœur des tiges bien serrées, j'avais glissé de la mousse veloutée, à peine visible, puis saupoudré l'ensemble de pétales violets et blancs issus d'un buisson de sauge du Mexique. Malgré sa taille imposante, ce bouquet me paraissait néanmoins insuffisant...

Après avoir inspiré un grand coup, je frappai.

Quelques instants plus tard, Elizabeth passa derrière la fenêtre éclairée, Hazel sur la hanche. La porte s'ouvrit. Je lui tendis les fleurs.

Un sourire de bonheur illumina ses traits. Contre toute attente, elle ne semblait pas étonnée de me revoir. Après tant d'années... Tandis qu'elle m'inspectait de la tête aux pieds, j'eus l'impression d'être une gamine revenant de colonie de vacances auprès d'une mère qui s'était inquiétée sans raison. Sauf que dans mon cas, il ne s'agissait pas de quelques semaines d'absence mais de la totalité de mon adolescence jusqu'à mon émancipation, de ma vie dans la rue, de ma grossesse de mère célibataire... Non, on ne pouvait pas reprocher à Elizabeth de s'être inquiétée pour rien. Pourtant, en un éclair, le temps fut englouti.

Elle ouvrit la porte moustiquaire mais, au lieu de prendre le bouquet, elle passa son bras autour de mon cou. Je posai la tête sur l'épaule où ne se blotissait pas ma fille. Nous formions un groupe étrange. Puis Hazel gigota. Elizabeth la remonta sur sa hanche et je me reculai pour les englober toutes les deux dans un même regard. Le visage de Hazel était caché. Elizabeth s'essuya le coin des yeux.

— Victoria.

Elle referma sa main sur mes doigts qui tenaient le bouquet et nous l'avons un moment agrippé toutes les deux avant qu'elle le prenne.

— Tu m'as manqué. Viens t'asseoir. Tu as faim ? Il reste de la soupe aux lentilles et j'ai fait de la glace à la vanille cet après-midi.

— Je sors de table. Mais je veux bien de la glace.

Hazel releva la tête de l'épaule d'Elizabeth et tapa dans ses petites mains.

— Tu as déjà eu ta part, mon ange, lui dit Elizabeth en lui embrassant le haut du crâne.

Elle la posa sur le sol de la cuisine. La petite lui attrapa l'arrière des jambes. Sans les bouger, elle se baissa vers le congélateur, dont elle sortit un bac en métal, puis vers le placard pour prendre un bol et une cuillère.

— Et voilà ! dit-elle lorsque le bol fut plein.

Hazel tendit les mains et Elizabeth la souleva d'un seul bras.

— Allons nous asseoir avec ta maman.

A ces mots, mon cœur se mit à battre à se rompre. Hazel, elle, ne broncha pas, évidemment.

Je me lavai les mains au robinet de l'évier avant de prendre place à table. Elizabeth fit pivoter la chaise haute de manière à la placer en face de moi. Mais dès qu'elle tenta d'y installer Hazel, celle-ci se mit à crier et à s'accrocher à son cou.

— Non merci, tante Elizabeth, prononça Elizabeth.

Au son de sa voix apaisante, Hazel cessa d'un seul coup de pleurer. Elizabeth poussa la chaise haute à l'écart et s'assit en serrant Hazel contre elle.

— Elle va s'habituer à toi, me fit-elle observer. Il lui faut quelques minutes pour s'acclimater.

— Grant m'a expliqué.

— Tu as vu Grant ?

— Je sors de chez lui. J'étais venue te voir en premier, mais quand je t'ai aperçue dans le jardin avec Hazel, j'ai été tellement stupéfaite que je suis partie en courant.

— Je suis contente que tu sois revenue.

— Moi aussi.

Au moment où Elizabeth fit glisser le bol de glace vers moi, je croisai son regard : j'étais revenue ! Peut-être n'était-il pas trop tard, finalement.

La glace était crémeuse à souhait. Hazel se tourna vers moi. Toute timide, la bouche ouverte. Je levai doucement la cuillère comme pour me régaler puis, à la dernière seconde, la dirigeai droit sur sa langue qui n'attendait que ça. Elle avala, sourit et se cacha le visage dans la poitrine d'Elizabeth. De nouveau elle se tourna vers moi. Elle ouvrit la bouche. Je glissai une deuxième cuillerée entre ses lèvres.

Elizabeth nous contemplait tour à tour, moi et l'enfant.

— Comment se sont passées ces dernières années ?

— Bien, répondis-je en baissant les paupières.

— Ah non ! s'exclama-t-elle en hochant la tête. Je veux savoir *exactement* ce qui s'est passé, depuis la dernière fois que je t'ai vue, au tribunal. Je veux tout savoir depuis l'instant où tu t'es sauvée de la salle d'audience.

— Je ne suis pas allée très loin. Meredith m'a rattrapée. Elle m'a collée dans un foyer, comme c'était prévu.

— C'était horrible ?

Elle s'attendait manifestement à ce que je lui confirme que ma vie avait été conforme à ses pires cauchemars.

— Pour les autres pensionnaires, oui ! ironisai-je en me rappelant quelle enfant terrible j'avais été et quels sales tours je leur avais joués. Pour moi, c'était seulement horrible parce que je n'étais pas ici, avec toi.

Des larmes perlèrent à ses yeux. Comme Hazel tambourinait sur la table de ses petits poings impatients, je lui donnai encore un peu de glace et elle me tendit les bras, comme pour m'inviter à la prendre. Je consultai Elizabeth du regard.

— Vas-y ! me dit-elle.

Les mains tremblantes, je pris Hazel sous les aisselles et la mis sur mes genoux. Je ne m'attendais pas à ce qu'elle pèse aussi lourd. Une fois assise, elle recula en gigotant son derrière capitonné et cala sa tête sous mon menton. Je respirai ses cheveux. La même odeur qu'Elizabeth : huile de cuisine, cannelle, savon au citron. Avec un soupir de contentement, je passai mes deux bras autour de sa taille.

Hazel plongeait des doigts gourmands dans la glace fondue. On la regardait toutes les deux se régaler. Des gouttes tombaient sur sa robe en lin bleue. Ellc fronçait les sourcils, comme son père.

— Tu vis où, maintenant ? reprit Elizabeth.

— J'ai un appartement. Et aussi une entreprise. Je fais des arrangements floraux pour les mariages, les anniversaires de mariage, ce genre de trucs.

— Grant me dit que tu es incroyable. Il paraît qu'on fait la queue pour te consulter et que les gens sont prêts à attendre des mois pour que tu leur conseilles des fleurs…

— Tout ce que je sais, lui soufflai-je en haussant les épaules, je l'ai appris ici.

Je repensai à l'après-midi où Elizabeth avait disséqué un lys, ici même, sur une planche à découper. Tout était resté à la même place : la table, les chaises, le plan de travail immaculé et le profond évier en porcelaine. Seule nouveauté, posé sur le rebord de la fenêtre au bout de la rangée de fioles bleues, un cadre de la taille d'une boîte d'allumettes en verre bleuté où semblait flotter une jacinthe pourpre.

— Catherine ?

— Un cadeau de Grant, acquiesça-t-elle. Catherine est partie avant d'arriver à peindre une jacinthe qu'elle considérait digne de moi. Celle-ci est la préférée de Grant. Il tenait à me la donner.

— Elle est magnifique.

— Je l'adore.

Elle se leva et m'apporta le cadre qu'elle plaça entre nous deux. Les minuscules fleurs se détachaient parfaitement de la tige unique, leurs pétales pointus s'emboîtant les uns dans les autres à la manière d'un puzzle. A la vue d'une juxtaposition aussi parfaite, je me dis que le pardon aurait dû être une chose facile. Pas pour cette famille. Après des dizaines d'années de brouille, depuis les roses jaunes jusqu'à l'incendie, les tentatives d'effacer les ressentiments avaient échoué.

— Tout est si différent aujourd'hui, déclara Elizabeth comme si elle avait lu dans mes pensées. Grant et moi, après tout ce temps, nous reformons une famille. J'espère que tu es revenue pour en faire partie. Tu nous as bien trop manqué à nous tous, n'est-ce pas, Hazel ?

La petite jouait avec le bol vide. Elle le renversa, puis le retourna. Trempant les doigts dans le cercle crémeux qu'il avait laissé sur le bois de la table, elle y traça un enchevêtrement abstrait.

Elizabeth me tendit la main comme si elle m'offrait un billet de retour vers la famille, cette famille qui m'aimait, en qualité de fille, de compagne et de mère. Je la pris dans la mienne. Et Hazel y posa à son tour sa menotte, toute collante et chaude.

Même s'il était clair qu'Elizabeth m'avait pardonné, j'avais une dernière question.

— Et le vignoble, que s'est-il passé ?

J'éprouvais la même peur qu'Elizabeth lorsqu'elle m'avait interrogée sur mes années en foyer. Comme elle, j'imaginais le pire.

— On a replanté. Les dommages ont été considérables, mais ce n'était rien comparé à ta perte. Longtemps les ceps sont restés frêles, et les mauvaises herbes ont foisonné. Je ne quittais la maison qu'en automne, pour aller goûter le raisin, et encore seulement parce que Carlos manquait de défoncer la porte chaque soir.

— Il n'est plus là ? J'ai remarqué que la caravane avait disparu.

— Il est retourné au Mexique il y a un an, après l'entrée de Perla à l'université, m'expliqua Elizabeth. Ses parents étaient âgés et malades. J'avais enfin réussi à dominer mon chagrin et à m'occuper seule de mon vignoble. Je n'avais plus besoin de lui.

Ainsi, la perte de ma fille serait devenue plus supportable avec le temps... Mais dix ans, c'est une très longue attente. Je fourrai mon nez dans les boucles de Hazel au si doux parfum.

— Les raisins doivent être presque mûrs, avançai-je.

— Probablement. Je n'ai pas été vérifier depuis trois jours. C'est plus difficile maintenant, dit-elle en désignant le bébé, mais le jeu en vaut la chandelle.

— Tu veux de l'aide ? lui proposai-je en esquissant un geste vers les vignes.

— Oui, me répondit Elizabeth en souriant. Allons-y !

Cueillant un torchon humide, elle essuya les mains et la figure de Hazel, qui fit la grimace.

Elizabeth grimpa en premier dans le tracteur rouge. Je lui passai ma fille. Assise sur les genoux d'Elizabeth, elle tendit ses petits bras pour toucher le volant mais, lorsque le moteur démarra et se mit à vibrer, elle se dépêcha de cacher sa tête sous le bras de la conductrice. En cahotant, le tracteur dépassa l'ancien emplacement de la caravane, puis gravit la colline vers l'endroit où j'avais découvert le raisin mûr, l'automne de l'incendie.

Elizabeth coupa le moteur.

Il n'y avait plus de bruit. Hazel redressa la tête et, baissant les yeux vers la maison que l'on apercevait en contrebas des vignes, suivit d'un regard ensommeillé la ligne du toit jusqu'aux fenêtres. Puis elle se tourna vers moi et là, comme si elle avait oublié ma présence, elle sursauta. L'instant d'après, un sourire lent, tout à la fois timide et radieux, illumina son visage. Elle me tendit les bras en poussant un cri de joie. Le son aigu ouvrit une fêlure et fissura la coquille qui recouvrait mon cœur.

Hazel dans les bras, je me glissai au bas du tracteur et m'accroupis dans les vignes. Ma fille enfonça le nez dans une grappe de raisins. Je l'imitai. Je cueillis une baie, en découpai la peau avec mes dents et en offris un petit morceau à Hazel. Elle avait déjà été initiée. Et nous voilà mastiquant toutes les deux la peau en faisant passer la pulpe d'une joue à l'autre.

Je souris. 75/7. Les raisins étaient mûrs.

7

Je plaçai ma boîte bleue sur l'étagère, dans l'espace vide, à côté de celle, orange, de Grant. Les boîtes tendues de tissu étaient nichées entre les ouvrages de botanique et une anthologie de poésie, à la même place qu'à l'époque où j'habitais le château d'eau.

C'était le jour de Thanksgiving. J'avais passé la matinée à aider Grant à émincer des légumes, éplucher des pommes de terre et couper des roses pour le centre de table. Nous attendions d'une minute à l'autre l'arrivée d'Elizabeth et de Hazel. Grant voulait que tout soit parfait. Lorsque je l'avais laissé dans la cuisine, il faisait les cent pas devant la sauce, vérifiant la température du four si souvent que l'air chaud s'en était sans doute échappé. La dinde ne serait pas prête avant tard dans la soirée, mais cela m'était égal. Je n'avais aucune intention de partir.

Je n'avais quitté le vignoble que deux fois depuis que j'avais goûté les raisins en compagnie de ma fille. La première afin d'aider Marlena pour un mariage qui comptait plus de cinq cents invités, notre événement le plus important jusqu'à ce jour, et la seconde, la veille, pour aller chercher mes affaires. Après avoir quitté l'appartement, je m'étais rendue au foyer de transit. J'avais frappé à la porte en proposant un logement gratuit contre du travail. Deux filles s'étaient portées volontaires. Les engageant sur-le-champ, je les avais conduites à l'appartement. Marlena, un peu nerveuse, avait fait visiter les lieux aux nouvelles assistantes avant de consulter le calendrier. Elles l'écoutèrent avec attention leur exposer leurs tâches. Je m'étais apprêtée à partir, certaine que l'on n'aurait pas besoin de moi dans l'immédiat, mais Marlena m'avait prise à part.

« Elles ne connaissent rien aux fleurs, m'avait-elle murmuré d'un air désespéré.

— Toi non plus, tu n'y connaissais rien au départ. »

Elle ne parut pas pour autant rassurée. Je lui promis que je serais bientôt de retour. J'avais juste besoin d'un peu de temps.

En hissant mon gros sac dans l'escalier du château d'eau, je repensai à ma promesse. J'aimais Message, j'aimais voir avec quel regard les mariées accueillaient le rouleau où était inscrite la liste des fleurs qui convenaient à leurs noces, j'aimais recevoir chaque jour une myriade de cartes de remerciements. Marlena et moi étions bel et bien en train de construire quelque chose. Bethany et Ray avaient déjà réservé nos services pour leur premier, leur cinquième et leur dixième anniversaires de mariage ! Bethany m'attribuait le bonheur de son couple. De mon côté, je lui prêtais le succès grandissant de mon entreprise. Je ne la laisserais pas tomber, tout comme je n'abandonnerais pas Marlena.

Un jour, il me serait possible d'avoir à la fois une entreprise et une famille. Je prendrais quotidiennement la voiture pour me rendre à San Francisco puis reviendrais le soir pour le dîner, comme n'importe quelle femme active. J'irais chercher Hazel chez Elizabeth et l'attacherais à son siège-auto avant de la reconduire à la ferme et de m'asseoir avec elle à la longue table de la salle à manger. Grant aurait préparé le dîner. Nous couperions la nourriture de Hazel en petits morceaux tout en nous racontant nos journées respectives, nous émerveillant devant nos deux entreprises florissantes, notre fille et notre amour. Pendant nos journées de congé, nous emmènerions Hazel à la plage. Grant la porterait sur ses épaules jusqu'à ce qu'elle soit assez grande pour courir sans risque au bord des vagues, laissant derrière elle les traces de ses pas dans le sable, ses petits pieds s'allongeant un peu plus chaque mois.

Un jour, je serais capable de faire tout ça.

Mais je n'en étais pas encore là.

Pour l'instant, j'avais conscience qu'il me faudrait toutes mes forces et toute mon énergie pour renouer les liens avec ma famille. Même si elle était inquiète, Marlena comprenait. J'avais un long chemin à parcourir. Il me fallait accepter l'amour de Grant et celui d'Elizabeth. Il me fallait aussi gagner celui de ma fille. Je ne devais sous aucun prétexte les quitter à nouveau.

Cette pensée m'emplissait autant de joie que d'angoisse.

J'avais vécu avec Grant auparavant et j'avais échoué. J'avais vécu avec Elizabeth. Puis avec Hazel. Et chaque fois, je m'étais sauvée.

Ce coup-ci, me dis-je en jetant un regard circulaire autour de l'ancienne chambre de Grant, ce serait différent. Ce coup-ci, je me glisserais lentement, pas à pas, à mon rythme, au sein de cette famille peu conventionnelle qui était la mienne. En allaitant, j'avais appris qu'il était dangereux de se donner entièrement, sans limites, au risque de s'écrouler. C'est pour cela que j'avais décidé d'emménager seule, pour commencer, dans le château d'eau. Hazel resterait chez Elizabeth et viendrait nous voir de plus en plus souvent, pour des périodes chaque fois plus longues. Lorsque ma peur se serait peu à peu muée en confiance (confiance en ma famille et aussi en moi-même), j'emménagerais dans la maison principale avec Grant et Hazel viendrait habiter avec nous. Tout près, Elizabeth serait là pour nous aider. Et le château d'eau, m'avait promis Grant, serait toujours à ma disposition au cas où j'aurais besoin de m'échapper, de me réfugier un moment dans la solitude. Que pouvais-je demander de plus ?

J'ouvris la fermeture éclair de mon sac. J'en sortis mes affaires, une pile de jeans, de tee-shirts et de chaussures que je déposai dans un coin, accrochant mes chemisiers et mes ceintures aux clous rouillés. Le portail grinça. Je me mis à la fenêtre. Elizabeth entrait avec une poussette. Lorsqu'elle se retourna pour refermer le battant, j'aperçus les petites chaussures en cuir de Hazel dépassant de l'auvent en toile qui protégeait son visage du soleil.

Au fond de mon sac, je trouvai mon unique robe. Je la secouai avec l'espoir de la défroisser. Je me changeai à la hâte. C'était une robe de coton noir dans le style des années cinquante, ornée d'une ceinture de la même matière. Je glissai mes pieds dans mes petites ballerines rouge bordeaux et agrémentai ma tenue d'un collier de cristal qu'Elizabeth m'avait offert, celui avec lequel Hazel adorait jouer.

Je retournai à la fenêtre en recoiffant mes cheveux courts avec mes doigts. Elizabeth garait la poussette sur le côté des marches. Elle releva l'auvent en toile. Eblouie par le soleil, Hazel poussa un cri puis ses yeux se levèrent sur le château d'eau, jusqu'à ma fenêtre.

Elle me sourit et tendit les bras vers moi, comme si elle voulait que je la prenne.

Elizabeth la sortit de la poussette pour la porter sur la hanche, puis se baissa pour attraper quelque chose dans l'espace de rangement sous le siège et me le montra.

C'était un sac à dos en forme de coccinelle. A l'intérieur, je savais qu'il y aurait le pyjama de Hazel, des couches et un change de vêtements. Elizabeth était joyeuse et affichait un courage résolu. Tout comme moi. A regarder ma fille, j'éprouvais un amour dont je ne me serais jamais crue capable et repensais à ce que Grant m'avait dit, le jour où j'avais reparu dans son jardin de roses. S'il était vrai que la mousse poussait sans racines, si l'amour maternel germait spontanément, à partir de rien, peut-être avais-je eu tort de me croire incapable de m'occuper d'elle. Peut-être que les solitaires, les incompris, les mal-aimés avaient à offrir un amour aussi luxuriant que celui des autres.

Ce soir, elle restera dormir pour la première fois. Je lui lirai des histoires en nous balançant dans le fauteuil à bascule. Ensuite viendra le moment de se coucher et de chercher le sommeil. Peut-être aura-t-elle peur, peut-être me sentirai-je submergée par la responsabilité de la maternité, mais nous essaierons de nouveau la semaine suivante, et celle d'après. Au fil du temps, nous apprendrons à être ensemble, et je saurai l'aimer comme une mère aime sa fille, de manière imparfaite, et sans racines.

Note de l'auteur

Je me suis lancée dans l'écriture du *Langage secret des fleurs* armée d'un seul dictionnaire des fleurs, un ouvrage datant de 1859 signé Henrietta Dumont et intitulé *The Language of Flowers : The Floral Offering*. Un volume à couverture cartonnée qui avait vu des jours meilleurs, rempli de fleurs séchées pressées entre ses pages. Des poèmes recopiés sur des bouts de papier par de précédents propriétaires s'envolaient lorsque je le feuilletais en quête d'une définition.

A peine avais-je rédigé les trois premiers chapitres de l'histoire de Victoria, que je fis une découverte étonnante. Dans la table des matières du ravissant ouvrage de Henrietta Dumont, la rose jaune est l'emblème de la jalousie. Cent pages plus loin, elle réapparaît, mais cette fois avec le sens d'infidélité.

Comme rien dans le texte ne semblait expliquer cette discordance, j'ai consulté d'autres dictionnaires en espérant tomber sur la « bonne » définition de la rose jaune. Pour m'apercevoir qu'en réalité, le problème n'est pas spécifique à cette fleur : toutes possèdent des significations multiples, fournies par des centaines de livres en des dizaines de langues et par d'innombrables sites Internet.

Le dictionnaire que je joins au roman a été confectionné à la manière de Victoria assemblant ses fiches dans ses boîtes. J'ai ouvert sur ma table de salle à manger tous les ouvrages sur le langage des fleurs en ma possession (*The Flower Vase* de Miss S.C. Edgarton, *Language of Flowers* de Kate Greenaway, *The Language and Sentiment of Flowers* de James D. McCabe et *Flora's Lexicon* de Catharine H. Waterman) et j'ai sélectionné pour chaque fleur, tout comme Victoria l'aurait fait, la signification qui me paraissait la plus en accord avec ses caractéristiques physiques. Et lorsque la botanique ne me donnait pas d'indice, j'ai opté pour la définition la plus courante ou tout simplement celle qui me plaisait le plus.

Souhaitant créer un dictionnaire utile à tous les lecteurs d'aujourd'hui, j'ai écarté des plantes figurant dans les ouvrages des temps jadis et passées de mode, et ajouté des fleurs rares au XIXe siècle mais familières à notre époque. J'ai conservé les comestibles, encore une fois comme l'aurait fait Victoria, mais supprimé les arbres et arbustes qui ne fleurissent pas car, pour citer Victoria, qui aurait l'idée d'offrir des brindilles ou des bouts d'écorce pour traduire les mouvements de son cœur ?

Je tiens à exprimer ma reconnaissance à Stephen Zedros de Brattle Square Florist à Cambridge et à Lachezar Nikolov à l'université de Harvard. Sans leur vaste érudition et leur générosité, ce dictionnaire n'aurait pas vu le jour.

…

Le dictionnaire des fleurs de Victoria

…

Abutilon (*Abutilon*) : Méditation
Acacia (*Acacia*) : Amour secret
Acanthe (*Acanthus*) : Amour de l'art
Achillée millefeuille (*Achillea millefolium*) : Remède pour un cœur brisé
Aconit (*Aconitum*) : Sentiment chevaleresque
Agapanthe (*Agapanthus*) : Lettre d'amour
Allium (*Allium*) : Prospérité
Aloès (*Aloe vera*) : Peine
Alstrœmère (*Alstroemeria*) : Dévotion
Alysson maritime (*Lobularia maritima*) : Plus que belle
Amandier, fleur d'(*Amygdalus communis*) : Indiscrétion
Amarante queue-de-renard (*Amaranthus caudatus*) : Sans espoir mais pas désespéré
Amarante (*Amaranthus*) : Immortalité
Amaryllis (*Hippeastrum*) : Fierté
Ammi (*Ammi majus*) : Idées fantasques
Amour en cage *ou* **Lanterne japonaise** (*Physalis alkekengi*) : Mensonge
Ananas (*Ananas comosus*) : Vous êtes parfait(e)
Ancolie (*Aquilegia*) : Abandon
Anémone (*Anemone*) : Désertion
Angélique (*Angelica pachycarpa*) : Inspiration
Arbre de Judée (*Cercis*) : Trahison
Armérie maritime *ou* **Œillet marin** (*Armeria*) : Sympathie
Arum (*Zantedeschia aethiopica*) : Pudeur
Aster (*Aster*) : Patience
Aubépine (*Crataegus monogyna*) : Espoir
Avoine (*Avena sativa*) : Magie de la musique
Azalée (*Rhododendron*) : Passion fragile et éphémère

Basilic (*Ocimum basilicum*) : Haine

Bégonia (*Begonia*) : Prudence

Bignone (*Campsis radicans*) : Renommée

Blé (*Triticum*) : Prospérité

Bleuet (*Centaurea cyanus*) : Félicité incomparable

Bougainvillée (*Bougainvillea spectabilis*) : Passion

Bouton-d'or (*Ranunculus acris*) : Ingratitude

Bouvardia (*Bouvardia*) : Enthousiasme

Cactus raquettes *ou* **Figuier de Barbarie** (*Opuntia*) : Amour ardent

Camélia (*Camellia*) : Mon destin est entre vos mains

Camomille (*Matricaria recutita*) : Energie dans l'adversité

Campanule (*Campanula*) : Désir de plaire

Campanule carillon (*Campanula medium*) : Gratitude

Canneberge (*Vaccinium*) : Guérit les peines de cœur

Capillaire (*Adaintum capillus-veneris*) : Cachotteries

Capucine (*Tropaeolum majus*) : Fougue amoureuse

Cassis (*Ribes*) : Ton courroux me tue

Célosie (*Celosia*) : Affectation

Cerfeuil (*Anthriscus*) : Sincérité

Cerisier, fleur de (*Prunus cerasus*) : Caractère éphémère

Chardon commun (*Cirsium*) : Misanthropie

Châtaignier (*Castanea sativa*) : Rendez-moi justice

Chélidoine (*Chelidonium majus*) : Joies à venir

Chèvrefeuille (*Lonicera*) : Dévouement

Chicorée (*Cichorium intybus*) : Frugalité

Chou (*Brassica oleracea)* : Profit

Chrysanthème (*Chrysanthemum*) : Vérité

Citron (*Citrus limon*) : Entrain

Citronnier, fleur de (*Citrus limon*) : Discrétion

Clématite (*Clematis*) : Pauvreté

Cloches d'Irlande (*Moluccella laevis*) : Bonne chance

Cognassier (*Cydonia oblonga*) : Tentation

Colchique d'automne (*Colchicum autumnale*) : Mes beaux jours sont révolus

Coréopsis (*Coreopsis*) : Joie constante

Coriandre (*Coriandrum sativum*) : Qualités cachées

Cornouiller (*Cornus*) : Amour qui résiste à l'adversité

Cosmos (*Cosmos bipinnatus*) : Joie de vivre et en amour

Crocus (*Crocus*) : Allégresse juvénile

Cyclamen (*Cyclamen*) : Espoir timide

Cyprès (*Cupressus*) : Deuil

Cytise *ou* **Faux ébénier** (*Laburnum anagyroides*) : Beauté pensive

Dahlia (*Dahlia*) : Dignité

Daphné (*Daphne*) : C'est comme ça et pas autrement

Delphinium (*Delphinium*) : Frivolité

Digitale pourpre (*Digitalis purpurea*) : Manque de sincérité
Dragonnier (*Dracaena*) : Prenez garde au piège
Echinacée pourpre (*Echinacea purpurea*) : Force et santé
Edelweiss (*Leontopodium alpinum*) : Courage noble
Eglantier (*Rosa rubiginosa*) : Simplicité
Epilobe (*Epilobium*) : Prétention
Etoile de Bethléem (*Ornithogalum umbellatum*) : Pureté
Eucalyptus (*Eucalyptus*) : Protection
Euphorbe (*Euphorbia*) : Persévérance

Fenouil (*Foeniculum vulgare*) : Force
Ficoïde glaciale *ou* **Herbe à la glace** (*Carpobrotus chilensis*) : Vos regards me glacent
Figuier (*Ficus carica*) : Dispute
Fleur de porcelaine *ou* **Fleur de cire** (*Hoya*) : Susceptibilité
Forsythia (*Forsythia*) : Plaisir anticipé
Fougère (*Polypodiophyta*) : Sincérité
Fraisier (*Fragaria*) : Perfection
Framboisier (*Rubus*) : Remords
Fraxinelle (*Dictamnus albus*) : Enfantement
Freesia (*Freesia*) : Amitié durable
Fuchsia (*Fuchsia*) : Amour humble

Gardénia (*Gardenia*) : Raffinement
Genêt (*Cytisus*) : Humilité
Gentiane (*Gentiana*) : Qualités intrinsèques
Géranium à feuilles de chêne (*Pelargonium*) : Amitié véritable
Géranium rose *ou* **blanc** (*Pelargonium*) : Vous êtes candide
Géranium rouge (*Pelargonium*) : Vous êtes bête
Géranium sauvage (*Pelargonium*) : Piété constante
Gerbe d'or (*Solidago*) : Encouragement prudent
Gerbera (*Gerbera*) : Bonne humeur
Gingembre (*Zingiber*) : Force
Giroflée (*Cheiranthus*) : Fidélité dans l'adversité
Giroflier (*Syzygium aromaticum*) : Je vous ai aimé(e) sans que vous le sachiez
Glaïeul (*Gladiolus*) : Vous me transpercez le cœur
Glycine (*Wisteria*) : Bienvenue
Graminées (*Poaceae*) : Soumission
Grenadier (*Punica granatum*) : Stupidité
Grenadier, fleur de (*Punica granatum*) : Profonde élégance
Gueule-de-loup (*Antirrhinum majus*) : Présomption
Gui (*Viscum*) : Je surmonte tous les obstacles
Gypsophile (*Gypsophila paniculata*) : Amour éternel

Hamamélis (*Hamamelis*) : Sortilège
Hélénie (*Helenium*) : Larmes
Héliotrope (*Heliotropium*) : Affection loyale
Hémérocalie (*Hemerocallis*) : Coquetterie
Hibiscus (*Hibiscus*) : Beauté délicate
Hortensia (*Hydrangea*) : Froideur
Houx (*Ilex*) : Prévoyance

Ibéris (*Iberis*) : Indifférence
Impatiens (*Impatiens*) : Impatience
Iris (*Iris*) : Message

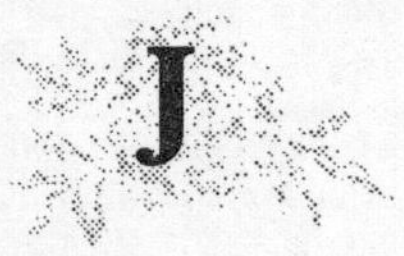

Jacinthe blanche (*Hyancinthus orientalis*) : Beauté
Jacinthe bleue (*Hyacinthus orientalis*) : Constance
Jacinthe des bois *ou* **sauvage** (*Hyacinthoides non-scripta*) : Constance
Jacinthe pourpre (*Hyancinthus orientalis*) : Pardonnez-moi, s'il vous plaît
Jasmin blanc (*Jasminum officinale*) : Amabilité
Jasmin de Caroline *ou* **Gelsémie** (*Gelsemium sempervirens*) : Séparation
Jasmin de Madagascar (*Stephanotis floribunda*) : Bonheur dans le mariage
Jasmin indien (*Jasminum multiflorum*) : Attachement
Jonquille (*Narcissus jonquilla*) : Désir
Julienne maritime (*Malcolmia maritima*) : Vous serez toujours belle pour moi

Kaki (*Diospyros kaki*) : Qu'on m'enterre parmi les beautés de la nature

Laitue (*Lactuca sativa*) : Sans pitié
Lantana (*Lantana*) : Rigueur
Laurier (*Laurus nobilis*) : Gloire et réussite
Laurier-rose (*Nerium oleander*) : Attention !
Lavande (*Lavandula*) : Méfiance
Liatride *ou* **Plume du Kansas** (*Liatris*) : Je reviendrai à la charge
Lichen (*Parmelia) :* Découragement
Lierre (*Hedera helix*) : Fidélité
Lilas (*Syringa*) : Premiers émois amoureux
Lin (*Linum usitatissimum*) : Je suis sensible à ta gentillesse
Lisianthus (*Eustoma*) : Estime
Lobelie (*Lobelia*) : Malveillance
Lotus (*Nelumbo nucifera*) : Pureté
Lupin (*Lupinus*) : Imagination
Lys (*Lilum*) : Majesté

Magnolia (*Magnolia*) : Dignité
Maïs (*Zea mays*) : Richesses
Marguerite (*Bellis*) : Innocence
Marjolaine (*Origanum*) : Emois
Mélèze (*Larix decidua*) : Audace
Menthe poivrée (*Mentha*) : Chaleur des sentiments
Millepertuis (*Hypericum perforatum*) : Superstition
Mimosa (*Mimosa*) : Sensibilité
Molène (*Verbascum*) : Ne perdez pas courage
Monnaie-du-pape (*Lunaria annua*) : Honnêteté

Mouron des oiseaux *ou* **Stellaire** (*Stellaria*) : Bienvenue

Mouron rouge (*Anagalis arvensis*) : Changement

Mousse (*Bryopsida*) : Amour maternel

Moutarde (*Brassica*) : Je suis blessé(e)

Muguet (*Convallaria majalis*) : Retour de bonheur

Mûrier (*Rubus*) : Jalousie

Myosotis (*Myosotis*) : Ne m'oubliez pas

Myrte (*Myrtus*) : Amour

Narcisse (*Narcissus*) : Amour de soi-même

Narcisse jaune (*Narcissus pseudonarcissus*) : Nouveau départ

Navet (*Brassica rapa*) : Charité

Nénuphar (*Nymphaea*) : Pureté du cœur

Nigelle de Damas (*Nigella damascena*) : Perplexité

Noisetier (*Corylus*) : Réconciliation

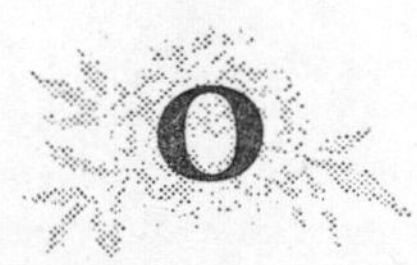

Œil-du-Christ (*Aster amellus*) : Adieu

Œillet blanc (*Dianthus caryophyllus*) : Douce et adorable

Œillet de la Pentecôte (*Dianthus*) : Pur amour

Œillet du poète (*Dianthus barbatus*) : Galanterie

Œillet jaune (*Dianthus caryophyllus*) : Dédain

Œillet rose (*Dianthus caryophyllus*) : Jamais je ne vous oublierai

Œillet rouge (*Dianthus caryophyllus*) : Mon cœur se brise

Œillet strié (*Dianthus caryophyllus*) : Je ne peux pas être avec vous

Œillet véritable (*Dianthus*) : Hâtez-vous

Oiseau de paradis (*Strelitzia reginae*) : Magnificence

Olivier (*Olea europaea*) : Paix

Onagre (*Oenothera biennis*) : Inconstance

Orange (*Citrus sinensis*) : Générosité

Oranger, fleur d' (*Citrus cinensis*) : Votre pureté est à l'égal de votre beauté

Orchidée (*Orchidacea*) : Beauté raffinée

Origan (*Origanum vulgare*) : Joie

Ortie (*Urtica*) : Cruauté

Pâquerette (*Bellis*) : Innocence

Partenelle *ou* **Grande Camomille** (*Tanacetum parthenium*) : Je vous déclare la guerre

Passiflore (*Passiflora*) : Foi

Pavot (*Papaver*) : Totale extravagance

Pêche (*Prunus persica*) : Vos charmes sont sans égal

Pêcher, fleur de (*Prunus persica*) : Je suis votre prisonnier (-ère)

Pensée (*Viola*) : Pensez à moi

Perce-neige (*Galanthus*) : Consolation et espoir

Persil (*Petroselinum crispum*) : Réjouissance

Pervenche (*Vinca minor*) : Tendres souvenirs

Pétunia (*Petunia*) : Votre présence m'apaise

Peuplier blanc (*Populus alba*) : Temps

Peuplier noir (*Populus nigra*) : Courage

Phlox (*Phlox*) : Nos âmes sont unies

Pied-d'alouette (*Consolida*) : Légèreté

Pissenlit (*Taraxacum*) : L'oracle champêtre

Pittospore ondulé (*Pittosporum undulatum*) : Fausseté

Pivoine (*Paeonia*) : Colère

Poinsettia (*Euphorbia pulcherrima*) : Gardez votre bonne humeur

Poire (*Pyrus*) : Affection

Poirier, fleur de (*Pyrus*) : Réconfort

Pois de senteur (*Lathyrus odoratus*) : Plaisirs délicats

Pois vivace (*Lathyrus latifolius*) : Plaisir durable

Polémoine (*Polemonium*) : Chute

Pomme (*Malus domestica*) : Tentation

Pomme de terre (*Solanum tuberosum*) : Bienveillance

Pomme de terre, fleur de (*Solanum jasminoides*) : Vous êtes délicieuse

Pommier, fleur de (*Malus domestica*) : Tentation

Pommier du hou-pei, fleur de (*Malus hupehensis*) : Mauvais caractère

Populage des marais *ou* **Souci d'eau** (*Caltha palustris*) : Désir de richesses

Potentille *ou* **Quintefeuille** (*Potentilla*) : Fille bien-aimée

Primevère commune (*Primula vulgaris*) : Enfance

Primevère à fleurs multiples (*Primula polyantha*) : Confidence

Primevère officinale *ou* **Coucou** (*Primula veris*) : Esprit méditatif

Protée (*Protea*) : Courage

Prunier (*Prunus domestica*) : Tenez vos promesses

Pulmonaire (*Pulmonaria*) : Vous êtes toute ma vie

Reine-des-prés (*Filipendula ulmaria*) : Sentiment d'inutilité

Renoncule (*Renunculus asiaticus*) : Vous êtes pleine de charme

Réséda odorante (*Reseda odorata*) : Vos qualités surpassent vos charmes

Rhododendron (*Rhododendron*) : Danger

Rhubarbe (*Rheum*) : Conseil

Romarin (*Rosmarinus officinalis*) : Souvenirs

Rose, blanche (*Rosa*) : Un cœur qui ignore l'amour

Rose, crème (*Rosa*) : Modestie

Rose, jaune (*Rosa*) : Infidélité

Rose, orange (*Rosa*) : Fascination

Rose, pourpre (*Rosa*) : Enchantement

Rose, rose (*Rosa*) : Grâce

Rose, rouge (*Rosa*) : Amour véritable

Rose, rouge foncé (*Rosa*) : Beauté inconsciente

Rose moussue (*Rosa*) : Déclaration d'amour

Rose trémière (*Alcea*) : Ambition

Rudbeckia (*Rudbeckia*) : Justice

Rumex *ou* **Oseille sauvage** (*Rumex acetosa*) : Affection des parents

Sabot-de-Vénus (*Cypripedium*) : Beauté capricieuse

Safran (*Crocus sativus*) : Attention aux excès

Sauge (*Salvia officinalis*) : Bonne santé et longévité

Saxifrage (*Saxifraga*) : Affection

Scabieuse (*Scabiosa*) : Amour non payé de retour

Sedum (*Sedum*) : Tranquillité

Souci (*Calendula*) : Chagrin

Spirée (*Spiraea*) : Victoire

Stellaire (*Stellaria*) : Bienvenue

Sureau (*Sambucus*) : Compassion

Tanaisie *ou* **Barbotine** (*Tanacetum*) : Cordialité

Thym (*Thymus*) : Activité

Tilleul (*Tilia*) : Amour conjugal

Tournesol (*Helianthus annuus*) : Fausses richesses

Trachélie (*Trachelium*) : Beauté négligée

Trèfle blanc (*Trifolium*) : Pensez à moi

Trille (*Trillium*) : Beauté modeste

Tubéreuse « La Perle » (*Polianthes tuberosa*) : Plaisirs dangereux

Tulipe (*Tulipa*) : Déclaration d'amour

V

Véronique (*Veronica*) : Fidélité

Verveine (*Verbena*) : Priez pour moi

Vesce (*Vicia*) : Je m'accroche à vous

Vigne (*Vitis vinifera*) : Abondance

Violette (*Viola odorata*) : Modestie

Volubilis (*Ipomoea*) : Coquetterie

Zinnia (*Zinnia*) : Je pleure votre absence

Remerciements

Mon roman reposant en grande partie sur les relations mère-fille, je voudrais d'abord exprimer ma gratitude à ma mère : Harriet Elizabeth George, une femme courageuse et résistante qui a appris à être mère avec intelligence, courage, et grâce au soutien de son entourage. Sans elle je ne posséderais pas cet optimisme chevillé au corps qui me porte à croire que l'on peut changer la vie.

Que soient aussi remerciées toutes celles qui m'ont maternée : ma belle-mère, Melinda Vasquez, la mère de mon mari, Sarada Diffenbaugh, mes grands-mères, Virginia Helen Fleming, Victoria Vasquez, Irene Botill, Adelle Tomash, Carolyn Diffenbaugh et Pearl Bolton. Je remercie aussi mes pères, qui ont fait de nous toutes de meilleures mères : mon papa en titre, Ken Fleming, mon beau-père, Jim Botill, le père de mon mari, Dayanand Diffenbaugh, mon beau-frère, Noah Diffenbaugh, et mon mari, PK Diffenbaugh. Sans votre amour et vos encouragements, je n'aurais jamais su rassembler autant non seulement de connaissances mais aussi de confiance en moi, ni trouvé le temps d'écrire ce livre.

Je tiens à remercier mes premiers lecteurs et lectrices et mes amis très chers : Maureen Wanket pour avoir cru dans mon roman dès les premières pages, sa confiance a été contagieuse ; Tasha Blaine pour l'avoir lu alors qu'il était encore dans les limbes et m'avoir dit le fond de sa pensée, je lui en suis éternellement reconnaissante ; Angela Booker pour s'être assise à côté de moi et m'avoir prodigué ses encouragements alors que j'en récrivais la fin, indéfiniment ; Jennifer Jacoby et Lindsey Serrao pour m'avoir prêté une oreille attentive et communiqué leur bonheur alors que je me débattais avec mon propre rôle de mère ; Polly Diffenbaugh pour m'avoir appris à disséquer une fleur, à me servir d'un guide et expliqué les subtiles ramifications de la classification botanique ; Jennifer Olden pour ses renseignements sur les troubles de l'attachement ; Priscillia de Muizon pour ses merveilleux récits sur son enfance dans une propriété vinicole ; Janay Swain pour avoir répondu à mes questions sur l'accueil d'enfants à problèmes ; Barbara Tomash pour avoir rêvé éveillée de concert avec moi au bord du lac et m'avoir aidée à trouver les titres des différentes parties du livre ; Rachel McIntire pour avoir eu l'idée de la chambre bleue et pour m'avoir divulgué les secrets de l'arrangement floral ; Mark Botill pour m'avoir fait profiter de son intelligence et de son sens de l'humour ; Amanda Garcia, Carrie Marks, Isis Keigwin, Emily Olavarri et Tricia Stirling pour avoir lu le roman à ses débuts et m'avoir encouragée à continuer ; Wendi Everett, Wendi Imagire, Tami Trostel, Josie Bickinella, Sara Galvan, Sue Malan et Kassandra Grossman pour s'être occupées de mes enfants et m'avoir donné le temps d'écrire ; Christie Spencer pour avoir pleuré en lisant mon synopsis et m'avoir rappelé combien une bonne histoire pouvait être poignante.

Je suis infiniment reconnaissante à mon agent, Sally Wofford-Girand, qui a su discerner le potentiel de mes premières tentatives et m'a poussée à peaufiner mon texte. Comment la remercier assez de tout ce qu'elle a fait pour ce roman ? Je remercie aussi Jenni Ferrari-Adler qui m'a rappelé l'importance du rythme, des personnages et de l'intrigue alors que j'avais l'impression d'avoir terminé (ce qui était loin d'être le cas !) et Melissa Sarver qui a si bien su tous nous galvaniser. Merci à Jennifer Smith, ma brillante éditrice de chez Ballantine, dont l'attention aux détails et les sages conseils m'ont été précieux. Cela a été un plaisir de travailler avec elle.

Je tiens par ailleurs à remercier mes professeurs en « écriture », que je cite par ordre d'apparition dans ma vie : Charlotte Goldsmith, pour m'avoir appris à tracer l'alphabet sur du sable répandu sur un plateau ; Linda Holm pour m'avoir offert un journal intime et demandé de le remplir ; Chris Persson pour avoir lu ma première nouvelle et m'avoir dit que j'avais l'étoffe d'un écrivain puis m'avoir aidée à en devenir un ; Keith Scribner et Jennifer Richter pour, en plus de tout ce qu'ils m'ont enseigné sur la littérature, m'avoir permis de tenir le coup à l'université en me montrant à quoi ressemblaient leurs existences de jeunes auteurs, d'enseignants et de parents.

Je remercie mes enfants, qui m'ont appris à être mère et m'ont aimée malgré mes erreurs : Tre'von, Chela, Miles, Donavan, Sharon, Krystal, Wayneshia, Infinity et Hope. Et Megan, où que tu sois.

Dans le langage des fleurs, le camélia signifie *Mon destin est entre vos mains.* La fondation Camellia Network créée par l'écrivain Vanessa Diffenbaugh a pour objectif de fournir les moyens de leur indépendance aux jeunes Américains hébergés par une famille d'accueil lorsqu'ils doivent la quitter à leur majorité.

www.camellianetwork.org

Photocomposition Nord Compo
59650 Villeneuve-d'Ascq

Achevé d'imprimer par N.I.I.A.G.
en juillet 2011
pour le compte de France Loisirs, Paris

N° d'éditeur : 64532
Dépôt légal : août 2011
Imprime en Italie